心理三国三部曲之

看透历史，讲透人性

心理关羽

陈禹安 著

郑州大学出版社
·郑州·

图书在版编目（CIP）数据

心理关羽 / 陈禹安著. — 郑州：郑州大学出版社，2020.11

（心理三国三部曲）

ISBN 978-7-5645-7369-0

Ⅰ.①心… Ⅱ.①陈… Ⅲ.①《三国演义》研究②关羽（160-219）—人物分析 Ⅳ.①I207.413②K825.2

中国版本图书馆CIP数据核字（2020）第200420号

心理关羽
XINLI GUANYU

策划编辑	郜　毅	封面设计	张立娟
责任编辑	王卫疆	封面插画	赵　鹏
责任校对	成振珂	版式设计	蔡小波
责任监制	凌　青　李瑞卿		

出版发行	郑州大学出版社有限公司（http://www.zzup.cn）
地　　址	郑州市大学路40号（450052）
出 版 人	孙保营
发行电话	0371-66966070
经　　销	全国新华书店
印　　刷	德富泰（唐山）印务有限公司
开　　本	710 mm × 960 mm　1/16
印　　张	21.5
字　　数	388千字
版　　次	2020年11月第1版
印　　次	2020年11月第1次印刷
书　　号	ISBN 978-7-5645-7369-0　　　定价　49.80元

本书如有印装质量问题，请与本社联系调换。

生活是正着来活,却要倒着去理解。
如果你能够倒着理解历史,那么你正着的生活一定可以少走弯路,少犯错误。

——题记

序言

三国鼎立是一个特殊的时期。这一时期的政治,风云变幻;军事斗争,气势壮阔;三国外交,纵横捭阖。因此,演说三分,有说不完的故事。

时势造英雄,三国时期,人才辈出,业绩昭著,许多人物,家喻户晓,总是为人们津津乐道。"三个臭皮匠,顶个诸葛亮""说曹操,曹操到",已成为人们生活中的常用语,可见三国故事影响之深。

三国鼎立,人谋规划起到了至关重要的作用。因此,三国时期,人物关系复杂,他们在大动乱的血雨腥风中拼搏生存,增长了智慧才干;各色人物可歌可泣的故事,给人们留下了很多历史经验与教训;读三国,听三国,都给人以许多教益,这就是三国故事历久不衰的主要原因。近年来,人们从各个角度重读三国,更增添了三国故事的活力。

"心理三国三部曲"是陈禹安先生推出的以心理学视角品读三国的著作,包括《心理关羽》《心理诸葛》《心理曹操》。作者选取了三国人物中在民间影响最大的三位人物——关羽、诸葛亮、曹操,通过心理描写,遥情想象,解读三位人物的人生。如此解读三国,别开生面,览卷批阅,令人耳目一新。

但若质疑问难,可以提出许多问题。最切要的问题有两个必须回答:第一,以今人的心理去猜度两千年前古人的心理，种种描绘可靠吗？直白地说，能用心理分析研究历史吗？第二，作者所选三人——关羽、诸葛亮、曹操——能够代表三国吗？我以一个普通读者的体会，试着回答这两个问题。

心理学是近现代发展起来的一门社会科学，运用心理分析的方法去研究历史，其实在今人的许多论著中已有部分的运用。科学的发展是人们智慧的积累，运用现代科学技术解读历史遗存的密码是必然的发展趋势，也是科学的。例如，用碳-14去测定历史文物的年代，就是考古学常用的一种手段。借助现代数学、统计学的发展，运用数量统计研究历史，已是公认的先进的历史研究方法之一。这是有意识的方法运用。

无方法意识的直观感觉，心理分析，古已有之。例如司马迁写《史记》，在《司马相如列传》中写卓文君偷听司马相如弹琴"心悦而好之，恐不得当也"，这两句就是心理描写。作者用"悦""好""恐"三个字把卓文君喜、爱、愁的复杂心理活动表现得淋漓尽致。明清"三言二拍"小说，中国四大名著——《水浒传》《三国演义》《红楼梦》《西游记》中的心理描写无处不在。然而集中地、从头至尾、洋洋洒洒数十万言，全景式展开的心理分析，"心理三国三部曲"确实是一个首创。陈禹安先生做了这个工作，他成了第一个吃螃蟹的人，取得了成功，可喜可贺。也就是说，运用心理分析解读人物、演说三国，在方法上是没有疑义的。陈禹安先生的首创精神，不仅开拓了演说三国的新领域，而且开启了引领后继者的作用，值得肯定。

当然，古人与今人，时移势异，今人的遥情想象未必就是古人原来的意图，历史真相未必如此，读者不能钻牛角尖。

历史研究，有多种方法，有多种价值。历史的考证，目的是还原历史的本来面目，探求历史之真，吸取经验教训，这是历史的借鉴价值；演说历史故事，添油加醋，娱乐生活，这是历史的欣赏价值；借旧瓶装新酒，对历史再创作，以古喻今，抒写作者现实的人生感悟，这是历史的现代价值。陈禹安先生对心理学有深厚的造诣，对现代社会有通透的认识，对现实人生有独到的感悟，所写"心理三国三部曲"更多的是在解读当代社会，可使读者增益智慧，这可以看作是作者创作的主题思想，它集中体现在每一则故事之后的"心理感悟"中。例如《心理关羽》中"想成就大事的人，善于让别人承诺比自己善于承诺更重要"，《心理诸葛》中"世界并不是一个客观的存在，而是你所期望看到的存在"，《心理曹操》中"索取，有时候比发誓更能取信于人"，凡此种种，条条都是作者抽象提取出来的人生哲理箴言。如果读者认同我的这一体会，那么"心理三国三部曲"最大的价值，重点不是放在借鉴历史经验上，而是借题创作，挖掘历史的现代价值。作者的这一匠心运筹，打破了古今时空的距离，解读的历史人物贴近现实生活，仿佛关羽、诸葛亮、曹操就在我们的身边。加之作者流畅的语言、新颖的编排，可以预期《心理三国》三部曲的出版，将会赢得广大的受众。

　　三国鼎立的主线是魏吴对峙，蜀国偏安一隅，又最先灭亡，蜀汉君臣对历史的贡献最小。但蜀国治理得最好，又是继汉正统，所以在演说三分的故事中，蜀汉对峙成了主线，吴国成了偏安。在《三国演义》中，诸葛亮是第一主角，描写诸葛亮的篇幅最长。由于诸葛亮是三分天下的规划者，他成了智慧的化身，在民间影响超过了曹操，更压过了刘备。成都武侯祠，原本是刘备的陵寝，诸葛亮反客为主，民间只知有武侯祠，而不知有刘备墓。关羽是忠义的化身，他在民间的影响更超过了诸葛亮，还走向了世界，东南亚和欧美国家都有关公庙。关羽被历代帝王十次加封，乾隆三十二年更是加封关羽为忠义神武的关圣大帝。论历史贡献，三国的奠基者曹操、孙权、刘备三人贡献最大，按所建三国的疆域大小排列三人的名次，不应有争议。但是在民间的影响却是关羽、诸葛亮、曹操三人为一甲，关羽的影响最大，诸葛亮次之，曹操只能在第三位。陈禹安先生创作的"心理三国三部曲"选择关羽、诸葛亮、曹操三位及其排序，应是基于民间影响力，也是十分得体的。

我爱好三国历史，做过一些研究，写过几本书，但都没有跳出传统的研究方法，只是运用文献解读历史，缺少运用新方法开拓创造的精神，新进的作者值得我向他们学习。

是为序。

享受国务院政府特殊津贴专家、秦汉三国史研究专家

自序

三问"心理说史"

"心理三国三部曲"是"心理说史"的开创之作,在十周年纪念版出版之际,很有必要厘清读者们最关心的几个问题,其实主要就是三个:"心理说史"是什么?从何而来?去往何方?

心理说史是什么?

在"心理三国"系列出现之前,国内从未有过这种集历史、心理和文学于一体的写作形式,既像历史小说又像心理分析,很难归于已有的类别。系列作品的第一部《心理关羽》,在出版过程中关于书名的争议从未停息。"心理三国"的内容曾在天涯论坛连载,先后有几十家出版社表达过出版意愿,但几乎没有一家不想把书名改换的,因为当时没有人确切知道《心理关羽》到底在表达什么。但改来改去,却都觉得没有一个其他的书名能够统摄《心理关羽》的丰富内涵,于是这一独特的书名就幸运地被保留了下来,并沿用到整个"心理说史"系列的其他作品中。

"心理说史"关键在于"心理"两个字。实际上,把这两个字当作动词而不是名词就容易理解了。"心理三国"就是用心理学去梳理、剖析三国的历史进程及关键细节,《心理关羽》就是用心理学去梳理、剖析关羽一生的心路历程。

一开始写"心理三国"的时候,我主要运用的是社会心理学，但自然而然地，人格心理学、发展心理学、进化心理学、认知心理学、生物心理学等应需而入，甚至还引用了全球心理疗愈领域大量的研究成果。同时，我本人对于"心理"的理解，也超越了现代学科体系所设定的边界，把自己对中国传统文化中的儒释道以及西方哲学体系的更深感悟融入其中。

从我个人的角度来看，也许"心"理比"心理"更接近真正的内涵，我甚至有这样一个观点：这个世界上，和人的社会属性、文化属性相关的知识，只有一门心理学。所谓的哲学、人类学、社会学、管理学、营销学等，实质上都是心理学。

所以，心理说史就是用"心"去梳理历史、述评人物。

说到历史，也许又会引发一个争议。"心理说史"的开创之作——"心理三国三部曲"参照的底本是《三国演义》，而不是所谓的正史《三国志》。读者们难免会质疑，《三国演义》能算是历史吗？

三国是非常特殊的一段历史，短短几十年，却是整个中国历史中最脍炙人口、广为人知的，这要归功于《三国演义》和各种戏剧、评书的民间传播。如果你和非历史专业的三国迷说，草船借箭的不是诸葛亮，而是孙权；华雄不是关羽斩的，而是孙坚干的，也没有温酒这回事……恐怕这些三国迷会找你拼命。从心理学的角度，信即为真，将大众一致信以为真的信息视为历史，其实并无不可。这同样可以推及广为人知的《水浒传》《红楼梦》的解读。

细品《三国演义》，我们还会发现，这其实是中国人代代相传的集体创作，也是中国人集体潜意识的外显。《三国演义》中隐藏的是中国人国民性的基因密码。从而，用心理学加以解剖，就更有其必要性，也更有其正当性了。

当然，心理说史在处理其他的历史时，会尊重基本史实，但读者们也必须明白，从来就没有所谓百分百真实的客观历史，任何记录都会带有记录者主观感受的痕迹以及个人视角及表述能力的限制。

"心理说史"从何而来？

2007年初夏，我突然从每天平均工作十二小时以上的繁忙节奏中脱身，有了很多的空闲时间。当时，我就想用一种不一样的方式来阐述历史。于是，在一台黑色的索尼电脑上不知不觉敲下了三万字，这就是《心理关羽》的前十节。

写完这三万字，突然意兴索然，我就放下了，那台电脑后来也不见了。但幸运的是，这些文字在一个U盘中留下了备份。整整两年之后，一个非常偶然的原因令我想起这些文字，然后把它们发到了天涯论坛，每天发一节。刚开始的时候，并没有什么动静，我原想发完这十节，也就该结束了。没想到第九节发出后，跟帖瞬间火爆起来。网友的热情让我觉得这样的文字也许是有价值的。于是，整个三部曲就一气呵成了。

所以，"心理说史"本是无心插柳之举，刚开始的时候，我并不知道我后来会写出十几部作品，也不可能想到"心理三国"能够以数种文字、多个版本风行于世。

一个婴儿初生之际，人们可能不会急于为他畅想未来，但"心理三国"系列已经十周岁了，我们不免要考虑它的未来。

"心理说史"将去往何方？

十年来，我一直在思考这个问题。

历史到底是什么？如果历史仅仅是过眼云烟，"万里长城今犹在，不见当年秦始皇"，那么，事过多年之后，我们去学习历史、剖解古人又能得到什么？

从人性的基底来看，所谓历史，其实是一间巨大的心理实验室，一打开门，看到的却是正在发生的现实。历史，其实不是古人的故事，而是我们每个人自己的故事。基于此，我们也就发现了心理说史的基本价值——剖析古人心理，感悟现实人生。

每个人都是在不断成长的，每个人的一生其实都有一条心路历程。我们往往以固定的一个标签去看待一个人，但一个人并非只代表是一张脸谱。

美国作家迪帕克·乔普拉写过一本小说——《人子耶稣》，从人的角度描写了《圣经》中缺失的耶稣从十二岁到三十岁的历程。乔普拉感慨地说："不管是否信奉基督教，人们把耶稣看成是静态的。耶稣没有烦恼，也不会成长。耶稣在伯利恒的马厩里一生下来就是神圣的，终其一生都是如此。"所以，他反其道而行之，把小说的主题定为：一个有潜力成为救世主的年轻人，发现了自己的潜力并学会了实现自己的潜力。

乔普拉对耶稣的成长的理解，其实也应该正是我们对任何一个人——无论是历史风云人物，还是现实中普通人——成长的理解。

我希望"心理说史"能够让历史在心理学中复活，让人性在心理学中鲜活，从而在历史学、心理学和文学的交叉之处，留下一个不一样的印记。"看透历史，讲透人性"，这就是"心理说史"必须承担的历史使命，也是"心理说史"一直在努力前往的未来。

我们在历史上所做的每一分努力，都应该是为了让现实更美好。

2019年12月29日星期日下午3:38于杭州别馆13B

兵败降汉

1. 潜规则重于生命 —————————— 003
2. 透支信义的后果 —————————— 007
3. 仪式不都是花架子 ————————— 011
4. 有锁就能找到钥匙 ————————— 015
5. 人是被自己说服的 ————————— 019
6. 用想象的方法解决难题 ——————— 023
7. 错误的信念也是信念 ———————— 027
8. 行为最终决定态度 ————————— 031

身在曹营

9. 给予也是一门艺术 —————————— 037
10. 要命的激励方向 —————————— 041
11. 专家就要会投其所好 ———————— 045
12. 人才不用是废物 —————————— 049
13. 谁会不在意别人的评价 ——————— 053
14. 谦逊是骄傲的一种方式 ——————— 057
15. 当我兄弟杀了你兄弟 ———————— 061
16. 就要那颗错版金印 ————————— 065
17. 做事嘀咕送老命 —————————— 069
18. 换一块石头就又绊倒你 ——————— 073
19. 一封家书值万金 —————————— 077

单骑千里

20. 两粒速效救心丸 —————————— 085
21. 就为那一刹那的冲动 ———————— 089

22. 两件衣服保了一世英名 —————— 093

23. 天下没有人可以负我 —————— 097

24. 高人一指铁成金 —————— 101

25. 黄头巾的偏见 —————— 105

26. 反常背后必有隐情 —————— 109

五关六将

27. 天生我才必优秀 —————— 115

28. 非法的权威就不是权威 —————— 119

29. 虚情假意易骗人 —————— 124

30. 面孔就是介绍信 —————— 129

31. 黎明前夕的放松 —————— 134

32. 领导的话也要分析执行 —————— 138

33. 讨价还价的技巧 —————— 143

34. 浑身有嘴也难剖白 —————— 148

35. 一个玩笑的代价 —————— 152

36. 眼泪是最好的润滑剂 —————— 156

蛰伏新野

37. 自己的好就得别人夸 —— 163
38. 差生考了一次好成绩 —— 167
39. 挚爱是人的软肋 —— 171
40. 夸别人就是贬自己吗 —— 175
41. 这个年轻人会摆谱 —— 180
42. 疗效是最好的广告 —— 185
43. 责任交给一个人担 —— 189

转战荆南

44. 经历是一种财富 —— 195
45. 琢磨人才能琢磨成事 —— 200
46. 伟大就是不被失败打倒 —— 204
47. 为了忠义的背叛 —— 209
48. 魔术师最怕背后的人 —— 213
49. 不存款到哪里去取钱 —— 218

50. 我会成为你希望的样子 —————— 223

51. 权威属于一把手 —————— 228

虎踞荆州

52. 捧了一个易碎的花瓶 —————— 235

53. 转变有时是愚蠢的 —————— 239

54. 迁怒是人的劣根性 —————— 243

55. 兔子急了也咬人 —————— 248

56. 好运是不能透支的 —————— 252

57. 名声是一把双刃剑 —————— 256

58. 总有一只倒霉的猫 —————— 260

威震华夏

59. 窗户坏了要早点修 —————— 267

60. 胆小鬼坏了大事 —————— 271

61. 怀疑之后的怀柔 —————————— 275

62. 我是英雄我怕谁 —————————— 279

63. 为什么忘了疼痛 —————————— 283

64. 老虎是牛犊顶死的 ————————— 287

65. 小心捧你的那个人 ————————— 292

66. 胆小鬼坏了大事 —————————— 296

67. 引向失败的馊主意 ————————— 300

68. 人心散了队伍不好带 ———————— 304

69. 鼠辈大胆敢欺虎 —————————— 308

70. 那一曲英雄悲歌 —————————— 312

本书主要心理学概念解读（括号内数字为所在篇目）—— 317

后记 ———————————————— 322

初版后记 ————————————— 325

兵败降汉

潜规则重于生命 / 透支信义的后果 / 仪式不都是花架子 /
有锁就能找到钥匙 / 人是被自己说服的 / 用想象的方法解决难题 /
错误的信念也是信念 / 行为最终决定态度

1

潜规则重于生命

"关羽是不可能投降的!"说话的是郭嘉,字奉孝,曹操帐下首屈一指的谋士。

郭嘉说这句话的时候,曹操刚刚把刘备打得落荒而逃,不知去向。关羽因为保护刘备的家小被曹操大军团团围住。曹操素来爱惜人才,不忍心关羽就此战死,想派人劝降,收归己用。

郭嘉做出这个判断的理由是,关羽是个忠义之士,所以不会投降。

可为什么忠义之士就不会投降呢?难道随便给人贴上个"忠义"或"奸诈"的标签,就可以让这个人按此行事,无从逾越?!显然,事情没有这么简单。

真正的原因应该用"承诺——一致"原理来分析。

一般来说,当一个人以各种方式许下承诺后,总是想保持言行一致的,其行为就自然而然会按照承诺去执行(除非有一种外在的巨大阻力阻止他这样做),而行动又会进一步强化原先的承诺。如此周而复始,不断强化。人之所以会这么做,是出于生存和可持续发展的需要。因为,自相矛盾被普遍认为是一种不良的品性。如果一个人的信仰、言辞、行为前后不一致,这个人就会被看作优柔寡断、头脑混乱、两面三刀。在社会共识中,这样的人显然是不被认同的。一个不被社会认同的人,势必会被社会唾弃。一旦被整个社会唾弃,人的生存就没法保障,更不用谈什么发展了。

承诺对承诺者的束缚强度与承诺的公开程度是正相关的。承诺越公开化,知道的人越多,其束缚力就越强,承诺者就越难摆脱承诺的约束。

十几年前,关羽有过一次承诺。这次承诺在三国中非常有名,可以说是尽人皆知。和关羽一起参与承诺的还有另外两个人,一个叫刘备,一个叫张飞。这三个人风云际会,一见如故,想一起建功立业,就在张飞家的桃园中,准备了乌牛白马,一应祭礼用品,焚香对天盟誓说:"念刘备、关羽、张飞,虽然异姓,既结为兄弟，则同心协力，救困扶危；上报国家，下安黎庶。不求同年同月同日生，只愿同年同月同日死。皇天后土，实鉴此心，背义忘恩，天人共戮！"

承诺给关羽界定了他这一生中最主要的社会角色——做一个忠义之士。忠义这两个字就像两条大绳拴住了关羽。纵观关羽这一生行事，非忠即义，断然不会偏离这两个字。

桃园三结义名闻天下，知道这个承诺的人太多了。如果三人中有任何一个出尔反尔，势必被天下人唾弃。刘关张严格按照这个承诺，言行一致，形影不离，也有十好几年了，在思维、行动上都形成了惯性定式。虽说这些年来，刘备居无定所，四处奔走，也不时转换主子。但不管刘备投靠谁，关羽从来没离开过刘备自立。所以说，关羽可以跟着刘备投降别人，但不会背弃刘备去投降别人。而且这一次，三兄弟是被曹操击败，刘张在乱军中不知去向，你说，关羽能背叛刘备而投降敌人曹操吗？

所以说，并不是说关羽是个忠义之士就不会投降，而是承诺束缚住他的手脚，让他必须保持言行一致，不能或不敢投降。

也许有不服气的就说了，"承诺——一致"原理真的有那么大威力吗？是不是关羽是个特殊的个例，承诺对他特别有约束力，对其他人并非如此。

我们不妨来看看西汉开国三杰之一韩信的例子。

韩信曾经有多次机会，可以背汉自立，把命运掌握在自己手中。

韩信攻克齐国，刘邦却被项羽死死围住，急令韩信发兵解围。此时，项羽就派人来说服韩信，劝他自立门户，以成项刘韩三国鼎立之势，常保富贵。这个时候，韩信是决定楚汉相争最终结果的关键力量。韩信助汉，则汉胜。韩信帮楚，则楚胜。韩信两不相帮，则楚汉为蚌鹬，韩信为渔翁。主动权一切都掌控在韩信之手。但韩信没有同意项羽的建议。

谋士齐人蒯通则用另一种更具说服力的方式劝说韩信："我早年曾经遇见异人，蒙他传授神相之术。我连日来给你看面相，从正面看呢，最多不过封侯，但如果从背后看呢，则贵不可言。"蒯通话中有话，"背"字一语双关，既指"后背"，又喻"背汉"。但韩信还是没有同意。

时移机逝，韩信最终没有逃脱"狡兔死，走狗烹；飞鸟尽，良弓藏"的命运，还连带三族被灭。

我们从历史的这一头往回看，如果韩信背汉自立，天下归属确实尚未可知。虽然韩信未必就能取代刘邦成为天下之主，但至少也能有一番作为，就算难逃一死，也可以死得轰轰烈烈，不至于窝窝囊囊，束手待毙于吕后之手。

但韩信为什么就是不背叛刘邦呢？

答案还是要归结到"承诺——一致"原理。

当初韩信在项羽手下不受重视，官不过郎中，位不过执戟，言不听，计不从。但刘邦却筑坛拜他为大将，节制三军，可谓是"一人之下，万人之上"。韩信感其知遇之恩，拜谢说："臣闻国不可从外而治，军不可从中而御，二心不可以事君，疑志不可以应敌。臣既受命，专节钺之威，敢不尽竭驽骀，以报陛下知遇之恩哉？"（采《西汉演义》说）

这段话，就是韩信当面对刘邦许下的承诺。在这个承诺中，韩信表达了两层意思。第一，他把自己定位为"臣"，把刘邦视为"陛下"；第二，他要鞠躬尽瘁，竭尽全力以报答刘邦的知遇之恩。

这两层含义的承诺明确界定了两者之间的地位关系，以及韩信必须要承担的责任和义务。正是"承诺——一致"的内在要求，束缚了韩信的选择。韩信在临死之前的哀叹"吾悔不用蒯通之计，乃为儿女子所诈，岂非天哉"有力地说明了承诺对韩信的约束是何等之重，他内心又是何等的挣扎！

再来看一代奸雄曹操，他虽然胆识过人，勇于突破，但仍然难逃"承诺——一致"的束缚。

曹操挟天子以令诸侯，军政大权一手掌控，皇帝已成傀儡，为什么不敢戳破最后这层薄薄的窗户纸，篡汉自立？

这也是"承诺——一致"在曹操的内心起作用。当然，曹操并没有对汉献帝发誓承诺，永不篡位。但承诺并不一定完全是用语言完成的。

有些承诺是不需要语言来特别说明约定的，是一种内化的自然附随的心照不宣。在封建官僚体制中，一个人能否当官，能当多大的官，取决于对组织的最高领导人——皇帝的忠诚程度和对组织的贡献程度。而且，后者（对组织的贡献程度）往往不是占主要地位的。所以，当一个人的官阶升得越高，其内化的承诺就是要对皇帝越忠诚。组织内外的舆论对这一点的期望值也是如此，水涨船高。

君主对臣下的擢升、赏赐、优遇，其实是对臣下效忠承诺的不断强化。当然，就臣下而言，这种承诺是被迫的。曹操已经位极人臣，封号"魏王"，社会舆论对他的忠诚要求也就达到了极端。曹操心里对这种承诺的束缚当然是不情愿的，但他仔细掂量了一番，还是不敢轻举妄动，担心弄不好会物极必反，天怒人怨，鸡飞蛋打。

孙权曾经上表要曹操称帝，曹操知道他不安好心，大笑说："这小子是想把我放在炉火上烤啊！"曹操手下的文臣武将也纷纷劝他称帝。他们的理由是：汉室式微，天下乃有德者居之。曹操称帝，是顺应天命。但曹操的苦衷和无奈他们没法体会。曹操说："算了吧，如果天命真在我们家，我就当周文王吧。"

周文王姬昌打下基础，却让儿子姬发伐纣兴周，是为周武王。曹操的意思是他自己就算了，让儿子称帝。

后人有一首诗，专门写曹操的这一番心路历程，颇为传神：

"奸雄曹操立功勋，久欲临朝废汉君。

只恐万年人唾骂，故言吾愿学周文。"

曹操怕挨骂，这骂声就是承诺表现在外的一种束缚力或阻力。

所以，即便是奸雄如曹操之辈，都不敢冒天下之大不韪，违背"承诺——一致"原理，其威力足可见一斑。

可是，有人还是会说，这世上背信弃义之人并不少啊，很多这样反复无常的小人不是也捞了很多好处吗？

看来，还真得让你看看违背"承诺——一致"会是个什么样的下场。

心理感悟：想成就大事的人，善于让别人承诺比自己善于承诺更重要。

透支信义的后果

吕布是三国的第一猛将。你知道他是怎么死的吗？

有人说，是死在曹操手上的，打不过曹操，被曹操缢死。还有人说，是死在刘备手上的，因为刘备不但不救他，反而落井下石，促使曹操杀了他。

其实，这些说法都没有说到点子上。吕布的真实死因是他多次违背了"承诺——一致"原理。

吕布自幼跟随丁原丁建阳，拜其为义父。董卓专权，荆州刺史丁原与之不和，两家开战。吕布勇不可当，董卓大败。董卓有意将吕布收归帐下，就派了李肃带着赤兔马一匹、黄金千两、明珠数十颗、玉带一条，来见吕布。

李肃是吕布的同乡，他对吕布很了解，对吕布的评价并不高，叫作"勇而无谋，见利忘义"。

这李肃也是个有两下子的人，他拿着这些贵重的贿品，运用了心理学上的一个叫作"登门槛"的技巧（这个技巧在后面会重点提及），让吕布心动不已，立即就杀了丁原，投奔董卓。

亲生父子关系本是一种隐性承诺，相互间虽然不用明言，但父爱子、子孝父是题中应有之义。而义父义子间的承诺约束力反而强于亲生父子。因为亲生父子关系纯粹出乎自然，父也好，子也好，相互间都没有选择的可能，即便不是出乎自心，也无从改变这种事实。义父义子则不然，两者没有任何的血缘关系，纯粹是经由双方的自愿选择而缔结成此种关系。这当然是一种契约，一种显性的承诺。既然是契约，双方都得承担相应的责权利。但承诺的约束力在于内心，仅仅让一个人做出承诺是不够的，除非让这个人从内心深处对这个承诺负起责任来。

吕布既然拜丁原为义父，就必须遵循为人子的各种条件束缚。现在，两军交战，董卓仅凭一匹赤兔马，就让吕布轻易突破了承诺的束缚，他不但没有尽到为人子的责任，甚而做出了大逆不道的弑"父"行为。

　　接下来，吕布又做出令人更为不齿的举动。他刚来到董卓帐中，董卓是非常看重他的。董卓首先向他下跪，以示尊敬。吕布杀丁原的时候，给自己找的借口是："丁原不仁，吾已杀之。"如果吕布是个聪明人的话，借着董卓的敬意，稍微拿个矜持的架势，也许天下人的舆论还不至于太过激烈。但吕布却让董卓落座，拜倒在其膝下，说："我今天弃暗投明，愿意把你当成父亲来看待。"又给自己认了个义父。董卓笑而纳之。

　　但是，这个新的义父义子契约也没有束缚住吕布。司徒王允以美女貂蝉设下连环计，吕布再次拔刀弑"父"。

　　承诺内蕴着一种力量，对违背者产生阻力。但一匹绝世神驹和一个绝世美女就让吕布内心产生了克服这种阻力的冲动，从而交换了吕布两位义父的性命。尽管这两人，尤其是后者董卓，天下人莫不恨之入骨，但吕布以义子身份杀之，还是不能为舆论所容。

　　杀了董卓之后，吕布的日子很难过。

　　董卓旧部李傕、郭汜兴兵为董卓报仇，作乱长安。吕布逃出武关，去投袁术。袁术怪吕布反复不定，拒而不纳。吕布去投袁绍，袁绍接纳了他，和他一起共破张燕于常山。吕布自以为得志，对袁绍手下将士十分傲慢，袁绍想杀了他。吕布只好去投奔张杨，张杨纳之。这时庞舒在长安城中，私藏吕布妻小，送还吕布。李傕、郭汜知道后，斩了庞舒，又写信给张杨，让他杀掉吕布。吕布只好弃张杨去投张邈。恰好张邈的弟弟张超引陈宫来见张邈。陈宫念旧情，托了吕布一把，吕布这才得以暂时安身。

　　但曹操不容他安稳，大军来袭。吕布兵败，被部将所擒，押送到曹操面前。此时，刘备正好在曹操手下。吕布想想自己曾和他结拜，辕门射戟，解了袁术攻打之围。两个人之间交兵，刘备战败弃妻小逃走，自己也善待她们，保其周全。这个时候刘备应该帮帮自己了吧。吕布对刘备说："你是座上客，我是阶下囚。现在我身上绳索绑得很紧，你能不能在曹公面前说句话，给我松松绑？"刘备点点头。

　　吕布对曹操说："您所忧患的不过是我一个人，如今我已经被你收服了，天下不足虑了。我们两个联手，还不能征服天下吗？"按照吕布的习惯性思维，估计他本来也要认曹操为义父的，但年龄实在不合适。吕布曾经和刘备结拜，吕布年长，称呼刘备为贤弟，纪灵奉袁术之命来攻打刘备时，吕布从中调停，就曾经对纪灵说："刘备是我贤弟，不能不帮。"曹操和刘备年纪差不多，吕布实在没办法给自己认个年龄相仿的义父，所以才没有"以父事之"。

曹操听了他这番说辞，心里有所触动。可没想到刘备兜头一盆冷水，浇灭了曹操心中之火，也浇灭了吕布的一条小命。

刘备说："曹公，难道你想成为丁原、董卓之后的第三人吗？"

这句话的杀伤力是非常大的。吕布气得说不出话来，他再对别人无情无义，对刘备还是有恩的。这个"大耳贼"怎么就如此忘恩负义？！

曹操不想当"第三者"，吕布只好纳命。

违背承诺是对个人信义的一种透支。透支后当然要本息加倍来偿还。吕布透支信义，得到了赤兔马和貂蝉，这两样东西都是世间极品，价值极高。吕布透支得太多，就只能用生命来支付了。

说到这里，又有人提问了。三国里经常转换主子，东奔西走的好像不是吕布一个人吧。有个人比吕布还换得勤呢。怎么偏偏没有透支信义，还混了个好名声呢？

这个人就是吕布临死前破口大骂的"大耳贼"刘备。

说实话，刘备投靠的人确实多。袁术、袁绍、曹操、孔融、刘表、吕布，凡是占个地盘、有点实力的人他大多都投靠过，有的还反复过好几次。其间也不乏不告而别，欺诈而去的行为。有一次，曹操要攻打袁术，刘备主动提出前往。曹操给他一支部队，刘备半路就拥兵自立了。还有一次，袁绍要刘备去招关羽前来，以补颜良、文丑之失。没想到刘备悄没声息就溜之大吉了。难道这些不算违背承诺吗？难道这些不影响刘备的声誉吗？

当然影响了，违背"承诺——一致"原理无人可以幸免。其实，刘备的真实名声远没有《三国演义》里塑造得那么好。只不过，罗贯中的这部书扬刘抑曹，影响太大了，以致给人们一个错觉。

当然，还要特别说明的是刘备的背信弃义、东奔西走和吕布是有本质区别的。

刘备和他所依附的豪强间是一种职业契约。对中国的传统来说，职业契约的主旨精神是"好鸟不栖二枝，良臣不事二主"。背信弃义，更换主子当然是要受到社会舆论唾弃的。但刘备所处的时代有些特别，他所栖身的是个乱世。当时，皇室式微，诸侯割据，胜者为王。乱世刀兵，这些所谓的豪强也许今天还在挥斥方遒，明天就已经灰飞烟灭了。所以，到底投奔哪一个豪强，是一个非常艰难的选择。并不是每个人都有足够的眼光能认准最后笑傲群雄的明主的。要知道，在那个乱世，是一语不合，就会送掉性命的。所以，社会对违背职业承诺、另事他主的行为的容忍度就会加大。但不管怎样，经常"跳槽"总归会给人留下信誉不好的印象。

但吕布和丁原、董卓之间并非简单的职业契约。他得到的并非只是一份工作，还夹杂着父子的亲情契约。如果吕布也仅是和刘备一样，东投西靠，社会舆论也不是不能容忍他，曹操收留他的可能性也非常大。但他背叛了父子之情，他的忤逆断送了两个"义父"的性命。而且，他的举动有着明显的利益交换关系，绝非大义灭亲。这样的人，还有什么主子不会杀呢。这时，吕布的惊世武功反而成了他的累赘。他太强了，一旦他赤兔在胯，画戟在手，还有谁能制住他呢？只有一杀，永绝后患。

可是，不管怎么样，刘备和吕布曾经也是兄弟，结义的兄弟关系也是一种契约，类似于义父义子之间的关系契约。刘备向来把兄弟看得很重，但为什么同是异姓兄弟，刘关张情同手足，刘吕却屡屡刀兵相见，最后在白门楼刘备不但不相救，一席话反而断送了吕布的卿卿性命呢？

心理感悟：不要轻易地承诺，更不要轻易地违反承诺。

仪式不都是花架子

谁知道吕布和刘备也曾经结拜为兄弟？

知道的人不多，公开化程度极低，这也正是刘备敢于公开置吕布于死地的原因。

越是公开的承诺，越是不敢公开地违背。越是不被公开的承诺，越是会被轻易地违背。

吕布死前应该后悔没有将他和刘备结义的事情广为告之。

吕布只在人前两次提过这件事。

第一次是在关羽、张飞面前。

刘备蒙陶谦让了徐州。吕布兵败来投。此时吕布威名尚重，刘备心虚，有心要把徐州让于吕布。吕布本来是个老实不客气的主，正要接受，看看刘备背后关张二人满脸怒色，只好悻悻而止。刘备设宴款待，吕布次日回请。刘备与关、张同往。酒至半酣，吕布请刘备走入后堂，关、张随入。吕布令妻女出拜刘备。刘备再三谦让。吕布说："贤弟不必推让。"张飞听了，瞋目大怒："我哥哥是金枝玉叶，你是何等人，敢称我哥哥为贤弟！你来！我和你斗三百合！"

按照时间推算，董卓死后，吕布和刘备在长安有过一段共处的时间。两人结拜应该就是在这段时期。吕布和刘备已经多次见面，此前没有听过他称呼刘备为贤弟，刘备也没有多提这件事。这说明两人结拜可能属于逢场作戏，都没怎么把结义当回事。这次吕布兵败来投，心理处于弱势，他把家眷叫出来拜见刘备，也有加强兄弟之情的想法，以便容身。

第二次是在袁术手下大将纪灵面前。

纪灵率兵来讨刘备，刘备求助于吕布。吕布对纪灵说："玄德与布乃兄弟也，今为将军所困，故来救之。"

此时，吕布心理处于优势地位，说刘备是他兄弟，对他是无利可图的，反而有一份责任。正是这份责任，让吕布想出了辕门射戟的办法，说和两家不再交兵。

事实上，刘备还和曹操结拜过兄弟。这也是曹操自己说出来的，刘备几乎不对人提起。可以推想，刘备那时候寄人篱下，到处和人结交，也是出于无奈。但刘备对后面的这些结拜，从来未用真心，所以内心也从不受其束缚，该走就走，该打就打。

刘备为何能如此潇洒呢？他本人秘而不宣是一方面，另一个原因则是，这些结拜的仪式过于草率，以至于无人留下深刻印象，从而削弱了自身的影响力和约束力。

反过来看，刘关张的结拜，仪式是比较正规的，在彼此心中留下了深刻的印象，对相互间的约束力就非常强。

越是隆重、正规、广为人知的承诺仪式，就具有越强大、持久、无法抗拒的约束力。

我们还是以韩信拜将为例来说明这一点。

当时，刘邦想要把韩信叫过来，拜他为大将。萧何说："大王素来傲慢无礼，今日拜大将，好像叫个小孩子过来玩家家一样，这样的话，韩信还是会走掉的。因为您对他不够重视。"走掉就说明约束力不够。刘邦问："那该怎么办呢？"萧何说："王如拜信为大将，必择日斋戒，设坛祭告天地，如黄帝之拜风后，武王之拜吕望，然后言拜将之礼。"刘邦同意了。

萧何专门画了个筑坛图，坛高三丈，象征天地人三才，阔二十四丈，象征二十四节气。东南西北中按五行各设二十五人。坛有三层，各具祭器祝文，周围执旗者三百六十五人，按三百六十五度。坛之前，从北而南，左右列文臣武将，中间筑黄土甬道，直至坛下，四面立镇静牌，如有喧哗者，即时擒拿，以军法斩首。命令灌婴监工管理，限一个月内赶工完成。

光是举行仪式的场所，就安排得如此隆重。拜将当日，汉王刘邦先到斋宫盥手。只听三声炮响，一路香风，引礼官导引韩信上第一层坛，汝阴侯夏侯婴与韩信行礼如仪，念祝文毕。至第二层坛，相国萧何与韩信行礼如仪，念祝文毕。再至第三层，汉王刘邦北向而拜，亲捧虎符玉节，金印宝剑，授予韩信。自此，汉王三军，尽归韩信节制。

不要以为仪式只是一种形式，是花架子，如果运用好这种形式，对于确保实质性承诺的兑现和执行是非常有好处的。

隆重的仪式、盛大的排场在韩信心中留下了难以磨灭的印象，韩信感激涕零，自此终身效忠刘邦，为他打下了整个江山。即便后期刘邦屡屡加疑，韩信也没能摆脱承诺的束缚，俯首就死。

可见，仪式的规模、排场对承诺者的影响是正相关的。同样，仪式过程的困难程度越大或者对承诺者的要求越苛刻，对承诺者的约束也越有力。也就是说，做出一个承诺所需要付出的努力越多，这个承诺对许诺者的影响就越大。

而发生在近现代的一个非洲原始部落的故事更是有些骇人听闻地证实了形式之于承诺的重要性。

非洲南部有一个叫铜迦的部落。在这个部落，一个男孩要成为真正的男人必须经过一个冗长而又复杂的仪式。也就是说，一个铜迦男孩要在经历很多痛苦的折磨后才能迈入成年人的行列。

当一个铜迦男孩长到十至十六岁的时候，会被父母送到"净心学校"去。这样的学校大概每隔四五年举办一次。成年男性对未成年男孩的侮辱和折磨就在这个学校里进行。成人仪式的第一个项目是男孩从两道手执棍子抽打的人墙中跑过，然后他的衣服被剥掉，头发也被剃光。随后，他要坐在石头上，拜见一个盖着狮子鬃毛的"狮人"。有人会从后面打他，当他回头看的时候，他的包皮被"狮人"抓住，三下两下就割了下来。

接下来，男孩要在"神秘院"隐居三个月，在这三个月里，只有通过了成人仪式的人才可以去看他。

在整个成年仪式中，一个男孩要经过六种主要考验：毒打、酷寒、干渴、吃难吃的食物、惩罚和死亡的威胁。随便一个小小的借口，他就可以被一个刚刚通过成年仪式的人痛打一顿，而这些刚刚通过成年仪式的人则是由部落里年长的男人派来的。男孩在寒冷的冬天里不盖被子睡觉，在整整三个月的时间里不喝一滴水，食物卜经常被倒上令人作呕的、羚羊胃里消化了一半的草。如果他破坏了仪式中任何一条重要的规矩，马上会受到严厉的惩罚。他对所有这一切都要乖乖服从，因为他被告知以前试图逃跑或者把这些秘密告诉给妇女或未成年男孩的人都被吊死了，尸体被烧成了灰烬。

看完这个故事，你的第一感觉是不是这是一个非常愚昧落后、与现代文明格格不入的部落？

铜迦部落当然是落后的，但他们的成年人仪式却蕴含了与整个人类心理反应吻合的道理。

那些经历了千辛万苦才得到的东西会比那些不费吹灰之力得到的东西更值得珍

惜,尽管两者其实就是同一样东西。

　　一个小男孩,要付出这么多的努力与坚持,经受这么多的侮辱与折磨,才可以获得成人资格。那么,他对这种资格会多么地珍惜啊!同时,他对这种资格所带来的责任又会多么地勇于并乐于承担啊!一个部落组织,只有拥有了许许多多个具备这样素质的成员,才有可能在极为恶劣的环境中生存和发展。

　　所以说,这个部落的做法是非常明智的,他们完全可以让自己的孩子轻轻松松、快快乐乐地长大成人,就像现代文明社会所做的那样。但他们人为地丰富了仪式的形式,增加了仪式的难度,让每一个经历仪式的男孩子终身不忘,从而牢牢地锁住了承诺。

　　不仅仅是这个原始部落,很多现代组织也采取类似的方式来强化组织的价值感和吸引力,以及成员的忠诚度和归属感。

　　美国海军陆战队的新兵在做完十个弹跳训练之后,便会收到他们的金翅膀别针。每一个别针后面都有两根半寸长的针,在别到新兵的衬衫上之后,会被使劲地压到新兵的胸膛里去,新兵会痛得尖声大叫。

　　这件事被新闻媒体曝光后,参与折磨新兵的老兵绝大多数安然无事,没有受到任何惩罚。看来,对于一个把建立一种持久的团结力和优越感看得很重的组织来说,加入过程的艰难和严格是绝不会被轻易放弃的。

　　回到关羽的话题。和这些近乎残酷的仪式比起来,刘关张结义的仪式似乎太简单容易了,其约束力会不会不足以阻挡关羽投降呢?

心理感悟:就承诺而言,形式至少和内容同样重要,如果不是更重要的话。

4

有锁就能找到钥匙

尽管郭嘉说得有道理，曹操还是喜欢关羽这个人才，还是要他投降。郭嘉不再多言，张辽就站了出来。

张辽说：“我和关羽有过一面之交，我去跑一趟，劝说他投降。”

张辽其实和关羽也说不上有多大的交情，反倒是关羽对张辽有莫大的恩情。当初张辽在吕布手下，差点用火攻烧死曹操。后来，曹操击溃吕布，张辽本来也难逃一死。幸亏刘备和关羽苦苦求情，曹操才不计前仇，张辽也降了曹操，并得到重用。

张辽主动去劝降关羽，并不是为了报关羽的救命之恩，而是因为归降之后，寸功未立，不免立功心切。

想立功，倒也没错。不过要借劝降关羽立功，可是有点辛苦的。

张辽出了中军帐，提刀上马，边走边想，要劝关羽投降，该从何下手呢？

跟红面孔玩硬的，逼他就范？现在曹军大兵压境，关羽已经被团团围住，插翅难飞。如果不投降，只有死路一条。

张辽想了想，觉得这条路走不通。你看，刘关张三人，刘备和张飞都脚底抹油，溜了。凭刘备那点三脚猫的本事，都可以突围而出，何况关羽呢？所以，关羽如果要突围，围是围不住的。现在关羽死守在此，是因为刘备把家小都交给他保护了。目前，甘、糜两位夫人都已经落入曹操之手，关羽推卸不掉肩上的责任，所以才困守土山。但关羽是个吃软不吃硬的家伙，如果把他逼急了，只能是个两败俱伤的局面。

和红面孔讲道理？这家伙就认"忠义"二字，难道有一个道理可以把"背刘降曹"解释成既忠且义？

和红面孔拉拉关系，动之以情？要说感情，曹营里和关羽有点关系的人只能是曹操了。

那还是董卓作乱的时候，十八路诸侯歃血为盟，以袁绍为盟主，征讨董卓。在汜水关前，被董卓部下悍将华雄拦住去路。华雄连斩数将，吓得各诸侯心惊胆战，无人敢出战。彼时，刘备不过是个小小的县令，关羽只是他手下的一个马弓手，看不过眼，讨令出马。袁术听了大怒，喝道："你是不是欺负我们这么多诸侯没有大将啊？你一个小小的马弓手，怎么就敢在大帐上胡言乱语。来人，给我乱棍打出！"曹操急忙拦住，说："公路兄息怒。这个人既然敢口出大言，必有勇略，不如让他出马试试，如果打不赢华雄，再问他的罪不迟。"盟主袁绍，与袁术是兄弟，出身高贵，家里四世三公，门生故吏遍布天下，最注重礼仪，也说："我们堂堂之师，十八家诸侯，竟然只派一个弓手出战，必定被华雄耻笑。"曹操说："这个人仪表不俗，华雄怎么会知道他只是一个弓手？"

全凭曹操的面子，关羽才得到出战华雄的机会。曹操给关羽倒了一杯热酒壮行，关羽说："酒先放着，我去去就来。"不一会儿，只听关外鼓声大振，喊声大作，如天摧地塌，岳撼山崩。众诸侯正纳闷间，只听銮铃响处，马到中军，关羽提着华雄之头，掷于地上。关羽赚足了面子，曹操大喜。袁术心胸狭窄，面上可挂不住了，怒骂道："区区县令手下的一个小卒，竟敢在此耀武扬威，给我赶出帐去。"曹操说："论功行赏，怎么能考虑身份贵贱呢？"大家闹得很不愉快，各自怏怏散去。曹操暗中派人给刘关张送去酒肉犒赏抚慰，当然是为了收买人心，储备感情。

张辽苦笑一声，总不能回去把曹操请过来，让他自己劝降吧？再说了，就凭曹操对关羽的这一点感情，又怎么能比得过刘备和关羽的结义之情呢？刘关张三人食则同桌，寝则同床。如果刘备在人多的地方坐上一坐，关羽、张飞就整天站在他身后，一点也不觉得疲倦。这样深厚的感情基础，是别的感情能动摇的吗？

中国人做事，一般是按照"情""理""法"这样的先后次序来解决的。情排第一，情大于理，理又大于法。先要看看相互间有没有感情，有没有交情。如果有，一切都好商量。感情好，错的也能变成对的；感情不好，对的也是错的。如果"情"不能解决问题，接下来就要看看能不能"晓之以理"，如果言之有理，无可辩驳，也能解决问题。如果道理说不通，最后只好公事公办，束之以法。这个"法"是个广义的概念，不仅仅是指法律法规，它包含一切约定俗成的惯例、规矩。其直接的含义就是采用强制的手段解决问题。

张辽的思维和一般人不一样，他的是逆向的思维。

情、理、法这三种武器，威力是不一样的，等而下之。你先用了威力最大的武器，如果不能解决问题，那么又怎么能指望威力次之的武器解决问题呢？而张辽是倒过来思考问题的，他先考虑威力最小的武器，这样的投入成本最小。"情"需要长时间的投入培养，"理"需要聪慧的头脑、敏锐的眼光、出众的口才。只有"法"是借势逼人，无须太多的讲究。

事实上，除了情理法之外，还有一个招数。那就是诱之以利。这是不入流的办法，但却屡屡成功。世上不乏见利忘义、背信弃义的小人，这样做的前提是小人背信弃义得到的利益远大于遵守承诺所能得到的。可是，利是忠义的天敌，关羽既然要忠义，就不可能为利所诱。用钱能解决的事情是世界上最容易的事情，但钱不是唯一的解决方案，总是有的人、有的事是不能诱之以利的。

张辽想想，这个红面孔情不能动、理不能晓、法不能束、利不能诱，该用什么办法去说服他呢？如果不能劝说关羽投降，自己在曹营可就颜面扫地了。

但张辽已经向曹操讨令，即便再难，也只能硬着头皮去劝降关羽了。

爱默生1849年曾经说过一句话："如果一个人不屈不挠地坚信自己的才能，并且能够一直坚持，那么整个世界就是他的。"

如果他的这句话没错，张辽应该还是有希望的。

张辽苦苦地想，单独劝关羽投降可比劝刘关张一起投降难多了。要是刘备、张飞在这里就好了。灵光一现，刘备怎么抛下兄弟自己跑了呢？难道关羽必须要遵守桃园三结义时的诺言，刘备就不用遵守了吗？还有张飞，怎么也置身事外了呢？

张辽想的一点都没错。同一个承诺，对不同的承诺者的约束力确实是不一样的。刘备一看情况不妙，一个人跑到青州投奔了袁绍。张飞也是，带着几个败兵，跑到芒砀山当强盗去了。独独只有关羽死守不弃。

张辽想，能不能利用这个做点文章，挑拨一下兄弟三人的关系，从而达到劝降关羽的目的呢？

情理法都不能说服关羽，并不是因为情理法对关羽不起作用。相反，是因为情理法对关羽的约束。想通了这一点，张辽觉得找到了对付关羽的办法。那就是帮他打破情理法对他的束缚。

先从"情"下手。你不是看重结义之情吗？可为什么只有你关羽必须要遵守桃园三结义时的诺言，刘备就不用遵守了吗？张飞就不要遵守了吗？这两个人，一个跑到青州投奔了袁绍，一个带了几个败兵到芒砀山做了强盗。这两人，一看形势不妙，也不顾同年同月同日死了，也太不讲哥们儿义气了吧，还谈什么感情啊？

这也告诉了我们，同一个承诺，对不同的承诺者的约束力确实是不一样的。我们要正视这种个体的差异。

张辽顺着这条思路想下去，曹操是大汉丞相，刘备身为皇叔，口口声声要为大汉效力，那有什么理由和大汉丞相搞对立呢？既然这样，刘备也应该为曹操效力，更何况是刘备手下的关羽呢？为曹操效力，就是为大汉效力，这当然是忠义之举了。

这些理由听上去有几分道理，但如果真的拿这几句话去说服关羽，没等你说完，红面孔就把你用刀劈了。

如果关羽是一把锁，那么刘备就是这把锁唯一的钥匙。关羽不允许任何人说刘备的坏话，刘备是他自己选择的大哥和领导，如果刘备错了，那不就说明关羽看错人，选择错了吗？这是关羽不能接受的。如果要想打开关羽这把顽固的锁，只有想办法用好刘备这把钥匙。别无他法。

张辽还沉浸在思考之中，马行迅疾，已经来到关羽面前。关羽一声断喝，把张辽吓了个激灵，一下子就回到了现实中。

心理感悟： 情理法三者之间的演义构成了中国人生活的全部。没有人可以摆脱这三者的纠缠和困扰。

5 人是被自己说服的

关羽板着脸，喝问道："文远是来为敌的吗？"

关羽素有积威，加上吃了败仗，心里窝火，这一声断喝真是有雷霆之威。

张辽一惊之下，刚才肚子里盘算好的说辞一下子忘了个干干净净。

张辽也是急中生智，连忙回答："不是的，不是的。我想起了我们的老交情，过来看看老兄您啊。"说着，赶紧把手中的刀扔到了地上，下得马来。

这种微妙时刻的人际交往，第一句话、第一个动作是非常关键的，起到定调的作用，说错了话，弄错了举动，就是定错了调，整个交往过程就会偏离预想的方向。

张辽这把刀扔得很及时，也很有效。双方正处于交战状态，张辽拎刀而来，关羽的第一个反应就是来打仗的。张辽把刀一扔，就从作战状态退到了和平状态，相当于给了关羽一个恩惠。

张辽无意中用出了心理学里面另一个重磅武器——互惠原理。互惠原理的威力一点也不亚于"承诺——一致"原理。

互惠原理的本质就是来而不往非礼也，你敬我一尺，我敬你一丈。

社会学家埃尔文·古德纳1960年说，在这个世界上，恐怕找不到一个不认同这条原理的社会组织。著名的考古学家理查德·李凯认为，人类之所以成为人类，互惠系统功不可没。他说："我们人类社会能发展成为今天的样子，是因为我们的祖先学会了在一个以名誉作担保的义务偿还网中分享他们的食物和技能。"

互惠原理认为，我们应该尽量以相同的方式回报他人为我们所做的一切。如果曹操青梅煮酒论英雄请了刘备一次，刘备就得回请一次。如果董卓送了赤兔马给吕布，吕布就得为董卓效力卖命，无可推托。

按照互惠原理，关羽以前救过张辽一次命，张辽现在就得救关羽一命。如果关羽也懂得这个原理，弄不好张辽就得被关羽绕进去，劝降不成，可能还得帮关羽逃走。

张辽开了个好头，但关羽也不是那么好对付的，马上跟了一句："那么，你是来劝降的？"这句话又顶了张辽一下，如果张辽回答"是"，那么就没法谈下去了，马上就是刀兵相见；如果回答"不是"，就等于堵死了自己的路。

张辽话锋一转，避实就虚："哪里啊。云长兄，我是来救你的，当年你救了我一条命，今天该我来帮你了。"

张辽说出这句话，可有点不简单。知恩图报是人之常情，也是互惠原理的本质内涵。如果一个受恩者打着报恩的旗号，对施恩者采取一些行动，施恩者很难不信任受恩者的所作所为对自己是有利的。也就是说，受恩者以此为借口，很容易取得施恩者的信任。这也是对互惠原理的逆向使用。

关羽也逃不过这个规律，口气缓和了许多，说："那么，你是来助我突围的？"

张辽摇了摇头，说："那倒也不是。"

关羽有些懊恼了："不是来打仗的，不是来说降的，也不是来助我突围的，那你到底是来干什么的？"要不是张辽前面已经打下了良好的基础，关羽就要翻脸了。

其实关羽根本不用问张辽是不是来帮你突围的，而是应该直接说，既然你还记得当年我救过你一命，那么现在你马上帮我突围，另外，我大哥刘备的妻小也拜托你照顾，不能有任何闪失。

关羽如果这样说的话，等于把互惠原理的主动权控制在自己手里，但他没有，他错过了最好的机会。

张辽感觉，拿嘴和关羽过招，比拿刀容易多了。经过几个回合的嘴仗，张辽放松了很多，嘴巴也油滑了许多。

张辽说："老兄，现在你们的刘老大不知去向，张老三也不知生死，曹丞相已经攻下下邳，也没伤着老百姓。他还命令士兵保护好刘老大的家眷，不许任何人惊动她们。我是特地来告诉你这些消息的。"

关羽听明白了："你这么说，不还是来劝我投降的？我现在虽然身处绝地，但丝毫没把生死放在心上。你赶快回去，我马上下山迎战！"

到这个时候，张辽已经完全占据主动权了，哈哈大笑，说："老兄，你这么说可要惹天下人笑话了！"

关羽冷笑一声："我为忠义而死，怎么可能被天下人耻笑呢？"你小子，哪怕你口吐莲花，要我投降曹操，也是痴心妄想。

张辽说:"你今天如果战死了,就犯了三大罪状!"

关羽哼了一声:"你倒是说来听听,我犯了哪三大罪状?"

张辽心想:"就怕你不问青红皂白,孤注一掷。只要你来问,就不愁你不投降。"张辽说:"当初,你和刘备结拜兄弟,说好不求同年同月同日生,但求同年同月同日死的。现在,刘备在乱军中不知去向。但我敢肯定,他还没有死。他要是死了,肯定会被发现。因为他两耳垂肩,双手过膝,体征明显异于常人。刘备既然没死,你今天先死了,就违背了当初的誓约。这是你的第一大罪状。"

关羽沉默不语。

张辽知道自己赢定了,继续往下说:"刘备把两位夫人交给你保护,你今天要是逞匹夫之勇战死了,两位夫人无人照料,你就辜负了刘老大的重托。这是你的第二大罪状。"

"第三,你老兄仪表堂堂、文武双全,一身的好本领,应该辅助刘备,匡扶汉室,建功立业,名垂青史。如果今天随随便便就死了,等到刘备复出,需要你帮助,你却只能在地下长叹。这难道不是你的第三大罪状吗?!"

张辽的这番话绝对让人刮目相看。这家伙,不但懂互惠原理,还懂得灵活运用"承诺——一致"原理呢。你看他三句话,句句不离刘备和桃园结义的承诺。绕来绕去,就变成了如果关羽不投降,就违背了当初和刘备、张飞一起许下的承诺,就成了不忠不义之人。只有投降,才是保持承诺和一致的唯一途径。

关羽的命门就是刘备,关羽的底线就是忠义。关羽想要一死了之,就是为了不辜负刘备,就是为了做个忠义之士。这本来是毫无疑义的。可是,张辽运用了"承诺——一致"的精髓。从表面看来,关羽最初选择的做法是符合承诺和一致原理的。但张辽透过了表面,深及内核,从本质上进行分析,彻底断了关羽的死路。现在关羽已经不能死了,死了就辜负了刘备,死了就成了不忠不义之徒。

关羽左思右想,总觉得不太对劲,可张辽的话,严丝合缝,找不到反驳的空隙。关羽只好说:"既然如此,那你说该怎么办?"

一个人发出了这样的提问,就等于把自己命运的选择权交给了别人。关羽的一只脚已经迈入了曹营的大门。

但是,张辽也不能高兴得太早,关羽还是有可能不投降的。别忘了,关羽是个很要面子的人。尽管你说得天花乱坠,可投降曹操毕竟是不光彩的,是栽面儿的事。关羽真的能接受吗?

张辽还真不简单，他太了解关羽了。你绝对不能让关羽觉得自己是走投无路才投降曹操的，你得让他觉得投降并不是绝路，而是通往新生的必由之路。张辽说："老兄你看，四面全是曹操的兵，不投降就是死路一条。不如先投降了曹操，可以随时打听刘备的消息。一旦有了他的消息，就可以去投奔他。这样做，还有三大好处呢。第一是不用违背和刘备桃园结义的誓言；第二，可以保护两位嫂子平安，不辜负刘备对你的重托；第三，可以留得有用之身，将来再为刘备效力。你看怎么样啊？"

　　三大好处还是句句不离"刘备"，刘备就好比是张辽手中的一根杠杆，轻轻松松就可以把关羽这块顽石撬起。张辽这样的做法，是从承诺出发的，又回到了承诺本身。也就是说，并不是张辽说服了关羽，而是关羽自己说服了自己。张辽用关羽的承诺来约束关羽的行动，让关羽觉得自己并没有背弃承诺，而是保持了一致。

　　不过，关羽也不是吃素的人。张辽随口一句"你可以随时打听刘备的消息。一旦有了他的消息，就可以去投奔他"只不过是巧舌如簧，一旦你上了贼船，要想下船可就由不得你。关羽听在耳里，想："这倒是个没办法的办法。"内心虽然已经同意投降，但又一转念，如果这样轻易被张辽说服，岂不是太没有面子了，沉思片刻，心中有了数，开口道："要我投降，须得依我三件事。否则，我宁愿身负三大罪状，死战到底！"

　　到底关羽说出了哪三件事，张辽能不能依他呢？

心理感悟：说服的最佳途径是"以子之盾，攻子之矛"。

6 用想象的方法解决难题

张辽想，只要你能投降，丞相面上有光，我也是大功一件。别说是三件事，就是三十件事也依你。

"说来听听。"

"第一，我曾经与刘皇叔盟誓，共扶汉室，我今天只投降汉帝，不投降曹操。第二，把刘皇叔的俸禄足额发放给我的两位嫂嫂，以供养赡，其他所有闲杂人等，都不许到门上打扰。第三，我只要一知道刘皇叔的去向，不管千里万里，我立即就要辞别，去寻皇叔。这三个条件，缺一个我也不会投降。你赶快回去报告，给我个准信。"

让我们为关羽的急智叫一个好！因为这三个条件一说出来，说明关羽已经为解决自己的"认知失调"迈出了重要的一步。

"认知失调"是当两种重要的信念态度或者看法发生冲突的时候，人们感受到的一种极端的心理不适感。但是，人类不能长时间忍受这种不协调，他们只能通过改变自己的信念或者态度来缓和这种不适感。

早已说过，关羽投降曹操，不管用什么理由、借口，都是和原来的信念相违背的。如果关羽不能及时调整好自己的心态、态度，是很难面对的。

关羽提出的第一条，其实是一种自我欺骗。说什么降汉不降曹，刘关张一直打着匡扶汉室的旗号，从来没有背叛过汉朝和汉帝，一直归依于汉室。既然从来没有和汉室处于敌对的状态，何谈什么投降汉帝呢？从逻辑上来说，是根本经不起推敲的。但确是关羽目前急需的，他需要为自己投降曹操的事实戴上一个符合道义的面具。只有这样，当面对别人质问的时候，他才可以理直气壮地说，我从未投降过曹操，我只是投降了汉帝。

但我们不要笑话关羽，人类都需要自我欺骗。心理学的研究已经发现，人们大部分行为是受大脑最直觉和最小意识的感知来指导的。在人们相互接近的过程中，充满了阴谋和欺骗，不仅仅是对其他人，也对我们自己。

自我欺骗是用想象的方式解决生命中的难题的心理捷径。当人们处于外部威胁或者对自己的形象感到怀疑的时候，都会这么做。

关羽提出的第二条，随着我们心理学水平的不断提升，应该一眼就可以看出和互惠原理有关。关羽提出用刘备本来的俸禄来养赡刘备的两位夫人。这是不想受曹操的恩惠，以免将来不得不报答更多的忠诚。但是，曹操名义上是汉室的正式代表，刘备与他为敌，落荒而逃，早就没有了任何名分，哪里还有原来的俸禄可言？关羽意识到互惠原理的威力，但没有意识到这也是一种自我欺骗。

关羽提出的第三条，是张辽提醒他的。张辽的本意只是用此当作缓兵之计，是要关羽暗中行事。没想到被关羽抓住不放，并作为正式条件提出来。这也是关羽给自己留好后路，以示不忘旧主。

张辽一听，头都大了。好你个关羽，我摇舌鼓唇，口干舌燥，比画了半天，比舞刀还累，全是为了你着想，你竟提出这么苛刻的条件来，难道你不脸红吗？又一寻思，关羽是不会脸红的，就算是脸红也看不出来。他天生面如重枣。

张辽知道，第三条不过说说而已，等你投降后，就由不得你了。第二条嘛，曹操有的是钱，至于用什么名义发放给刘备的两位夫人，也不是什么大不了的事。最让他不能接受的是第一条，什么降汉不降曹，曹操就是宰相肚里再能撑船，也不会答应你啊。这是最关键的一条。你倒是有面子了，可曹操就太没有面子了。

张辽对关羽拱拱手，气得也不想多说话了，在地上拾起刀，转身就走。

关羽捋了捋胡子，露出了一丝得意的微笑。

关羽是个特别要面子的人，他必须给自己找出一个站得住脚的理由，一个能够自圆其说的理由。只有这三个条件都满足了，关羽才可以直面天下人的嘴。

关羽的这种心理并非他独有，而是普遍存在于人类的社会生活当中。

非洲苏丹南部的努埃尔人和丁卡人有一个共同的特殊习俗。这两个主要靠畜牧为生的非洲部落都会在小孩的门牙一长出来后就将其拔掉，一般是用鱼钩拔掉上面的两颗和下面的四到六颗。拔牙的过程非常痛苦，而且，带来的结果是所有的部落成员都明显下巴松弛，说话有些困难。

这种做法曾经有过其合理性。当时，破伤风在中非地区非常猖獗。破伤风会让人"牙关紧锁"，把门牙拔掉后，即使患上这种疾病的孩子咬紧牙关也可以向其嘴中灌入流食。尽管苏丹南部已经好多年没有破伤风了，但努埃尔人和丁卡人仍然保留着拔掉孩子门牙的习俗。事实上，他们认为，松弛的下巴和下垂的嘴唇很好看。他们还说，有门牙的人看上去像豺狼。

就像努埃尔人和丁卡人"选择"认为没有门牙在审美上是令人愉悦的，并以此来说明他们给孩子带来这种痛苦是正确的一样，关羽在潜意识中也必须给自己找到一个理由，用来说明自己的"投降"是正确的，也是不得已的，并且其带来的不利影响是可以在日后改变的。

曹操听了张辽关于"关三条"的汇报，其反应倒是有点出乎张辽的意料。

张辽最担心的第一条，没想到曹操一点也不在乎。曹操说："我是汉朝的大丞相。我就是汉，汉就是我，这一条没问题。"可见曹操丝毫没有把汉献帝放在眼里，那个孩子不过是他手中的一个木偶罢了。曹操没往下深说，是怕大家都看清了这一点，就等于戳破了关羽的脸面和脆弱的自尊。

张辽长出了一口气，只要这条你没意见，今天我这大功可就立定了。

第二条，曹操也没有意见。曹操说："钱的事好说，我按照刘备的俸禄加倍给他。至于不许闲杂人等进出，也是应该的。"对关羽而言，曹操所能用的手段不多，只好多给点钱，以积累点恩惠，留待后用。

但张辽没当回事的第三条，曹操却不同意："如果一有刘备的消息，关羽就离我而去，那我养着他还有什么用呢？不行不行。"

张辽一阵失望，但他已经在这件事上投入了大量的精力，不促成实在是不甘心。这其实也是人类的一个通病，你在任何一件事上投入得越多，就越会维护这件事的正确性，哪怕有很多过硬的证据证明这是一个错误。这一点也适用于目前状况下的关羽。关羽此前几乎为刘备付出了所有，付出的越多，证明他跟从刘备、忠于刘备越正确，也就越不能改变。其实，如果抛开道义，关羽在曹操帐下一定更能建功立业。

曹操考虑的一点也没错，如果答应了关羽的第三条，也是一个公开的承诺。对于他如此身份地位的人，怎么能公开违背承诺呢？

张辽使劲地想了想，对曹操说："我觉得没什么要紧。关羽之所以对刘备忠心耿耿，不过是刘备对他恩厚罢了。人心都是肉长的，只要丞相您对他施以更大的恩惠，何愁关羽不在您帐下长留呢？"

张辽的言外之意是先让关羽投降了，以后一切都好办。曹操想想，自己的条件比孤穷刘备不知道要好多少倍。只要关羽来了，就一定能够打动他，让他留下来。说："好吧。关羽的这三个条件我全部答应了。"

张辽大喜过望，屁颠屁颠地赶回土山，来见关羽。当然，这一次他没有带刀。

曹操看着他的背影，不由地感叹："没想到张文远还真是个人才。我帐下这么多伶牙俐齿的谋士，竟然被一个武将抢了头功。好，好啊，回来提拔重用。"

这个世界就是这样，很多事情并不是由看起来最合适的人完成的。

关羽听了张辽的回报，说："这样很好。不过，还是得请丞相退了土山之围。让我到城中去拜见嫂嫂，请示汇报之后，马上就来投降。"

张辽感慨万分，真是好事多磨啊。赶紧回来再次向曹操汇报。

关羽这样做，自然有他的道理。每一个人，当他承受的压力超过了一定限度，就会自发寻找所有可能的倾诉发泄的途径。投降带给关羽的心理压力实在太大了，他一个人吃不消、扛不住。刘备不在，嫂即为长，而且也确实没有其他合适的人选了。如果把投降曹操的事情向嫂嫂说了，就等于把压力分担了。尽管这两位嫂嫂手无缚鸡之力，但知晓即是一种分担。

曹操闻知后，立即传令退兵到三十里以外。荀彧在一旁说："不可，恐怕关羽有变。"曹操白了他一眼，心想："早干吗去了？较文远差远了。"说："关羽是个忠义之士，必不失信。"曹操确实有可取之处，对"承诺———一致"的把握远胜常人。

关羽来见嫂嫂，心里忐忑不安，如果两位嫂嫂不肯同意投降曹操，以大义责之，那自己只好以死谢罪了。

心理感悟：自我欺骗绝非简单的自欺欺人。世事多艰，这只不过是不得已的正当防卫罢了。

7 错误的信念也是信念

刘备善哭，没想到关羽也善哭。许是跟久了，多少有些耳濡目染。

关羽一进门，一言不发，放声大哭，拜倒在台阶下。

你可别说，学会了哭还真管用，这是人际交往中非常有效的一种手段。

关羽之所以要哭，并非心中悲痛，而是难以启齿。背弃刘备、投降曹操毕竟是一件不光彩的事。双方的第一句话必须由嫂嫂先开言，关羽的回答才能顺杆而上。就像相声里的捧哏逗哏两个角色一样，捧哏的任务就是给逗哏垫话，为逗哏的包袱做好铺垫。两位夫人不会主动给关羽当捧哏，关羽一哭，两位嫂嫂势必要发问为什么痛哭若此，无形中就给关羽当了捧哏了，关羽接下来的话就容易说了。

关羽的哭果然有作用。但他没想到二位嫂嫂第一问竟是："皇叔哪里去了？"也难怪，嫁鸡随鸡，夫妻情深嘛。

关羽说："不知去向。"

两位夫人心里一阵发凉。好在也不是第一次被刘备弃之不理了，立即就缓了过来。

"二叔为什么要如此痛哭啊？"

关羽总算等到了这句话，立即回答说："关某出城死战，没想到被围在土山，兵微将寡，无可奈何。张辽来招安，我提出了三个条件，如此这般，曹操都答应了。我不曾向您二位禀报，不敢擅自处理。因为想到大哥生死不明，见了嫂嫂，无法抑制，所以痛哭。"

甘夫人说："昨天曹兵入城，我等以为都难逃一死，没想到毫发未损，一个士兵也没进门来。二叔，你既然已经承诺了，又何必再来问我们呢？只怕日后，曹丞相不会容许你去找皇叔吧。"

甘夫人的话有三层意思。

第一层意思是说她们二人的平安与否和关羽降与不降没有直接关系。两人昨晚就没受伤害，而关羽投降是今天的事情。为保护两位嫂子而降，也是关羽自我欺骗的面具之一。甘夫人这样说，其实是不认同关羽的投降，但是话说得非常含蓄。

第二层意思则是进一步对关羽的投降表达了含蓄的不满。你都已经决定了，还来和我们说什么呢？这是事后告知，而不是事前汇报商讨。任何一个有自尊且身份尊过你的人都不喜欢这样。

但甘夫人随即话锋一转，不再停留于此，而是提出了疑问，到时候曹操不放你走怎么办？这个问题的前提就是同意了关羽的投降之举。但也是要关羽做出对未来的承诺。刘备的老婆，当然是不想永久客居曹操身边的。

关羽的这两个嫂嫂真是聪明人，尽管她们对关羽投降不满，但没有横加指责。美国心理学家埃迪·哈蒙-琼斯做过一系列实验。他得出的结论是，每当生活迫使我们选择了一条道路，我们又不能完全肯定这是一条正确的道路的时候，我们的思维会本能地找出证据，证明我们做了一件聪明事。而卡罗尔·塔夫里什和埃利奥特·阿伦森则得出这样的结论：不愿意坦白地承认错误的人们一旦他们的信念被证明是错误的，他们反而会更加坚持自己的信念。

如果这个时候，她们对关羽的决定横加指责的话，可能会出现两种结果。一种是关羽羞愤交加，一死了之。但更有可能的是，关羽被彻底激怒，为维护自己决定的正确性，不肯低头，双方就此决裂。

无论哪种情况，都是两位夫人不愿见到的。她们早就知道，刘备是个靠不住的男人，一到关键时刻，就会习惯性地溜走。刘备以前和吕布相争的时候，就上演过这样一幕。当时，是张飞负责看护两位嫂子。张飞贪杯，被吕布乘其酒醉夺了城池。两位夫人就落入吕布之手。但吕布顾念结义之情，善待两位夫人，并择机送还刘备。

张飞失了二嫂，羞愤交加，正待拔剑自刎，被刘备一把抱住。刘备借此说了一句流传至今的千古名言。刘备说："兄弟如手足，妻子如衣服，衣服破时，尚有更换，使手足若废，安能再续乎？"

刘备的话非常经典地说明了男女择偶观的不同。

男性一生中会产生亿万个精子，而女性的卵子相对要稀缺得多。当女子孕育受精卵的时候，男性还可以通过与其他女性性交以增加自己基因传播繁衍的机会。所以，女性会更加小心地考察男性的身体健康、资源状况以及忠诚程度，以谨慎处理自己的繁育机会。也就是说，男性寻求广泛的繁殖，而女性需要明智的繁殖。

对刘备来说，这两个老婆还没能给他生育，转换成本是很低的。如果他自己的事业成功了，寻找替代对象确实像换件衣服一样容易。这也是他数次扔下老婆，一走了之的原因。

被抛弃的经历教会了糜、甘二位夫人，给刘备当老婆有一个好处，那就是不太会受到刘备对手的伤害。给刘备当老婆也有一个坏处，那就是不时会遭到刘备本人的抛弃。

但妻以夫荣，乱世中要找个像样的"衣服架子"也不是那么容易的。两位夫人担心刘备会很快换了"衣服"，她们眼下唯一的依靠就是关羽。只要关羽在，就还有一线希望继续当刘备的"衣服"。所以，她们对曹操能否放关羽去找刘备非常担心。

关羽信誓旦旦地说："嫂嫂放心，只要关某在，一定会去找兄长。曹操身为丞相，说出口的就是命令，如果他反悔了，还有谁会服他呢？"这不仅是安慰两位嫂子的需要，也是他确保自己认知不再失调的需要。

关羽的话同时还是过度自信的一种表现。

离开曹营去找刘备，毕竟不是一个近在眼前就需要兑现的承诺。这是一个不定期限的远景，也许会是无限的长。一般而言，离兑现期越远，自信度越高；离兑现期越近，自信度越低。关羽还有大把的时间去过度自信。

过度自信会带来严重的后果。

比如，1969年，加拿大蒙特利尔市的市长琼·德拉波自豪地宣布，他们将耗资一亿二千万美元建设一个屋顶可以伸缩自如的体育场以供1976年的奥运会使用。结果，这个体育场在二十年后的1989年才得以完工，并且，仅仅一个屋顶就花了一亿二千万美元。

之所以说关羽是过度自信，是因为曹操有很多种办法，可以让关羽无法离开。道道关卡，没有曹操的命令怎能放行？关羽缺钱少粮，何以远行？两个嫂子乃女流之辈，手无缚鸡之力，实乃拖累，关羽怎能一走了之？如果你是一个有理智的人，你认为关羽走得了吗？

关羽是个东方人中不多见的骄傲溢于言表的人。这样的人表现出过度自信是大家比较能接受的。即便是心理学家也曾经只能利用在别人面前的表现程度来衡量一个人的自尊心。但后来的研究表明，其实，不论看上去有多少谦恭，大多数人天生都具有一种自信。只是某些人让这种自信心深藏不露而已。

华盛顿大学的心理学家格林沃尔德、东京大学的山口教授等人通过内隐联想测验对美国、日本和中国的五百余名大学生进行了所谓内隐自尊心的测试。测试要求学生在被计时的条件下对各种指代他们自己的好词做出回应。测试的原理是，用时越长说明越难将其中的一些词与自己联系起来，从而测试出一个人内隐的自尊程度和自我态度。

结果表明，上述外在表现差异极大的三个国家的学生都有很强的内隐自尊心，日本学生的内隐自尊心的得分在各种文化背景国家的学生中最高。山口认为，普通东亚人清楚他们抱有非常明确的自我观念，但为人谦恭的社会规范使他们一般不公开表达这种观念。

这个实验告诉我们，过度自信并非个别现象，它存在于我们大多数人当中。如果我们不能正确评估过度自信带来的盲目乐观，一定会深受其害。

投降时刻已到，关羽怀着自信，带着随从，来降曹操。曹操命令手下谋臣武将远远来接，自己也出辕门来迎接。临近辕门，关羽心里却犯了踌躇，按规矩投降必须要跪拜，这一投降，说好是降汉不降曹，可受降的只能是曹操，到底是拜还是不拜？

如果你已经熟悉"承诺———一致"的话，应该不难得出正确的推论。

心理感悟：人最大的偏见是对自己的偏见。过度自信就是这样的一种偏见。

8

行为最终决定态度

投降就得按照投降的规矩来办。

关羽已经承诺投降,他无法后退,他必须言行一致,他无法抗拒这种社会规范带来的压力。

关羽下马,拜降于曹操。

关羽说:"败军之将,深感丞相不杀之恩。"

曹操说:"我向来知道你是个忠义之士,怎么能加害于你呢?我是汉相,你是汉臣,虽然职位不一样,但我非常敬佩你的品德啊。"

曹操这句话话中有话,是针对关羽提出的一个条件而说的。大家一定还记得,关羽说的降汉不降曹。曹操挑明了关羽的自我身份欺骗,你本来一直就是汉臣,何来降汉之说?你今天还是乖乖地降曹吧。而最后一句"我非常敬佩你的品德"更是点睛之言,试图以"品德"来强化束缚关羽遵守承诺,如果你背约而走,可有损于你的品德啊。这是为了防止关羽去找刘备而提前打的预防针。一语多关,足见曹操言辞思维之功力。曹操之所以这样说,也是因为关羽跪拜投降,行礼如仪给他带来的信心。

物极则反。关羽是个心高气傲、自尊心远强于一般人的人。这样的人,固然非常重视言行一致,但也非常看重自己的自由感和自我效能感。他只有在能够掌控自己的一切的时候,才会感到心安。但他敏锐地听懂了曹操话中的含义,敏感地感到自己的自由感将被束缚,这激起了他的逆反心理。

关羽反戈一击,说:"文远代为禀报的三件事,希望丞相仁慈。"

关羽没说,丞相你可不要说话不算啊。他用"希望丞相仁慈"来挤兑曹操。仁慈也是一种品性。以"仁慈"对"品德",正可谓旗鼓相当,如果你将来说话不算数了,那可就不算仁慈了,品性也就有问题了。

曹操一听，当着这么多下属的面，哪能说话不算数呢。曹操只好说："我说话是要感动四海，取信于天下的，怎么能说了不算呢？"

关羽火上浇油，直截了当地跟上一句："我的主公如果还在，关某即使是赴汤蹈火，也要去找他。到时候，如果来不及告辞，还望丞相原谅。"关羽公开挑明了这一条，也是有极深用意的，他和曹操谈定的三个条件，只是张辽居中代为传达的。曹操帐下的文武百官是不知晓的，所以，曹操一旦反悔，信用成本是非常低的。关羽这样一公开，也就加重了承诺对曹操的束缚强度。而且，关羽还暗示了，如果到时候，你真的不兑现承诺，阻止我去找刘备，到时候我不告而辞，可别怪我今天没提前和你说清楚。

曹操已经骑虎难下，只好说："玄德公如果还在，一定按照你的意愿，让你去找他。只怕他在乱军中已经没有了。你暂且放宽心，我来帮你打听寻找吧。"曹操的意思也很明确，你可别自己走了，那样我损失太大了，还是我来帮你打听消息吧。这样，至少我还可以了解到第一手情况。

这一段舌战，你来我往，实在精彩，其间的话语机锋，蕴味深长，真不是一般人能够体会到的。

曹操白了旁边的张辽一眼，心想，你这办的是嘛事啊！

关曹二人，交手已毕，心照不宣，握手言欢，关羽再次拜谢，曹操设宴款待。

曹操班师回许昌。关羽一路护送两位嫂子。到了许昌，曹操划拨了一座府邸，供关羽及二位嫂子居住。

曹操确实看重关羽，立即带着他参见了汉献帝。献帝虽然只是个傀儡，但形式是中国人生活中最重要的东西，参见一下组织名义上的最高领导者，对关羽来说是非常荣耀的一件事。曹操带来的人，照例要封赏。献帝命曹操给关羽封官。曹操封关羽为偏将军。

曹操一直在盘算，如何收服关羽，让他死心塌地为自己卖命。张辽的话他一直记在心里，厚待关羽，只要比刘备做得更好，就能让关羽留下。这是互惠原理在对比状态下的应用。

曹操第二天摆下盛大的筵席，汇集所有的谋臣武将，安排关羽坐在上座，以对待最尊贵客人的礼节来招待关羽。等到宴毕，送回府中，同时还准备好了一百匹绫罗绸缎以及整套的金银器皿。

关羽立即感受到随恩惠而来的巨大压力。无功受禄，必有所谋。他没敢收下，又不好退回，只好把这些东西全部转送给两位嫂嫂。

但这只是一个开始。此后，曹操三天一小宴，五天一大宴。上马送金，下马送银。还送了十个美女伺候关羽。

曹操强大的攻势，让关羽觉得不好抵挡，但也更加强了他的警觉，他害怕自己会抵挡不住这些源源不断的糖衣炮弹的攻击，就把美女送去服侍嫂嫂，将曹操赏赐的金银财宝、绫罗绸缎全部登记入册，放入库房保管。

曹操攻势的背后，除了"互惠原理"外，还隐含了另外一条法则——行为可以改变态度。

"如果我们的行为是马，那么我们的态度就是马车。"这是利昂·费斯汀格1964年所说的名言。

这句话听上去有些费解。因为，我们一般认为，态度决定行为，而非行为决定态度。

你看，关羽的态度是忠于刘备的，所以，他的行为自然而然也是忠于刘备的。这确实是一个有力的例证，但情况并非永远如此。心理学家的研究表明，态度并不必然决定行动，态度和行为只是一种弱相关行为。

美国众议院在一次无记名投票中曾经以绝对优势通过了一项提薪的议案。然而，片刻之后的记名投票中，却以绝对的优势否决了同一项议案。在无记名投票中，投票者无须考虑投票结果带来的影响。但在记名投票中，对批评的畏惧夸张地歪曲了投票者的真实态度。面对同一项议案，同一群投票者的内在态度应该是一致的，但在两种不同方式的投票中，却做出了截然相反的行动。

所以说，态度并不能必然决定行动。那么，内在的态度在多大程度上，并在什么条件下，会影响我们外在的行为呢？

一般而言，我们的态度是内隐的，外人并不清楚我们内心真实的态度到底是什么。但是，一旦我们要根据态度采取行动，我们就不能不顾及行动带来的后果。如果，我们的态度所决定的行为会给自己带来不利的影响。那么，我们宁愿背叛内心真实的态度，而做出与态度不一致但对自己显然更有利的行为。这就是态度不能决定行为的原因。反之，如果我们的态度已经强有力地公开，那么我们为了不违反"承诺———一致"，就只好坚持到底，哪怕会付出很大的代价。

所以，关羽的坚持并非意外，也非例外。

可是，行为对态度的影响却要大得多。以演员为例，当他们开始进入各自的角色并且体验到真情实感的时候，他们就开始减少真实的自我意识行为，转而以角色的身份行事。甚至有的演员在电影拍摄完毕很久之后，还生活在原来的角色中，不可自拔，并以为这才是真实的自己。

人总是这样的：只要有一次抵制不住诱惑，就会有第二次；只要接受了一次小的诱惑，就会更自然地甚至是理所当然地接受下一次大的诱惑。由小渐大，终至不可收拾，这在心理学上称为"登门槛现象"。

曹操屡次三番赏赐关羽，关羽表面又不能拒绝，如果他对这些财物动了贪念（要拒绝这种到手的财物，是多么的困难啊。当道德与贪婪同场竞技时，贪婪往往大获全胜），做出据为己有的行为，那么，随之而来的就是态度的改变。

行为可以改变态度的强度和指向。关羽接受曹操赏赐的行为会导致关羽对刘备的强烈效忠态度慢慢减弱，继而由量变到质变，由效忠刘备转而效忠曹操。

这并不是不可能的事情。三国中降将并非关羽一个，投降之后，尽心竭力效忠新主的大有人在。关羽要做的是时时刻刻警醒自己，不可大意。

有一天，曹操看到关羽穿的绿锦战袍已经很破旧了，心中一动，估摸着关羽的身高尺寸，取异锦让裁缝做了一件战袍，赐予关羽。关羽接受了，穿上新战袍后却又把旧战袍套在外面。曹操见了，不禁哈哈大笑，说："云长啊，你不至于节俭到如此地步吧。"关羽却正色道："丞相，我这不是节俭。这件旧袍是我兄长所赐，穿在身上，如见兄面，我不敢因为丞相新赐了战袍，就忘了兄长旧日之赐啊。"

在种种外界因素的影响下，要想让行为和真实的态度一致，是非常不容易的，必须借助外力的作用。对关羽而言，刘备赐予的旧袍就是一个锚定物，睹物思人，可以不断提醒自己不要忘记桃园结义时许下的诺言。

曹操感叹道："真义士也。"

亚里士多德说过，我们由于行使正义而变得正义，由于练习自我控制而变得自我控制，由于行为勇敢而变得勇敢。把这句话赠给关羽，是最恰当不过的了。但曹操感到了强烈的失落感，为什么他的努力毫无成效，他到底错在哪里呢？

心理感悟：改变自己其实很简单，只要去行动就可以了。

身在曹营

给予也是一门艺术 / 要命的激励方向 / 专家就要会投其所好 /
人才不用是废物 / 谁会不在意别人的评价 / 谦逊是骄傲的一种方式 /
当我兄弟杀了你兄弟 / 就要那颗错版金印 / 做事嘀咕送老命 /
换一块石头就又绊倒你 / 一封家书值万金

给予也是一门艺术

曹操在关羽投降的第一刻就做错了。曹操一直以客礼待之,非常尊重他。客人总是要走的,你怎么能指望他长久地留在你家中呢?而且,客人是有主动权决定什么时候离开的。曹操这样对待关羽,正好起到了反作用,不但对留住关羽没有任何助益,反而助长了关羽的"客人心态"。

曹操犯的另一个错误是过度合理化。

当一个人很明显是为了控制别人而事先付出不相称的报酬时,就会发生过度合理化效应。

关羽刚到许昌,寸功未立,就被曹操封为偏将军。关羽只是一个降将,而这次随同曹操出征,把刘备打得溃败的诸多将领却没有任何封赏。大宴小宴、美女珠宝,这些东西也明显和关羽的付出不成正比。这就会给外界造成一种错觉,关羽之所以投降,就是为了得到这些利益性的东西。

前面早已说过,关羽的投降已经在他心里产生了严重的认知失调。他之所以提出三个条件,就是为了调控这种认知失调。应该说,关羽的三个条件已经在很大程度上帮他挽回了面子。但如果他毫无愧色地接受曹操的厚赐,就很难解释自己行为的合理性。他再强调自己是降汉不降曹,得知刘备消息马上就离开等就会失去说服力。人们会判定他不是不得已才投降,而是为了丰厚的利益而投降的,是一种不折不扣的背主求荣的行为。

这显然不是关羽想要得到的东西,所以,曹操给得越多,关羽反而会越抗拒。

曹操付出不必要的报酬,反而给自己带来很大的阻力。

有这样一个有趣的故事可以用来非常恰当地说明"过度合理化"。

一位老人独自一人住在一条街上,每天下午都有一群吵闹的男孩在这里玩耍。这种喧嚣惹烦了他,于是他把这些小孩叫到了家门前。他告诉男孩们他喜欢听他们那令人愉悦的声音，并且许诺如果他们明天再来的话，他将给他们每人一元钱。第二天下午，这群孩子又来了，而且玩得比以前还放肆。老人兑现了他的承诺，给了他们钱，并再次许诺下次来还有报酬。第三天，他们又来了，但他们每人只得到了五角钱。第四天，孩子们每人只得到了两角钱。第五天，老人向孩子们解释说，他那干瘪的钱包已经快被掏光了。"求求你们，尽管这样，你们明天还能以每人一角钱的报酬来玩吗？"男孩们失望极了，他们说不会再来了，因为在他房子前玩整整一个下午才只能每人得到一角钱。

自我知觉理论是这样解释的：给人们报酬让他们做自己喜欢的事会让他们将其行为归结为报酬，这样，就会降低自我知觉的因兴趣去做。男孩们本来玩耍是出于兴趣，但老人的过度合理化，让他们的兴趣利益化了。当他们无法得到曾经拥有的高报酬，就再也没有动机去从事曾经喜欢的事情了。

喜欢的事尚且如此，不喜欢的事则更甚。投降本来就不是关羽喜欢做的事，但却因为做了不喜欢的事，而得到丰厚的报酬，则在外界的认知中更突出了报酬、利益的驱动作用。而关羽的行为是绝对不能用利益标准来衡量的，他的人生标准是忠义，不是金钱。

那么，曹操应该怎么做呢？

与过度合理化相对应的是理由不足效应。

费斯汀格的研究表明，如果人们的行为不能完全用外部报酬或强制性因素来解释，人们就会体验到不协调，并通过相信自己的所作所为是正确的或正义的来减少认知失调。

费斯汀格和他的学生卡尔·史密斯曾经设计过一个实验。在长达一个小时的时间里，给参与实验的A分配一些无聊的任务，比如反复地转木头把手。在A结束实验后，研究者卡尔·史密斯解释说这个实验关注期望如何影响绩效。同时，研究者希望在外面等着的另一个参与实验的B会认为将要做的实验是非常有趣的。研究者对A解释说，他无法完成说服B的任务，恳求A能够帮助他完成说服B的任务。

这是一项科学研究，并且还会得到报酬，所以，A答应向B描述自己刚刚经历过的实验是如何令人兴奋。

事实上，B是假的参与实验者，他的真正身份是研究者的助手。B故意说："我一个朋友一周前刚刚做过这个实验，她说很无聊。""哦，不，它真的很有趣。在转动把手时你可以得到很好的锻炼。我保证你会喜欢。"A竭力地劝说道。

那么，在什么情况下，A最有可能相信自己的小小谎言并且说实验真的很有趣？是在他得到区区一美元的报酬的时候，还是得到慷慨大方的二十美元的时候？

和大多数人认为的高报酬会产生好的效应的看法正好相反，那些仅仅得到一美元的，撒谎理由不充足的参与实验者更可能调整自己的态度以适应自己的撒谎行为。

也就是说，最小的刺激能够最有效地促使人们对一个活动产生兴趣并乐于继续做下去。也就是说，外部的利益理由如果不足以证明行为的合理性，人们就会通过内部的心理活动证明自己行为的合理性以减少不协调。

所以，曹操应该帮助关羽把投降行为包装成义薄云天的壮举。而义和利是势不两立的，曹操不但不能重重赏赐，反而要让关羽和他两位嫂子的日子过得很窘迫，要逼得关羽拼命做事才能养嫂糊口。只有这样，外界对关羽投降的行为才不会解释为是利益驱使。这种看法正是关羽乐于看到的，而他内心也会自动地做出调整，越来越相信自己的投降行为是合理正确的选择。

当然，曹操曾经答应过，把刘备双倍的俸禄给他的两个老婆。但曹操毕竟是个奸雄，翻云覆雨，找个理由敷衍过去就可以了。这一条不太会伤及曹操的信用。因为刘备下落不明是和朝廷对抗的后果，曹操完全可以利用"挟天子以令诸侯"的操控手段，利用汉献帝，把刘备描绘成"汉贼"。至于责任嘛，也一并由汉献帝承担了。汉贼的老婆能保住命就应该感激涕零了，还谈什么双倍的工资呢。

曹操还可以努力加大关羽的生活成本，比如派出很多人去帮助打听刘备的下落。当然，路费盘缠是要关羽支付的。至于打探的结果嘛，当然是不会有的。

关羽必须努力工作，换来报酬，辛苦度日，以彰显他的投降是不得已的，他没有因为投降得到任何好处，他在曹操帐下日子是不好过的，这样反而会减轻他的负罪感，减少内心的不协调。

当然，这还不够。在关羽做事的过程中，曹操还要利用"登门槛"技巧，通过行为逐渐改变关羽的态度。

"登门槛"技巧的精髓就是，如果你想请人帮一个大忙，那么，一个有效的策略就是先请他们帮一个小忙。同样，你想要一个人死心塌地为你做大事，你就要从让他帮你做小事开始。

美国的研究者曾经假扮成安全驾驶的志愿者，他们请求加利福尼亚人在院子前面安置一个巨大的、比较粗糙的"安全驾驶"标志。结果只有百分之十七的人答应了。然后，研究者请其他的人先帮一个小忙，在家里的窗口安置一个三英寸的

"做一个安全驾驶者"的标志。因为这是一个小小的请求，几乎所有的人都答应了。两周后，百分之七十六的人同意在他们的院子前面树立大而丑陋的宣传标志了。

曹操应该让关羽先去做一些无伤大雅的小事，慢慢再过渡到不易觉察地对刘备不利的小事，逐步加强，让关羽在不知不觉中落入圈套。

可惜曹操不是心理学家，不懂得"过度合理化"效应和"理由不足"效应，他只是指望用关羽接受赏赐的行动来改变他的态度，事实证明这种成本巨大的举动并没有起到多大的作用。

曹操的付出，使他在付出的道路上越走越远。

当你在一件事上付出得越多，就还会继续付出更多，尽管你已经开始对以前的付出所产生的效益产生了怀疑，但你仍然会执迷不悟，直到硬墙把你撞回来。

也就是说，投入得越多，越是不能自拔，因为你不想看到自己曾经的决策是错误的，也不想看到自己曾经的付出付诸东流，所以，你一定会像个赌徒一样，追加投资，渴望翻本。

在这种心理的驱动下，曹操不但没有回头，反而做出了更愚蠢的举动，使收服关羽的目标离自己越来越遥远，越来越渺茫。

心理感悟：给予是一门艺术，给得太多，不如不给。

要命的激励方向

曹操赏赐关羽已经成了一种习惯。每一次见面,曹操都会想想自己有什么好东西可以送给关羽。前面已经说过,曹操这样做是"过度合理化",只会起到反作用。所以关羽得到这些东西,除了例行公事地表示感谢外,从未真正高兴过。

曹操只知道一个劲地抡着赏赐的锤子把钉子往墙里打,却不知道钉子一直就顶着硬石块进不去。

曹操心里很郁闷,也很纳闷。但他从来没有思考过一个问题,那就是关羽到底需要什么?

如果亚伯拉罕·马斯洛在,倒是可以帮曹丞相一个大忙。

马斯洛把人的需要分成五个层次,分别是生理需要、安全需要、社会需要、尊重需要、自我实现的需要。

按照这五个层次,对照关羽一一分析,会是什么情况呢?

生理需要是人的最基本需要,包括吃喝拉撒睡。这些方面,关羽肯定满足了。在曹操这里,比跟着刘备待遇不知要好多少。关羽不但自己领一份偏将军的薪酬,曹操还经常有大把赏赐。曹操其实想得挺周到,他自己是需要女人的,由己推人,为了照料好身强力壮的关将军,还特意送了十个美女过来。不过关羽把这十个美女全部送去服侍嫂子。这不由让人怀疑,关羽会不会有什么生理上的隐疾。但不管怎样,生理方面的需要,曹操已经提供的够多了,关羽肯定不缺。

安全需要嘛,关羽凭着一身本事,更凭着曹操对他的看重,尽管文武诸人对他有些意见,但没人敢轻易来惹。这一点也不是问题。

社会需要主要是指人的归属感和社会交往的需要。很多人渴望成为团队的一部分,或者被他人接受和认可。关羽是汉献帝授意曹操赐封的偏将军,这是一个被公开承认的正式职务,足可以满足关羽开展社会交往的需要。而且他挑明了降汉不降曹，其归属感也没有太大的问题。关羽的归属权只属于刘备，但刘备也是要遵从汉献帝的。

自尊需要就不用提了。尽管关羽有着超高的自尊心，但即便是"挟天子以令诸侯"的曹操也把他当作尊贵的客人，又还有谁敢对他不尊重呢？

那么，只剩下自我实现的需要了，如果马斯洛的理论管用的话。

自我实现需要是最高层次的需要，包括自我成就需要和自我发展需要。如果这就是关羽的需要，那么关羽想要自我成就什么，自我发展什么呢？

其实，最能表露关羽心声的就是刘关张三人在桃园里的誓词。誓词里说，三人要"同心协力，救困扶危，上报国家，下安黎庶"。这十六个字可以说就是关羽要自我成就、自我发展的目标。其中，后面的十二字在曹操的手下完全可以实现，甚至可以比在刘备手下更好实现。所以，关键是最前面的四个字。"同心协力"就是刘关张要并肩作战。这就是关羽的需要，但却是曹操无法给他的。

曹操的错误在于：如果无法满足关羽的需要，那么就该切断他这种需要的源头啊，但曹操反而助长了这种源头。

曹操没有认识到这一点，接下来就要送给关羽一样令他自己懊悔终生的礼物。

这一天，曹操又请关羽赴宴。酒席散后，曹操送关羽出门，看见关羽骑的马瘦得厉害，说："你的马为什么会这样瘦啊？"关羽说："贱躯沉重，马负担不起，所以消瘦。"曹操心中一动，想起了一匹马来。

这匹马性子暴烈，一般人根本驾驭不了，它曾经的主人已经过世，曹操自己也不敢骑。

马被牵过来，关羽一看，身如火炭，眼似銮铃。曹操问关羽："你认得这匹马吗？"关羽说："这不就是吕布的那匹赤兔马吗？"曹操说："对了，正是这匹马。我自己不敢骑，我看只有你最合适。就连着马鞍一起给你吧。"关羽大喜，接连拜了两次，以感谢曹操赐马之恩。关羽好不容易高兴了，曹操却懊恼了："我多次赐给你美女、金帛，你从来没下拜过，也从来没高兴过。今天给你一匹马，就激动成这样，难道畜生比人还贵重吗？"

关羽说："我知道这匹马日行千里，今天有幸得到，如果以后知道兄长的下落，一日之内就可以赶过去见面，所以特别高兴。"

曹操一口气差点背了过去，心里懊悔不已。

"赤兔马激励"可以称作是激励史上最可笑的一次激励。

激励能够激发行为、引导行为的方向并且是使行为持续发生的动力。从激励的定义来看曹操的这次激励，一切都对了，就是方向搞反了。曹操送了一匹马，结果把关羽送回到了刘备的身边。

曹操百思不得其解，就把张辽叫了过来，问道："你上次不是说只要我待关羽比刘备好，他就能死心塌地为我效力吗？可是现在我待他也不薄，他怎么还是常怀去心呢？"

张辽心想，曹操的记性真好，看来在他面前说话不能随便。张辽无话可回，只好说："等我去探探关羽的情况，再回来汇报。"借机溜了出来。

关羽在曹营中吃香的、喝辣的，张辽自以为是有功的。所以，他开首就来了一句："老兄，我在丞相面前保荐你，没少卖力吧？"关羽知道他的来意，一句话就把他封了回去："曹丞相对我实在是不薄啊，可是我身在此处，心在兄处啊。"

人实在是习惯控制下的动物。张辽又拿出上次说服关羽的那套功夫，说："老兄，你这句话可就错了。大丈夫处世，可不能不分轻重，不知好歹啊。我想玄德公对你，未必有丞相对你好，你为什么老是想着要走呢？"这次，张辽没能想出三大罪状，勉强只找出了一条。

关羽说："我当然知道曹公对我甚厚，可是我受刘将军深恩，发誓同生共死，不能违背啊。我肯定是不会长留在这里的，但我也不会随便就走，我一定会立功报效丞相，然后再走。"

"互惠原理"的光芒忽地一闪而过。

张辽心里突然起了杀心，森然道："那要是玄德公已经不在人世了呢？"

关羽一惊，红色面皮上却纹丝未露，淡淡地道："那我愿意跟从他去地下。"

张辽知道没法再劝下去了，叹了一口气，离开。

其实张辽已经找到唯一可以收服关羽的办法了。曹操早就应该四处派人去打听刘备的下落，而不是掩耳盗铃般地遮遮掩掩。以曹操的实力，完全可以轻松地打探到刘备在袁绍处安身的确切消息。袁绍是个耳根软、没主见而且意气用事的人。曹操只需用个反间计，就能让袁绍杀了刘备。刘备一死，关羽肯定要报仇。报仇就必须依赖曹操的力量。这样，关羽又欠下曹操的一笔人情债。报仇后，关羽也不能真的一死了之，追随刘备于地下。他必须还债才能心安。曹操只需让他慢慢还，就可以在做事过程中让关羽逐渐为己所用（即"登门槛"技巧）。曹操还可以找出诸如二位嫂嫂仍要奉养等事由牵绊关羽的手脚，让他无法洒脱赴死。

可惜，张辽就此错过。

张辽出了门，左思右想："如果如实向曹操汇报，关羽恐怕难保性命。可是如果不如实禀报，又不是事君之道。曹公，是君父；云长，是兄弟。以兄弟之情而瞒君父，是不忠。辜负了兄弟，是不义。忠义相较，我宁可不义，也不能承担不忠的罪名。"张辽决定如实向曹操汇报。

张辽关于"忠义"的担心是有道理的。一般人"义"了就不"忠"，或者"忠"了就不"义"。举世上下，只有一个人因为做了不忠不义之事，却变得越忠越义。这个人就是关羽，后面我们还会详细说起。

曹操听完汇报，叹了口气："那他会什么时候走呢？"

张辽说："关羽说了，他必须要立功报效丞相之后才会离去。"一旁的荀彧插口道："那么如果不给他立功的机会，他就不会走了。"曹操哈哈大笑，仿佛捞到了一根救命稻草。

可是，在关羽身上投入了这么多，如果不让他出力卖命，从投资回报率的角度来看，是多么的不合算啊。

心理感悟：如果你想征服一个彻底坚强的人，一定先要让他彻底绝望，然后给他一条生路。

专家就要会投其所好

我们先把曹操的烦恼放一放,来看看三国中隐藏得最深的那个人这段时间在干什么。

这个人就是关羽天天挂在嘴上、放在心上的刘备刘玄德。

眼下,刘备正依附于袁绍,苟延残喘。他最近也很烦恼。和曹操一战,姓关姓张的兄弟不知去向,让他输光了所有的本钱。姓甘姓糜的这两件"衣服"虽说没什么大不了,但总还是有嘘寒问暖功能的,现在也落入了曹操之手。

所谓政治家,就是即使在最困难的境地中也要无事生非的人。就这个标准来考核,刘备是一个当之无愧的最佳人选。

你说袁绍收留你也算够意思了,但刘备偏偏要他不得安生。刘备的想法很简单,也很实用,就是鼓动袁绍和曹操干上一仗。

孤穷刘备眼下是一个没有机会成本的人,无论做什么,都不会有损失。但如果袁曹一开战,鹬蚌相争,渔翁得利啊,说不定他就有机会捞上一票,把蚀掉的老本赚回来。

这袁绍呢,是整部三国中出了名的耳根软,任何一句在他耳边响起的话语都会对他产生作用。

袁绍说:"好啊,好啊,我老早就想去打曹操了。现在开春了,天气变暖和了,正好起兵。"

要说袁绍真是个庸才,窃据高位!又不是去春游踏青,非得等到春暖花开?行军打仗,往往是在趁敌不备的恶劣气候下取得辉煌胜利的。

拥兵百万的袁绍竟然不懂这个道理,真是让人叹息不已。

袁绍糊涂,可他手下的谋士却不是吃素的。刘备的这点花花肠子一下子就被田丰识破了。

田丰对袁绍说了三点意见："第一，曹操刚刚攻下了徐州，和许昌构成了掎角之势，互为呼应，内部防守并不空虚。第二，曹操虽然兵马不多，但善于用兵，诡计多端，我们不能轻敌。第三，袁将军您据山河之固，拥四州之众，外结英雄，内修农战。您应该挑选精锐部队，用作奇兵，乘虚而入，不断骚扰，救右则击其左，救左则击其右，使敌疲于奔命，民不安业。我未劳而彼已困，不及二年，可坐克也。"

田丰的这段话，袁绍听了，觉得也很有道理，决定不下，就又来问刘备："田丰劝我坚守，你看怎么样？"

刘备一惊，暗自责怪田丰，这么好的机会怎么能让你搅黄呢？

刘备这张嘴有两个特长，一个是在失意的时候装哭，一个是在得意的时候损人，从未失手。吕布就是一个最好的例子。明明是刘备担心吕布降曹后，两人强强联合，无敌于天下，却对曹操说担心他成为第三个丁原，就此送掉了吕布的命。

刘备只说了二十七个字："弄笔书生，不乐征伐，坐度朝夕，以受俸禄，使将军失其大义于天下也！"

刘备这短短的一句话，杀机内藏，田丰的小命已经危在旦夕！

袁绍一听，又觉得刘备说得有道理，于是下令点兵，整装待发，不再理会田丰。

刘备只不过是一个流窜而来的败军之将，田丰却是忠心耿耿的老部下，为什么袁绍宁愿相信刘备，也不相信田丰呢？

刘备的策略是通过贬低别人而把自己包装成专家。你看，他首先把田丰定位成一个"弄笔书生"，这是骂人不带脏字的技巧，杀伤力极大。一个只会写写毛笔字的书生，又怎么会懂得战争呢？这四个字的背后，就是刘备常常自我标榜的"自征黄巾以来，身经百战"。就打仗而言，你是愿意听一个只会舞文弄墨书生的意见，还是愿意听一个身经百战的将军的意见呢？

这还没完，更厉害的是"不乐征伐，坐度朝夕，以受俸禄"。前面四个字"弄笔书生"是用来贬低田丰的能力的，这十二个字却是用来诽谤田丰的态度的。中国人一般的认识是，工作能力差点还可以接受，工作态度不好就麻烦了。你田丰拿着袁绍给的俸禄，却不乐意出征，白拿着钱混日子。这怎么能行呢？

而且，刘备还进一步强化了田丰意见的危害性——"使将军失其大义于天下也！"袁绍是个好大喜功的人，也是个有野心的人，此刻天下群雄中也数他的实力最强，袁绍正想多捞点政治名声好取代汉室称帝呢。刘备这一点可谓是挠到了袁绍的痒处了。

面对如此昏庸的主子，如果田丰识相点，不吱声了，事情也就这样了。但田丰绝不是像刘备说的那样白拿钱不干活的人，他一看点兵点将了，连忙又跑过来，态度强硬地来阻止袁绍。

袁绍心里早就不高兴了，正等着骂人呢："汝等弄文轻武，使我失大义！"正是刘备告诉他的那句话。田丰使劲地磕头，恶狠狠地诅咒："如果不听我的忠言，一定出师不利！"

袁绍大怒，当即要砍田丰的头。这时候，刘备又跳出来做好人了。刘备说的话，袁绍总是听的，田丰的小命暂时保住了，被关入大牢。不过也没保住多长时间，等官渡之战失败后，袁绍还是要砍掉他的头的。

拼命想要说服别人而表现出来的态度往往会适得其反。过分急于证明自己是正确的，往往给别人这样一种感觉：你是从自己的个人利益出发而不是从客观事实出发的。

伊格利1978年曾经做过一个实验。他给密歇根大学的学生播放了一段攻击某公司污染河水的演讲。如果告诉学生这既是一个有商业背景的政治候选人同时又是这家公司的支持者所作的演讲，那么学生们就会相信它是没有偏见而且是具有说服力的；反之，同样是这个反商业的演讲，如果出自一个支持环境保护的政治家并且对象是一些环境论者，那么听众就会认为这是出自演讲者个人的偏见。

这说明，人们偏向于信任站在自身利益对立面的说话者，而对为自身利益辩护的人持怀疑态度。

田丰气急败坏的样子，让袁绍以为，他是拼命想洗清自己，证明自己不是不懂军事的书生，不是白吃饭的混混。既然你是在为自己争取利益（能力和名声），那我为什么要相信你呢？毕竟，我自己的利益（义取天下）更重要。

看来，不懂得如何说服别人，即使你智谋百出也是白搭。

实际上，田丰根本用不着浪费这么多卡路里和荷尔蒙，又是磕头，又是狂呼。他只需要学学刘备，就可以轻松反击了。

你刘备既然把自己包装成专家，那我就承认你是军事专家。可你到底是什么专家啊？刘备是个专门打败仗的军事专家。田丰给袁绍提到三点意见里面头一条就是曹操刚刚夺取了徐州。这徐州就是刘备把守的。你连徐州都守不住，一个败军之将有什么资格来指责别人是弄笔书生呢？

实际上，袁绍听信刘备，还有一个原因。田丰作为袁绍的谋士，如果连这一点都没摸准就贸然提意见，不被拒绝才是怪事。

袁绍是最强的一股割据势力，曹操的实力远远没有他强大。袁绍如果要称霸天下，迟早要和曹操对决。所以，袁绍实际上是有一个内隐的倾向性态度的。这个态度就是如果他和曹操开战，胜利者必然是他，而不是曹操。刘备的煽动，虽然没有明言，但却正是基于这样的一个前提，双方是相互心照不宣的。这一点，还可以从后来官渡之战前后，曹操部下大多数人都不相信曹操会胜利而纷纷暗中与袁绍书信往来以留后路来做证明。所以，袁绍会好整以暇，以春游踏青的心态来准备这次战役。

再来回头看看田丰的建议，声东击西，敌进我退，明摆着是要袁绍和曹操打游击战嘛。游击战术一般都是处于弱势的一方采用的。田丰的基本前提就错了，怎么还可能让袁绍信服呢？

心理学的研究表明：每个人都有选择性倾听的倾向，喜欢听到和自己内心态度相符的东西，而不是相反。刘备对袁绍的投其所好，反而更加强化了他的专家权威性。因为袁绍需要利用他的专家判断来证明自己决策的正确性。而持反对意见的专家往往会被剥夺发言的权利。

如果你不是专家，却又急需说服别人，请一定按照上述这段话来把自己包装成专家！

在刘备的忽悠下，一场好戏即将上演。袁绍派河北第一猛将颜良为先锋，进攻白马！

田丰在狱中流泪叹息不已。这眼泪其实无须为袁绍的黑暗前景而流，而应该为他自己不懂得说服艺术而流。

心理感悟：专家或扮演成专家是最好的一种说服工具。

人才不用是废物

河北第一猛将颜良来犯，东郡太守刘延不敢马虎，立即向曹操报告。曹操当即整兵出发。

关羽听到这个消息，兴奋不已。他的反应并非幸灾乐祸，而是"互惠原理"的必然体现。三国里大概只有一个人对"互惠原理"是有免疫力的。这个人就是曹操。他的名言"宁可我负天下人，不可天下人负我"谬种流传，至今仍被某些人奉为圭臬。关羽觉得自己欠曹操的已经太多太多，还账的时候到了，他只有先报答了曹操的恩情，才能心安理得地走人。

关羽急匆匆地赶到相府，直截了当地表示自己要替曹操打前阵。

关羽想还账，曹操是知道的。但曹操记性不坏，荀彧不久前说过的话他记得清清楚楚。所以，曹操也得算算账。这一阵子来，曹操在关羽身上没少投资，如果老是让关羽闲置着，不就成坏账了？但是，曹操还是决定就让关羽待着，说："云长啊，这么点小事，就不烦劳你的大驾了。"但曹操还是留了个活口："如果我手下的这帮人搞不定，再来请你出马吧。"

也许有人会说，曹操真是不会算账，但曹操哪里是不会算账，他比你会算多了。你只要想一想，他为什么要留这个活口就知道了。

政治家算账和一般人是不一样的。政治家的出发点都是追求资源效用的最大化。比如说，汉献帝就是这样一个资源。你说一个弱不禁风、自身难保的小孩子能有什么用？养在身边还束手束脚的，见了他还得磕头请安，但杀了他就会干惹非议。袁绍就是这样认为的。当初董卓作乱，献帝被迫出奔，曾在袁绍的地盘上暂居。袁绍的谋士田丰、沮授就劝袁绍"挟天子以令诸侯"（现在你知道刘备这张嘴有多臭了吧。人家田丰哪里是"弄笔书生"，他确实是有两把刷子的）。袁绍觉得这孩子不就是个废物吗，又有什么用？结果就留给曹操了。曹操比袁绍识货多了，他哪里是把汉献帝当人啊，他是把这孩子当成了一种极其稀缺的资源啊。献帝这谥号真不白给，你看，他短暂的一生给曹操、给曹家做了多大的贡献哪！

回到关羽的话题。

在政治家曹操的眼里，关羽同样不是人，而是一种资源。无论是用关羽，还是不用关羽，都要从资源效用最大化的角度来考虑。如果用，收益大，那就用；如果不用，收益大，那就不用。所以，如果你以为曹操一直白养着关羽，是个二百五，那才是真正搞错了呢。

首先，关羽已经将自己注册为"忠义之士"。在乱世之中，找一个武艺高强的打手并不难，难的是找一个对自己忠心耿耿的打手，而最难的则是找一个对自己忠心耿耿且又武艺高强的打手。关羽就是一个最好的人选，可惜已经被刘备捷足先登了。忠义难得，越是稀缺就越是珍贵。曹操始终意识到这种资源的价值，也一直在拉拢关羽（杯酒斩华雄的时候，只有曹操一个人力挺关羽）。尽管关羽号称自己是"降汉不降曹"，但外人只是看实际行动的，才不管你用什么借口来平息内心的认知不协调呢。所以，在别人眼里，关羽投降曹操，是一个板上钉钉的事实。所以，仅仅是关羽投降这一个动作就已经价值万金了。

其次，关羽的投降有一种榜样示范作用。曹操可以借此无言地向天下声明："大家快看哪，连关羽如此死忠于刘备的人都归降我了，可见刘备多么不得人心哪。又可见我曹操多么有领导魅力啊！"有了关羽这块招牌，以后再想招降个开羽、闭羽的就容易多了（这里面还有一个心理学里非常重要的从众心理，留待后面详述）。事实上，后来袁绍的重要谋士许攸就是慕名主动来降的，否则官渡之战掉脑袋的很可能就是曹操了。

因此，即便不用关羽，曹操也早就赚翻了。现在关羽想出点力就走人，那曹操当然是不干的。

但是，曹操为什么又要留活口呢？

前面已经说过，用与不用，都是为资源效用最大化服务的。事实上，曹操这个时候已经有所耳闻刘备在袁绍那里混饭吃了。

曹操的想法是，如果颜良不堪一击，自己能够轻松摆平，那就不用关羽，并且继续隐瞒刘备的消息。但袁绍兵力远胜自己，这种可能性也许较小。一旦自己遇到了麻烦，就起用关羽。

如果关羽打得过颜良，就可以制造刘备和袁绍之间的矛盾，让刘备无处容身，说不定袁绍会杀了刘备泄恨。

如果关羽死于颜良之手，那么就借关羽之死大做文章。关羽乃刘备之弟，现今弃暗投明，为曹丞相效力，与刘备为敌，力战身亡，忠义可表。这是对刘备的沉重一击。你想，连他自己的生死兄弟都背叛他了，还会有谁跟着他呢？关羽的死，就是为曹操效忠而死，而这一点将永远也无法改变了。前面分析的关羽降曹的两大作用也就随之固化，将长期为曹操的宣传所用。

另外，关羽的死，也是对刘备的考验。你们结义的时候不是说好同年同月同日死的吗，现在就等你兑现诺言了。就算刘备不肯死，食言而生，没有了关羽，也是独力难支。

人们把曹操称为奸雄，不是没有道理的。一个不会算账的人，怎么有资格成为奸雄呢？

曹操点兵十五万，分成三队而行。曹操亲率五万人赶到白马，一看，有点傻眼。

平川旷野之地，颜良精兵十万，列阵示威。河北第一猛将，果然名不虚传。曹操回头看了看，先弄个人上去试试吧。宋宪不幸，被他瞥到了。宋宪曾经是吕布的部下，吕布战败被曹操绞杀于白门楼，但他的家底被曹操照单全收了。

宋宪这样的人死了，曹操是不心疼的。所以，从这个角度来看，宋宪也是一种资源，是一种可以用来试探敌人火力的资源。

宋宪出马，颜良大喝一声，纵马来战。不出三合，颜良手起刀落，将宋宪斩于马下。曹操点了点头："果然是勇将啊。"魏续大叫一声："杀我兄弟，我去报仇！"

魏续和宋宪同是吕布的前部下，故有此一说。同样的资源，曹操本不想一次用掉两个，但魏续一声喊，总不能不让他报仇吧，只好同意他去。

人就怕过度自信。魏续的水平和宋宪也就半斤八两，结果当然也是如出一辙。颜良只一回合，就将魏续斩于马下。

曹操回头又看了看，用不着试了，该上厉害的了。于是，徐晃出马。

徐晃和颜良打了二十回合，败回本阵。双方收兵罢战。徐晃算得上目前曹营中数一数二的猛将了。徐晃打不过颜良，其他人也差不多。

曹操有点郁闷。程昱跑了过来，说："我推荐一个人，可以敌过颜良。"曹操心里跟明镜似的，但还是问："是谁啊？"程昱说："非关羽不可。"曹操说："不是你们说他一立功就走人的吗？"说着，看了看荀彧。虽然自己上次的主意被程昱否决了，但荀彧这次没说话，保持沉默。程昱继续说："丞相您又喜欢他，又担心他，何不让他来，和颜良两强相斗。如果关羽赢了就重用，输了说明他也没什么了不起的。"

程昱这段话其实牛头不对马嘴，曹操不是不想重用关羽啊，哪怕他不立功也想重用。当初劝降他的时候，多少在战斗中出力的人都没有被领到皇帝面前受封，就关羽这个败军之将被封为偏将军。而且，关羽一旦赢了颜良，立了功是肯定是要走的，更不会接受曹操的重用了。这正是曹操最担心的事。按照常理，程昱这番话是要挨骂的。

但曹操感觉到了苗头不对。他手下那么多勇将，只出了一个徐晃，剩下的全不吱声了，没有一个主动站出来拼命效力。这非常反常。荀彧保持沉默更加重了他的这种感觉。

实际上，这是一种由妒忌引发的消极抗命！丞相既然这么重视优待关羽，那还要我们干什么呢？就让关羽来出力吧。程昱哪里是在出主意，只不过是代表大家来请个愿罢了。

荀彧们不傻，也是算过账的。关羽实际上早已成了曹营文武的眼中钉了。当然，这是曹操过度合理化培育浇灌的结果，和关羽本人没多大关系。让关羽来战颜良，有两种结果。如果颜良杀了关羽，那么万事大吉；如果关羽杀了颜良，那么他就走人了，也是万事大吉。

对曹操来说，关羽固然重要，却是建立在一个前提之下的。那就是手下原来的这帮文武官员不要有意见。这才是曹操的起家之本，如果因为得到了关羽而失去了起家之本，曹操当然是不干的。

情势所逼，曹操觉得，是该用关羽了。账早算好了，不管怎么样，曹操都是不会吃亏的。

心理感悟：废物和资源的最大区别来自心理投射。

谁会不在意别人的评价

曹操知道，他手下的这些文武官员，还是有些人是想看关羽笑话的。但是曹操也知道，关羽是不可能被人看笑话的。曹操心里说："李典、乐进，你们跟我时间也够长了，难道你们没见过关羽发威啊？是不是这次关羽兵败投降后，你们都看不起他了。"

曹操指的是关羽温酒斩华雄的往事。

当初曹操袁绍等牵头组成十八路诸侯结盟讨伐董卓，却在汜水关前被董卓悍将华雄挡住去路。华雄连杀十数将，令各诸侯心惊胆寒。袁绍叹息说："可惜我手下的大将颜良、文丑还没赶到，要是有一个在这里，哪里会怕什么华雄啊！"

刘备此时只不过是个平原县令，跟着北平太守公孙瓒来凑热闹，关张只是刘备手下的马步弓手。关羽听袁绍一说，大叫一声："小将愿往斩华雄头，献于帐下！"曹操给他倒了一杯热酒壮行，没想到关羽却说："酒先放一放，我去去就来。"出帐提刀，飞身上马。众诸侯听得关外鼓声大振、喊声大举，如天崩地裂，正想命人探听发生了何事，銮铃响处，马到中军，关羽提着华雄之头，掷于地上。这时，曹操倒的那杯壮行酒竟还是温的。

关羽为什么能够温酒斩华雄？

特里普莱特1888年就已经注意到，自行车手在一起比赛时，他们的成绩要比各自单独骑行时的成绩要好。他还做了一次实验，要求儿童被试以最快的速度在钓鱼用的卷轴上缠绕鱼线。结果发现，当儿童们在一起做这件事的时候，要比单独做时快得多。

特里普莱特的实验说明了"他人在场"对个体的影响。这种效应就叫作"唤起"（如果你觉得"唤起"这个词很拗口，不好理解，不妨参照四川话里的"雄起"，庶几相当）。

当然，"唤起"的影响也不全是正面的。另外一些研究表明，"他人在场"会妨碍个体的正常发挥。

扎伊翁次在1965年的时候进一步提出，"唤起"能够增强任何优势反应的倾向，也就是说"唤起"会提高简单任务的效率，却会降低复杂任务的效率。

关羽就是一个非常容易被"他人在场"唤起的人。

关羽当然是三国中的超一流猛将，堪称万人敌。但他的水平和张飞、赵云以及死在他刀下的华雄基本在一个层次。如果关羽处于未被"唤起"的状态，他和上述这些人绝不可能一个回合定生死，而是旗鼓相当，斗个不停。

关羽在斩华雄之后，还曾与徐州守将车胄相斗。车胄不过是个武艺平常的将军，但他竟然和关羽斗了好几个回合，才落败而走。后来车胄无路可逃，才被关羽赶上斩杀。

武艺高强的华雄一个回合就死在关羽刀下，武艺平常的车胄却斗了数合，还差点逃出生天。

这两个貌似矛盾的事实正好说明了关羽是否处于"唤起"状态的重大差异。

那么，"他人在场"为什么会起到唤起作用呢？主要的就是人心理上的"评价顾忌"在起作用。每个人都或多或少地在意他人的评价，正是对这种评价的重视和顾忌，促使人进入"唤起"状态。

一个完成于1983年的心理学实验是这样的：实验者是加利福尼亚大学的长跑者，这些长跑者在跑道上跑步时会遇到一位坐在草地上的女士。如果这位女士是面对着他们的，那么与背对着他们相比，长跑者跑步的速度会更快一些。

在"他人"面前，每个个体都希望表现得好一些，但具体到某一个个体，则会有不同的结果。有的个体会超常发挥，表现比平时更加突出，是谓"比赛型选手"；有的个体则会发挥失常，连平时的基本水准也发挥不出来。这两种情况在现代的大型体育比赛中都是屡见不鲜的。

每个个体对"评价顾忌"的敏感度是不一样的。关羽素来心高气傲，极其痛恨他人对自己的轻视和忽视，也有强烈地在他人面前证明自己的冲动。当这两个原因叠加起来的时候，关羽绝对是天下无敌的。

斩华雄那次，当关羽挺身而出想要证明自己的时候，就遭到了十八路诸侯之一的袁术的极度蔑视。

袁术出身于豪门世家，从来看不起出身低微的人。关羽起于民间，当时的职位不过是平原县令刘备手下的马弓手。袁术一听关羽的来历，大怒道："你这样的一个小小马弓手也配出去迎战华雄？是不是欺负我们十八路诸侯没人啊？赶快给我乱棍打出！"

要不是曹操在旁边苦劝，关羽连上场的机会都没有，更谈不上露一手了。

正是袁术的轻蔑评价，快速且高强度地促进了关羽的"唤起"。肾上腺激素的急速涌动使得关羽连一杯壮行酒都来不及饮，就上马提刀而去。而此时的华雄，依然沉浸在连斩十数员大将的欣喜与狂傲中。关羽已经像一架已经提速完毕的F1赛车疾驰而来，华雄则还尚未点火。其结果当然是一刀毙命。

说来好笑，如果没有袁术那一番讽刺挖苦，关羽可能还达不到如此高的"唤起"状态，他与华雄还说不定谁胜谁负呢？就算华雄抵不过关羽，也不至于温酒被斩！

另外，要补充说明的一点是，对关羽来说，挥刀杀人是一件非常简单的任务，这也是符合扎伊翁次的实验结果的。如果要关羽参加关于《春秋》的辩论大赛，恐怕他就会发挥失常了。因为关羽不过是个推车汉子，文化修养不高，虽然每天捧着《春秋》看个不停，但到底领悟了多少，还真是没人知道。

曹操派人去请关羽。关羽大喜，急急赶往。

曹操迎定，对关羽说："颜良勇不可当，连杀我二将，连日来诸将纷纷败在他手下，实在无人可敌，只好请你来了。"关羽说："让我看看动静。"

颜良正来搦战，耀武扬威。曹操指了指山下颜良排的阵势，旗帜鲜明、枪刀森布、严整有威，说："河北人马，竟然如此雄壮！"曹操做出这种评价的心情可以理解，若非把颜良描述得勇猛无敌，岂不是显得己方太过无能？！

殊不知，关羽恰是一个对"他人评价"的敏感者。曹操抬高颜良，就等于是变相贬低自己，所以，关羽傲然说："我看不过是土鸡瓦犬罢了。"

曹操又指了指，说："麾盖之下，绣袍金甲，持刀立马者，乃颜良也。"关公不屑一顾地说："我看颜良不过是插标卖首罢了。"

曹操善意地提醒道："不可轻敌啊。"在关羽听来，却不亚于当年袁术的讽刺挖苦！关羽奋然上马，倒提青龙刀，直奔颜良。

自兵败被迫归降以来，关羽一直憋着一肚子火。这是因为关羽的名声和能力遭到了曹营诸将空前的怀疑。

曹营诸将的态度是一个受"近因效应"影响的典型例子。在人际交往过程中，个体对他人最近、最新的认识占据了主体地位，并掩盖了以往形成的对他人的评价，就称为"近因效应"。关羽此前虽然名声不错，也有温酒斩华雄的惊人之举，但毕竟早已过去了。人们的评价主要是看他最近的表现。

关羽是个对"他人评价"敏感度极高的人，所以他也非常想借此机会再次酣畅淋漓地证明自己。

前面已经说过，当这两个原因叠加起来的时候，关羽就是天下无敌的代名词了。

关羽已经"唤起"，颜良犹自闲在。结果当然是一刀毙命！

对曹操来说，关羽斩华雄的时候他虽然在场，却是在帐内喝酒，没有目睹。这一次本来有机会目睹一次关羽的"魔术表演"，但关羽的动作实在太快，曹操还没做好看的准备，颜良的脑袋已经成为关羽的战利品了。

曹操本来以为，关羽能力再强，总也要和颜良大战数十回合才能分出胜负，却不知，面对水平和自己差不多的高手，关羽如果不能一刀制胜，恐怕就很难取胜了。

应该说，关羽的这一次"唤起"水平比起汜水关前斩华雄还是要低一些的。关羽能够赢得如此轻松，还和另外一个因素有关。

这个因素就是赤兔马。赤兔日行千里，关羽人借马势，速度更胜一筹。颜良哪里来得及防备呢？

关羽得胜回营，众人纷纷迎上前去，称赞关羽英雄了得。没想到关羽说出一番话来，曹操一干人听了，差点没晕倒在地。

心理感悟：人实际上是唯一一种为别人的评价而存在的动物。

谦逊是骄傲的一种方式

关羽一辈子说过很多话，大多数是大话、狂话、气话、怒话，几乎不说软话。此刻关羽要说的却是一句软话，这也许是他这辈子说过的唯一一句软话。

关羽说："我哪有什么了不起的，我兄弟燕人张飞张翼德在百万军中取上将首级，才真是如同探囊取物一般呢！"

关羽的话让人感觉非常奇怪，他素来是个骄傲溢于言表的人，虽然张飞是他兄弟，但关羽这样推崇他人、贬低自己的言行在他一生中都是极其罕见的。

这是为什么呢？

培根早已经说过："谦逊只是一种出风头的诡计。"关羽的所为，正是"虚伪的谦逊"的一种典型表现。

你想，一个回合就将河北第一猛将颜良斩于马下，是多么令人敬服、景仰啊！但关羽偏偏将这个硬碰硬的已成定论的丰功伟绩视为稀松平常，将立下这奇功的自己描绘成远远不如张飞，这只能归结于一种虚伪的谦逊。

傲慢一般都是真实的，谦逊则恰恰相反，不过是自负者欲扬先抑的把戏罢了。通过贬低自己的专长或特长、辉煌的业绩和别人难以企及的成就，其真实的目的则是满足自己的虚荣心。你想想，尽管关羽说自己没有什么了不起的，但谁又能无视甚或否定他的辉煌战绩呢？

关羽满足一下自己的虚荣心这件事本身也是可以理解的，这也不会给别人带来太大的麻烦。但是，曹操对这件事情的反应却带来了极其严重的后果。

曹操听关羽这么说，不由得大惊失色！连忙对左右说："赶快把张飞的名字写在衣袍襟底！今后遇到张飞，一定不能轻敌！"

张飞虽然勇猛过人，但此前并无威名，远远不如关羽的名声远扬。人们记得的张飞不过是张飞单挑吕布不过，关刘上前助阵。哥儿三个也没打过吕布，似乎也不是什么光彩的事情。关羽则通过温酒斩华雄，已经积累起了相当的威望了。所以，可以说，张飞到目前为止，还只是个无名小辈，至少在曹操心目中是这样的。

但关羽通过故示谦逊的办法来达到骄傲的目的，却在无形中极大地抬高了张飞。

关羽的这种做法，是标准的"第三方推崇"。

一个人本领再大，如果只是通过自己来向别人描述自己的卓越能力，那么人们很容易将其归结为"王婆卖瓜，自卖自夸"。但如果是通过第三方的人来推销，则人们的信任度会大大增加。

因为人们一般会认为，第三方的人和你没有直接的利益关系，不太会无缘无故地来为你吹捧，因而第三方的话语更为可信。

现实中，很多骗子精通这一套"第三方推崇"的做法。而那个被设置安排为"第三方"的人，就是我们经常说的"托儿"。正是因为"托儿"的存在，很多骗局才能得逞。

关羽没有存心给张飞当"托儿"，但却起到了"托儿"的作用。而且，关羽的这个"托儿"实在不简单。

关羽刚刚斩了颜良，威望正炽，加上此前斩华雄，都是快速解决了无人能敌的强敌。两件壮举的叠加效应更加衬托了关羽不可一世的权威感。以这样的一个"托儿"来推崇某个人，即使被推崇的人不是勇猛无敌的张飞，而是一个无足轻重的其他小角色，这个人也会立即名扬四海，身价倍增。

也就是说，第三方自身的实力或威望与推崇所能达到的效果是直接正相关的。如果是宋宪、侯成来推荐说张飞勇猛无敌，远胜自己，大多数人只会嗤之以鼻。因为远胜过他们的人多了去了。当第三方以权威的面目出现时，任何人都会失去怀疑抗衡的能力。服从权威，正是绝大多数的人的本能反应。

这一点，连足智多谋、见多识广的曹操也无法例外。所以，曹操才会大惊失色，差点晕倒在地。

个体在和他人交往的时候，会给人留下"第一印象"。这个"第一印象"会在今后的再次交往和持续交往中起到一个非常顽固（几乎不可变更）的锚定作用。这在心理学上称之为"首因效应"。

所谓"首因效应"，是指最初接触到的信息所形成的印象对我们以后的行为活动和评价的影响。

外界信息输入人脑时的顺序，在决定认知效果的作用上并不是无关紧要的，而是非常讲究先来后到的。最先输入的信息作用最大，最后输入的信息也起较大作用。大脑处理信息的这种特点是形成"首因效应"和"近因效应"的内在原因。

"首因效应"本质上是一种优先效应，当不同的信息结合在一起的时候，人们总是倾向于重视前面的信息。即使人们同样重视了后面的信息，也会认为后面的信息是非本质的、偶然的，人们习惯于按照前面的信息解释后面的信息，即使后面的信息与前面的信息不一致，也会屈从于前面的信息，以形成整体一致的印象。

张飞人未在场，但由于关羽的推崇，更由于曹操的激烈反应，就已经在曹营兵将心目中铭刻下来"天下无敌，骇人听闻"的第一印象。

曹操命令手下人将张飞的名字写在衣袍上更加深了这种第一印象。将口头语言用书面形式固定下来的威力是巨大的，难怪仓颉造字成功会导致"天雨粟，鬼夜吟"，也就是惊天地，泣鬼神。而后来道家对符咒的重视，也可以视为对文字威力的一种极端化运用。

迪莉娅·乔菲和兰迪·加纳曾经对一些大学生进行了调查。他们询问大学生们是否愿意充当志愿者，去为当地学校进行艾滋病知识普及。大学生被分为两组，一组需要填写愿意当志愿者的表格，另一组只需口头表示即可。实验发现，当时，这两组大学生在是否愿意去担当志愿者上并无太多区别，但几天后的知识普及活动中，出席率却出现了明显的差异。以口头方式答应担当志愿者的大学生中只有百分之十七的人遵守了承诺，而用书面方式答应愿意当志愿者的人中，有百分之四十九的兑现了承诺。

现实中，银行在推销信用卡的时候，也发现了类似的情况。如果信用卡申请表是顾客自己填写的，而不是由推销员代为填写的，日后销卡的概率就会小得多。

上面的两个例子足以说明书面文字的威力了。相对于口头承诺，书面承诺是一种更为积极的承诺。当曹营官兵将张飞的名字用笔书写在衣袍上后，张飞的名字、张飞的勇猛就更加深刻地铭印在曹营官兵的头脑之中了。

由此，在"第三方推崇"、第一印象的"首因效应"和"书面文字的威力"的共同作用下，张飞也成了一枚威力无比的"心灵炸弹"。

这一颗"心灵炸弹"在日后引爆，造成了惊人的效应。

此后，曹操击败袁绍后，挥师荆襄，再败刘表，并乘胜追击依附刘表的刘备。刘备落荒而逃，张飞故设疑兵之计，在当阳桥前独当曹操的百万雄师。

张飞见曹操亲临前阵，以察其疑，当即豹目圆睁，大喝一声："我乃燕人张翼德也！谁敢与我决一死战？"声如巨雷。曹军闻之，尽皆股栗。曹操顿时想起关羽昔日之语，回顾左右说："我曾闻云长言：翼德于百万军中，取上将之首，如探囊取物。今日相逢，不可轻敌。"话音未落，张飞睁目又喝曰："燕人张翼德在此！谁敢来决死战？"曹操见张飞如此气概，心生怯意。张飞望见曹操后军阵脚移动，横枪立马再度喝道："战又不战，退又不退，却是何故！"

张飞的一声大喝，就如引信般，当即引爆了深埋于曹营官兵心中的"炸弹"。曹操最宠爱的小侄夏侯杰惊得肝胆碎裂，倒撞于马下。曹操大惊，回马便走，诸军众将一齐往后退却。一时间，弃枪落盔者，不计其数，人如潮涌，马似山崩，自相践踏，死者不计其数。

张飞这一喝为何有如此之威？

张飞的这一喝之威，实际是关羽那一句话的威力的具体体现。关羽一生说过很多话，以这一句最为谦逊绵软，但却以这一句威力最大。曹营自夏侯杰以下，死伤不计其数。试问天下又有几人能够用一句话做到如此呢？连诸葛亮一次也只能骂死一人而已！

关羽用谦逊来炫耀自己的骄傲，无意中却成就了张飞的雄威，让人抚今追昔，不胜感慨。

心理感悟：谦逊的目的与它本身正好相反。

当我兄弟杀了你兄弟

天下万事万物,都是平衡的,有得必有失,有盈必有亏。关老二帮了张老三一个大忙,却没想到差点送掉刘老大的一条性命。

关羽不知道,刘备此刻正栖身于袁绍帐下。颜良之所以前来讨伐曹操,也多半是由他的刘老大撺弄起来的。

颜良的败兵回去一报告,说:"颜大将军猝不及防就被一个红面孔、使大刀的猛将一刀砍了。"

袁绍大惊:"什么红面孔这么厉害?竟然斩了我手下的第一猛将?!"

袁绍手下还有一个谋士叫沮授。这个人和前面提到的田丰一样,颇有智谋,但也有和田丰一样的严重缺陷——不懂得如何说服上级。

有技巧地说服领导,其实是一个谋士的必备技能。一个谋士,即便再足智多谋,如果不具备说服的技能,最后的工作必然是在大牢里服役。目前,田丰已经在牢里上岗了,沮授眼看也就要步其后尘了。

沮授非常聪明,一听就知道这个红面孔是谁了,立即对袁绍说:"这个人一定是刘备的兄弟关羽关云长。"

袁绍顿时就想起来了,关羽斩华雄的时候他是十八路诸侯的盟主。关羽的快刀他是知道的,关羽的红面孔他也是知道的,这个世界上能够胜过颜良的高手并没有几个。这么一推断,此人必是关羽无疑。

袁绍一看刘备若无其事地站在一边,不由地勃然大怒,骂道:"你兄弟杀了我的爱将,你必然是里应外合的同谋者。还留着你干吗?刀斧手,把他推出去砍了!"

如果刘备就这样被袁绍砍了,那他就不是刘备了。刘备别的本领没有,糊弄一下袁绍这样智商不足的人还是绰绰有余的。

刘备急中生智,说:"不关我事啊。我连老婆扔在哪里都不知道,又怎么会知道兄弟关羽、张飞的下落呢？"

像刘备这样把老婆当衣服，兄弟当手足的人还是不多的。所以，关键时刻，刘备的老婆就派上了用场，成为刘备说服袁绍的重要工具，最终救了刘备一命。

袁绍想想有道理，他自己就是爱老婆胜过爱兄弟的，就给了刘备一个辩解的机会。

刘备哪里会放过这么好的机会呢，立即说："明公啊，我自从徐州兵败，连老婆都没顾上，狼狈万分地来投奔你，哪里会知道云长在曹操手下呢？况且，天下长相相像的人多了去了，难道红面孔使大刀的就一定是关云长吗？请明公详查吧。"

早已说过，袁绍是个没主见的人。他一听刘备的话相当有道理，立即就责骂沮授说："你看看你，误听了你的话，差点害了玄德兄弟的性命！"

沮授满脸委屈："其实我也没说啥啊。我不过是说红面孔是刘备的兄弟关羽，也没让你立即杀刘备啊？"

袁绍可不管你委不委屈，立即和刘备商量起如何给颜良报仇的事情来。

刘备为什么能这么轻易地就说服袁绍呢？

刘备使用的是说服的外周途径。

说服有两种途径。一种是中心途径，一种是外周途径。当人们在某种动机的引导下，并且有能力全面系统地对某个问题进行思考的时候，他们使用更多的是说服的中心途径。也就是说，当用于说服别人的论据充分、令人信服的时候，比较适合采用说服的中心途径；反之，当你手中并没有有力的论据来支持自己的观点的时候，就应该采用说服的外周途径，通过事实之外的情感体验、基准比较、信赖亲友或专家的判断等方式来说服别人。

中心途径的说服，是基于理性的逻辑推理的。而外周途径的说服，则借助于人的感性发挥作用。比如，现在的很多商品，都喜欢找一个明星代言人，以吸引顾客购买，这就是对外周途径的利用。明星并不能符合逻辑地证明商品的功能效果，但他可以在情感上拉近和购买者之间的距离，给购买者，特别是其粉丝以欢快愉悦的享受，从而促进销售。

刘备在这个危急时刻，根本就不了解任何的事实论据。如果他走"你有什么证据能证明我和关羽共谋"来反驳袁绍或走"我有什么证据证明我没有和关羽共谋"来洗清自己这两条路的话，那他就死定了。

反之，刘备只是利用袁绍人之常情的情感体验来证明自己，恰恰收到了良好的效果。当缺乏事实确凿的论据时，这是最好的办法。

当下，刘备摆脱困境，从阶下之囚又变成了坐上之宾。刘备还没回过神来，就听帐下一人大声叫道："颜良是我兄弟，既然被曹操害了，我一定要为他报仇！"

说话的是文丑——袁绍手下的第二猛将，虽说是排名第二，但实力和颜良其实不相上下。

袁绍大喜，说："除非是你，才可以给颜良报仇雪恨啊！好，我也给你十万兵马，你立即起兵，强渡黄河，追杀曹贼！"

刚受了半天委屈的沮授一听，连委屈也顾不上了，立即站出来说话。要说沮授也真是个有责任心的员工啊！谋士不白请，关键时刻真上啊。可惜的是，他到死都没有搞懂说服的奥妙！

沮授说："不能这样啊，现在最好的办法是屯兵延津，分兵官渡。如果轻举妄动，强行渡河，一旦有变，所有的兵马可就回不来了。"

他的想法和田丰是一路的，都是要稳扎稳打、步步为营，而不是急于攻击、急于求成。

袁绍是个没主见的人，却不一定就是个容易说服的人。如果你不懂得说服的技巧，照样会碰壁吃苦头，因为在说服中存在着一种"态度免疫"的效应。

"态度免疫"现象，是麦圭尔于1964年首先提出来的。所谓"态度免疫"，就是指人的态度如同人体具有的免疫能力一样，能对别人的说服产生抵制，使得自己先前的态度不发生任何改变。或者说，当个体的某种观念受到别人反驳的时候，它可能会更加坚定，而不是产生动摇。

还记得那个在牢里过活的田丰吗？前几天他对袁绍说的让自己进了牢房的那番话，恰像是一剂打进袁绍心灵的超级疫苗，早就在袁绍的头脑里形成了强大的抗体。

袁绍在拒绝了田丰徐徐图之的游击战略的建议后，已经对相同或类似的建议有了抗体，再也不可能听进去了。但沮授还是孜孜不倦地往这个方向努力，其结果必然是让袁绍更加坚持自己的想法，最终也让自己遭受到了惨重的打击。

袁绍果然大怒，喝骂道："都是你们这等弄笔书生，迟缓军心，浪费时间，误了大事。你难道没听说过兵贵神速吗？"

沮授一言不发，走出帐外，长叹一声，从此称病不出。

"态度免疫"具有正负两方面的作用，既可以让你拒绝正面的信息，也可以让你拒绝负面的信息。关键就看你先行注射的是什么样的"疫苗"了。

邪教的洗脑就是巧妙运用了"态度免疫"的功能来控制成员的。邪教分子往往会提前警告新加入的成员，他们的家人或朋友一定会攻击本教的教义和理念，这就是一支"强力疫苗"。当预期中的反对、攻击、驳斥真的出现时，邪教的成员早已经做好了抵制的充分准备。他们对邪教的信念反而因之更加坚定、强硬。也就是说，善意的反对反而助长了邪教的影响力。

如果你要去说服别人，田丰、沮授的教训不可不记：千万别选择人家已经具备了免疫力的地方下手！

再说刘备逃过一劫，心思可就活络了："那个红面孔必是云长无疑。可是他怎么可能投降曹贼，为他效力呢？"当初许田围猎的时候，曹操僭越接受百官的朝拜，第一个想杀他的人就是关羽。这次，曹贼又把我兄弟三人打得四分五裂，仇恨更深，云长怎么会背信弃义投降呢？

刘备百思不得其解，于是就对袁绍说："明公啊，我久蒙你大恩，无法报答。这次我想跟文丑将军同行，一来是为了报答你的恩德，二来去探听一下关羽的虚实。"

袁绍很痛快地答应了，但文丑却不答应。文丑说："刘备是个屡战屡败的人，身上晦气很重，和他同行，很不吉利。"

袁绍说："我正想看看他有没有真才实学呢，你还是带他去吧。"

文丑不敢违背，但还是坚持说："如果主公一定要他去，那就分兵三万给他，让他殿后。如果他没立功，回来可要治他的罪啊！"

文丑不喜欢刘备也是有原因的。毕竟颜良是死在刘备的兄弟关羽之手的，文丑与颜良本身情同兄弟，当然不开心了。

刘备一听，这样更好了。关键时刻我要是想溜，可就没人拦我了，说不定还能拐走这三万兵马当作东山再起的本钱呢。

文丑领兵前来。曹操等诸人却都高枕无忧。但他们并不应该如此乐观，因为文丑一来，关羽可能会有性命之忧。

心理感悟：说服的大厦不一定非得建立在事实的基础上。

就要那颗错版金印

关羽立了大功，曹操又喜又忧。喜自然不用多说，忧则是担心关羽立功之后，就要拍屁股走人了。曹操要留人，就得想留人的招。

以前关羽是无功就受禄，这次有功不受禄就说不过去了。但到底用什么来激励关羽，却是个犯难的事儿。

金银和美女本是最好的激励手段，但关羽不能喜欢金银，也不能喜欢女人，否则就无法调和内心的认知不协调。

曹操想了想，只有一样东西，关羽是喜欢的，而且不会推辞，那就是名位和荣誉。

关羽归降后，曹操带他面见献帝。在曹操的示意下，献帝封关羽为偏将军。实际上，一个败军之将、名义上曾经和朝廷作对的败军之将，是没有资格受封的，但关羽非常乐意地接受了。

每个人都有无法掩饰的弱点和软肋。对名誉和荣耀的渴求，正是关羽的软肋。曹操决定还是从这一点下手，而且，下手要快，要像关羽斩颜良一般快，一定要在关羽提出走之前搞定。那么，对一个武将来说，最高的梦想是什么呢？

"关山万里觅封侯"是所有武将的终极追求。唐朝诗人王勃在他的绝世名篇——《滕王阁序》中给我们留下了"冯唐易老，李广难封"的千古惆怅。

汉武帝时的名将李广，擅长骑射，行动敏捷，打起仗来行踪飘忽不定，被匈奴人称为"飞将军"。李广多次出征匈奴，战功赫赫，但终其一生，也没有实现"以功封侯"的愿望，可见"封侯"之难。

也正因"封侯"之难，其内蕴的荣耀与魅力，引无数武将竞折腰。

曹操想："我让你一步到位，你总该满足了吧，总不会离我而去了吧。皇帝只有一个，正好在我手上。放眼天下，除了我根本就没有人可以让你受封为侯！"

袁绍这个呆瓜，根本不知道"天子"的妙用，挟天子不但可以令诸侯，还可以滥封侯啊。曹操越想越得意，不由地放声长笑。

曹操立即命人表奏朝廷，封关羽为寿亭侯（此采用全本说法，因为这更符合关羽整个心理演进的逻辑发展）。

剑印铸好，曹操看了看张辽，你还比较了解我的心思，关羽能够归降，你也是有功的。这桩给关羽送印的美差就给你吧。

这确实是个能做顺水人情的美差。人们在心理上有一种倾向，往往把好消息归功于传递好消息的人，尽管好消息并不是由其创造的；也往往把坏消息迁怒于传递坏消息的人，尽管坏消息并不是由其制造的。

张辽拿着"寿亭侯"的印，来见关羽，心情有些复杂，心想："红面孔啊红面孔，要不是我张文远劝降了你，你跟着刘备混，哪里会有今天啊！哼，丞相就是偏心啊，我们这些人整天帮着他东征西讨、杀人无算、浴血奋战，但还是比不上你随便杀一个人啊。"

张辽全然忘掉了自己的侯位来得比关羽还容易，足见曹操对关羽的偏爱已经让曹营众将侧目了。但是像关羽这样，只打了一次仗，只杀了一个人，就成就了武将的终极梦想（靠裙带关系封侯的除外），终究是小概率事件。

张辽以为，关羽必会感恩戴德、兴奋不已。没想到，关羽接过印，瞄了一眼，淡淡地说："这个，我不要。"

"什么？！"张辽几乎不敢相信自己的耳朵，心想："红面孔，你的脾气实在太古怪了，你知道这是什么吗，这可不是萝卜印章，这可是十足真金的'寿亭侯'金印啊！"

一瞬间，张辽的心理压力急剧上升："连这么一件美差都办不好，丞相会怎么评价我的办事能力啊？"他也顾不得妒忌了，违心地说："老兄，根据你的功劳，封侯也不为过啊。你干吗不接受呢？"

关羽只是摇头，说："我的功劳太微不足道了，当不起这么重的封爵啊。"

张辽表示怀疑，这不是关羽的说话风格。如果关羽说："怎么才是个亭侯？太差了，我不想要。"张辽倒会立即相信。

在这里，插讲几句当时的封爵分类。东汉末年，一般是按照王、五等封爵、列侯三大层次进行封爵的。王非皇子不能受封，五等封爵为公、侯、伯、子、男，列侯分为县侯、乡侯、亭侯三类。

关羽所受封的寿亭侯，并不是五等封爵里面的"侯"，而是列侯中的第三等

"亭侯"。虽说，亭侯在整个封爵体系中只是最末一等的，但关羽起自白衣，能够被封为"亭侯"，也已经是相当不容易了。以诸葛亮之赫赫功劳，最后也才被封为列侯里面的第二等"乡侯"，是为"武乡侯"，世称"诸葛武侯"。

张辽反复劝说，关羽意味深长地看了看他，只是不肯接受。张辽看看比劝他投降还难，只好作罢，垂头丧气地来见曹操。

曹操一听，头都大了。这一招怎么就不灵了呢？这个关老二，也太难伺候了！第一感觉就是他要走人了。但转念一想，关羽尚未知道刘备的下落，他又会到哪里去呢？

曹操开始盘问张辽具体的细节："关羽推辞不受，是你一说此事就推辞，还是看了金印之后推辞的？"

张辽回答说："关羽瞄了一眼金印，就立即推辞不受。"

曹操明白了，张辽还没明白："这有什么区别吗？不就是一回事吗？"这就是曹操和张辽的区别，也是曹操能当丞相，张辽只能当他手下的原因。

曹操说："文远，你去把这颗印毁了吧。"

张辽又是一阵惊讶："今天的人怎么都这么怪啊？丞相平时对关羽可是孜孜不倦的，今天怎么这么快就改变主意了。"

曹操又说话了："你再去铸另外一颗印，记得多刻一个'汉'字在前面。"

张辽顿时明白了，"关三条"就是自己代为传达的，其中第一条就是"降汉不降曹"啊。难怪当时关羽的眼神那么奇怪呢。

张辽铸好了"汉寿亭侯之印"，急忙送给关羽。关羽又瞄了一眼，纵声长笑："哈哈，还是曹丞相理解我啊！"坦然受印。

这颗印，是史上最古怪的一颗印。如果能够找到，必是绝无仅有的绝世之宝，就像稀世的错版邮票一样。

历朝历代都不带这样铸印的。任何一个朝廷，无论别人是否视其为正统，它自己都是号称"奉天承运"的。所以，在它分封爵位的时候，绝对不会在前面加上自己的国号。你看，像诸葛亮被封为武乡侯，绝不会是"汉武乡侯"或"蜀武乡侯"；张飞也是一个纯粹的"西乡侯"，绝不会加前缀的。

曹操虽然挟天子以令诸侯，但他始终不是天子，是没有资格以朝廷的名义分封侯爵的。"寿亭侯"前面虽然没有"汉"字，但"汉"是题中应有之义，是不言自明的。任何一个人，除了关羽之外，都不会觉得"寿亭侯"前面没有"汉"字，就会成了"曹寿亭侯"了。

关羽之所以如同小儿胡闹般地执着于这一个"汉"字,说明他此刻内心的认知失调已经达到了一个高潮。若非如此,实在难以自我平衡。

封侯是任何一个武将的最高梦想,这对关羽的诱惑力是无须多言的。接受寿亭侯的封号,必然是关羽内心的第一反应。但是,这个封号是通过为曹操效力而得来的。如果接受了,就会为自己的投降行为留下不容辩驳的证据。这是对此前"关三条"的直接推翻。关羽正是靠着自欺欺人的"关三条"才暂时得到了内心的片刻宁静。如果欢心情愿地接受了金印,等于尖锐戳穿了关羽脆弱的心灵防护膜。关羽只能选择不接受。

由此,关羽内心对荣誉的渴求与现实的不能接受再一次构成了严重的认知失调。就这一点来说,曹操确实是个心理大师,他在"寿亭侯"前面加了一个"汉"字,就轻松地解开了关羽的心结。

有了这个"汉"字,关羽再次得到了一个缓冲的余地,既可以坦然接受封号,又可以不违背先前的"关三条"。

而对曹操来说,似乎也没什么损失。在他心目中,曹和汉没有什么区别,曹即是汉,汉即是曹。只要关羽能够留下来为他效力,管他喜欢什么名义呢。就算是关羽喜欢"汉汉寿亭侯",曹操也会铸印给他的。

曹操为自己创造性地解决难题自得不已,张辽也对他佩服得五体投地。

但是,曹丞相高兴得太早了。

实际上,他又犯了一个大大的错误。尽管他挽留关羽之情真意切不容丝毫怀疑,但他的所有做法,几乎全是往相反的方向用力。关羽在乎荣誉,曹操也找到了关羽的这个弱点,就应该牢牢把握,用荣誉来诱引关羽,但绝对不能一步到位,一次给够。关羽如此轻易地就实现了武将的终极追求,实际上曹操已经没有别的任何东西可以再用来激励他了。

所以,我们甚至可以说,关羽实际上是曹操自己一手赶走的。

而且,太容易得到的东西总是不会珍惜的,这也就为关羽日后率性挂印而去埋下了重要的伏笔。

心理感悟:对荣誉的渴求是最严重的心理障碍之一。

做事嘀咕送老命

话说文丑带领兵马逶迤而来，一路上咬牙切齿，发誓要为死去的弟兄颜良报仇。文丑因为厌恶刘备，所以才以"刘备是个屡战屡败的人，身带晦气"为理由，让刘备率领部分兵马跟在后面，而没有让刘备和自己同行。文丑永远也不会想到，正是这个有点意气用事的决定，葬送了自己的性命。

而文丑此来，内心激愤，我们对关羽安危的担忧并非杞人忧天。

一般人首先受制于首因效应，凭借"第一印象"来下判断。如果近期有强烈信息对第一印象进行颠覆性更新，则又会受制于近因效应。曹操等人，在关羽轻松斩了颜良的利好刺激下，对关羽奉若神明，认为如果关羽再来面对和颜良水平不相上下的文丑，当然也是手到擒来，不费吹灰之力。

但我们前面已经说过，关羽之所以能够一个回合杀了颜良，是因为关羽已经处于高强度的唤起状态，而颜良按照习惯性思维却还处于"来将通名"的预热阶段。但唤起是个体对外界刺激的一种应激反应，能否唤起并不由关羽自己决定，而是由外界的刺激结合当时的情势而定的。更重要的是，高强度的唤起是不可能在短时间内连续出现的。

关羽是一个比较容易被唤起的人，但他这一辈子总共也不过被高强度唤起过三次。到目前为止，他已经用掉两次了。一次斩了华雄，一次斩了颜良。还有最后一次在不远的将来也会用掉。

而且，最关键的是，一次高强度唤起的状态，不可能维持很长的时间，就像一个波峰，在瞬间就会跌落，恢复常态。关羽深知这个道理。你看，斩华雄的那一次，曹操给他倒了一杯壮行酒，他都不喝。这并不是他不喜欢或不想喝，而是他没时间喝。关羽知道，高强度的唤起状态稍纵即逝，一旦喝了这杯酒，华雄可能就斩不掉了，掉脑袋的或许就是他自己了。斩颜良也是如此，关羽也是迫不及待地出马,和颜良没有一句语言交流,就已经挥刀相向。

可惜,文丑不懂这个道理,客观上也没有条件让他来保持自己的唤起状态。颜良莫名其妙地被杀,而不是死于光明正大的厮杀,这是一个猛将的最大耻辱。文丑和颜良情同兄弟,当然有一股怒气要为其报仇。如果文丑恰在颜良身边,当时凭着一怒之勇,处于瞬间的唤起高潮,而关羽在斩了颜良后,处于逐渐消退的状态,此消彼长,是很有可能杀了关羽报仇的。

但是,文丑领兵而来,一路劳顿,心中那一股怒火早就在途中逐渐消退了。旅途寂寞,激情消退之后,文丑一个人就开始分析起关羽为什么可以一刀就斩了颜良。

不分析还好,一分析就坏了。

因为分析的结果必然是:这是不可能的。但事实"死生生"摆在那里,不由地让人怀疑。这给文丑造成了极大的认知不协调。囿于当时人们对神秘力量的崇拜,文丑想来想去,只有一种可能可以解释这件不可思议的事情,必然是有一种神秘力量在冥冥中操纵着这一切,也就是说关羽是神而不是人,否则绝不可能。文丑通过对自己态度的改变调整了认知不协调,却也在自己的心田里深深埋下了恐惧的种子。文丑顿时不寒而栗,颜良和自己的武艺在伯仲之间,颜良一合就惨遭不幸,那自己呢?文丑不敢再想下去,他甚至有点后悔自己的一时冲动了。

这就是一个人蒙头瞎想的害处。这个时候就看出刘备的用处了。如果他愿意带着刘备一起走这漫漫征途,就用不着自己一个人在暗夜里胡思乱想了。世界上最了解关羽的人就是刘备,关羽到底是神是人,刘备最清楚了。刘备此刻和曹操正势不两立,必然会帮助袁绍这一边。通过和刘备聊天,不但可以把关羽的底细摸清,而且还有一个非常大的好处,关羽只要一见到刘备,绝对不可能刀兵相向,甚至可能会反戈一击。如此这般,文丑就绝不会有性命之忧。

神实际上是一种被极端化的权威。关羽不是神,是文丑自己将他神化了。当人们对权威陷入迷信的时候,必然将权威推向神坛。

这一员河北猛将,如果不能摆脱自己内心对神化了的权威的迷信和恐惧,等待他的必将是覆水难收的厄运。

不得不让人长叹一声,权威对人的影响力实在巨大,即使是理智、清醒的人,也会不由自主地出现盲从行为。而一旦权威被神化,后果就更加可怕。顺从者就变得对神化的权威顶礼膜拜、言听计从,甚至会将自己的生杀予夺的权力完全献祭给神化的权威。

人民圣殿是一个创建于美国旧金山的带有迷信色彩的准宗教组织,成员主要是旧金山的穷人。1977年,这个组织的被神化了的领袖——吉姆·琼斯带领大部分成员移居到南美圭亚那的一处丛林中。

1978年,吉姆·琼斯把所有成员召集到身边,要求大家集体自杀。第一个响应的是一名年轻妇女,她镇静地走向一个毒药桶,舀起毒药,先给自己的婴儿喝了一口,自己也喝了一口,然后坐下来静待死亡。四分钟之内,这母子二人就在抽搐中死去了。但其他人并不畏惧,而是一一效仿。尽管还是有少部分人逃跑了,但九百一十个成员中的绝大多数是有秩序地、心甘情愿地赴死的。

这是一个极其惨痛的例子,尽管非常极端,却鲜活地展现了权威以及对权威盲从的巨大危害。

而当一个个体,出于某种原因,不得不站到权威的对立面的时候,那将是何等恐惧和畏惧啊!

文丑带着患得患失的心情,驻兵延津。

曹操闻报,以粮草马匹为饵,诱引文丑部下兵马大肆抢掠,然后反身杀回。文丑果然是勇猛之将,临危不乱,力战曹营众将。

张辽、徐晃二将飞马齐出,大叫:"文丑休走!"文丑一看,这两个人,既不是红面孔,也没有长胡子,那还怕你何来?遂按住铁枪,张弓搭箭,射向张辽。徐晃大叫:"贼将休放箭!"张辽低头急躲,一箭射中头盔,将簪缨射去。张辽奋力追赶,坐下战马又被文丑一箭射中面颊。那马跪倒前蹄,张辽落地。文丑回马来取张辽性命,徐晃急抢大斧,截住厮杀。两人大战三十余个回合,徐晃感觉自己吃他不消,转头就走。

这徐晃,可谓是曹营中的一杆秤,凡是能和他战上三十回合不落下风的,都可以称之为超一流的猛将。文丑的实力由此可见一斑。

文丑正得意间,忽见十余骑马,旗号翻飞,一将当头提刀飞马而来,红面长须,正是关羽。

文丑顿时心生惧意,哪里敢和关羽对斗?交手不满三个回合,拨回马头,准备撤退。但文丑不会想到,关羽的坐骑乃是日行千里的赤兔马,自己的马再好,也跑不过赤兔马。不逃还有生机,一逃就误了卿卿性命。关羽大刀挥处,已将文丑斩为两段。

文丑死得非常之冤!别人以为,关羽杀文丑是出于他的能力和神威,但我们却非常清楚,这不过是关羽幸运罢了。如果文丑心理素质好一点,挟着报仇之心,拼死奋战,死的可能就是关羽了。

文丑并非死于关羽的刀下,而是死于自己内心的恐惧。而华雄、颜良和文丑这三条冤魂也就此成了关羽走向神坛的垫脚石。

关羽乘胜追击,带领数骑东冲西突,河北兵马溃散而逃。正杀之间,刘备带着三万军马随后赶到。哨马立即来报告刘备说:"这次又是红面孔长胡子杀了文丑将军。"刘备慌忙策马来看,隔河望见一簇人马,往来如飞,旗上写着"汉寿亭侯关云长"七字。刘备的第一反应就是关羽果然在曹操手下。一时之间,心情极其复杂,非语言可以表述。

但现实不容刘备多想,曹军势猛,不可阻挡,河北兵马四处溃逃。刘备决定还是先保命要紧,赶快撤退。幸亏刘备见机得快,否则,随后江湖就会传言,桃园三兄弟反目成仇,关羽不顾结义之情,将刘备斩杀于乱军之中。

打仗是刘备的弱项,每战必败;逃跑是刘备的强项,每逃必生。

文丑九泉之下,第一件事就是找卖后悔药的地方。不管怎么样,如果学会了刘备的逃生技能,自己的脑袋何至于成为关羽的祭刀之物。

不过,刘备也不能高兴得太早。因为有一个人的杀机已起,要对他下毒手了。且看刘备这一次能不能死里逃生。

心理感悟:对权威的迷信会让你丧失一切机会。

换一块石头就又绊倒你

刘备的麻烦大了。

河北败兵回报袁绍说:"这次文丑将军又被红面孔长胡子的杀了。"谋士郭图、审配说:"刘备必然难逃干系。"袁绍大怒:"这个大耳贼,竟敢连坏我两员大将!我非斩了你不可!"

正说之间,刘备跟着败兵逃回来了。袁绍二话不说,命令刀斧手立即将其拖出去斩首。

这一次刘备应该是在劫难逃了。

一般而言,一个人不可能被同一块石头绊倒两次。上一次,关羽杀了颜良,刘备一番花言巧语,免了杀身之祸。这次,关羽又杀了文丑,袁绍不杀他就说不过去了。

刘备眼看不妙,大声质问道:"我何罪之有?你竟要杀我?"

如果袁绍置之不理,刘备这条命就没了。但袁绍偏偏回了一句:"你又指使关羽坏我一员大将!"

刘备一听,就怕你不搭理我,只要你一搭理我,活命的机会就又来了。刘备说:"好,你既然要杀我,我也没办法,但你得让我说几句话,我才死得心服口服。"

袁绍看了看他,心想:"你的鬼话我再也不会相信。你这次就算口吐莲花,还能说出什么来?就再给你个机会,省得别人说我没有容人之量。"

袁绍以为刘备还会用同样的套路,没想到刘备变招了,换了一块有点不一样的石头,所以袁绍就再次被石头绊倒了。

上次刘备使用的是说服的外周途径,这次却要使用说服的中心途径了。因为上一次刘备根本没有掌握任何有力的论据,但这次跟着文丑出去一趟,收获很大,手上已经有了很充分的论据了。

刘备说:"明公,你实在是搞错了。故意指使关羽杀你两员大将的不是在下刘备,而是奸相曹操啊!"

袁绍说:"怎么可能啊?关羽不是你的兄弟吗?"

刘备说:"是啊,就是因为关羽是我兄弟,曹操才故意派他杀颜良、文丑的啊。如果关羽不是我兄弟,曹操才不会这样做呢。"

袁绍有点被刘备的推理搞糊涂了。这是什么逻辑啊?

刘备一看有戏,连忙往下说:"曹操向来害怕我,这你是知道的。"刘备的脸皮确实挺厚的,刚刚被人家打得落花流水,竟然还好意思说曹操害怕自己。

袁绍"唔"的一声,没有表态,其实内心很不舒服。"青梅煮酒论英雄"这件事他是知道的,曹操推崇刘备,他是知道的,曹操没把他放在眼里,他也是知道的。

刘备继续说:"这次我虽然被曹操打败了。但他知道我虽然失败,必有报仇之日。现在他知道我在明公这里效力,所以故意使这借刀杀人之计,要借明公之手,杀了我啊。"

袁绍一听,原来是这么一回事啊。但凡公认是个人物的,或自认是个人物的,都不愿意被人当刀使。曹操是袁绍目前最大的敌人,他要借刀杀人,袁绍可不愿意当他的刀,连忙说:"哎呀,差点冤枉贤弟了。左右,赶快松绑,请上座。"

刘备再一次从阶下囚成了座上宾。郭图、审配照例又被臭骂一顿。

看着刘备又容光焕发地坐了下来,袁绍心理又不平衡了。毕竟是损失了两员顶尖的大将啊,换了谁也没有那么洒脱的。

刘备看到了袁绍脸上表情的细微变化,知道自己这个位置还没坐稳,随时还有危险。趁袁绍还没省过神来,连忙又开口说道:"多谢明公宽大之恩啊。我没有什么可以报答你的。我想写一封密信,派一个心腹之人,连夜去找关羽。他只要一知道我在明公这里,立即会赶来效力。我们兄弟共同辅佐明公,共同对付曹操,以报颜良、文丑之仇。明公,你看如何?"

刘备的这番话,算是说到袁绍的心坎上了。袁绍算了算账,一个关羽,轻轻松松就斩了颜良、文丑。如果关羽能够为我效力,那能抵过多少个颜良、文丑。在袁绍看来,这是一道极其简单的算术题,不用扳手指就可以算出来。

袁绍大喜,不由手舞足蹈,放声大笑,说:"吾得云长,胜颜良、文丑十倍也。"

刘备捋须微微一笑,知道自己的这条性命已经从鬼门关回来了。

刘备的这两段说辞,第一段根本就是他自己编出来的,人家曹操根本没想到要用借刀杀人之计。但刘备的推理非常符合逻辑,由不得袁绍不信。所以,尽管是无中生有，但仍不失为有力的论据。第二段话，则是刘备的一张空头支票，关羽到底能不能来，刘备也没有把握。这个兄弟，既然已经受封为汉寿亭侯，已经足可与刘备受封的宜城亭侯旗鼓相当了，谁知此前的桃园之誓对他还有没有约束力呢？但对目光短浅的袁绍来说，这不过就是个简单的对比关系，非常具有说服力。

说服的外周途径则是一种以巧取胜的手段，而说服的中心途径是一种硬碰硬的手段。两者相比，通过中心途径达成的说服比通过外周途径达成的说服要更为持久有效。

所以，刘备第一次通过外周途径对袁绍的说服很快就在残酷的现实（再损一员大将）面前失效了，但第二次，刘备通过中心途径硬桥硬马地说服袁绍，就得到了根本性的长效（袁绍损二将却心花怒放，喜不自胜）。

袁绍以为自己很会算账，但实际上，就算账而言，袁绍比曹操差远了。

前面我们已经说过，曹操之所以招降关羽，是为了起到一种推崇忠义、重用降将的示范作用。只需有关羽投降这个动作发生，曹操就已经收益颇多了，即使关羽不肯效力，也是稳赚不赔的。

但同样是招降关羽，曹操做了，就起到了良性的示范作用；袁绍做了，也会起到一种示范作用，但是一种恶性的示范作用。

袁绍立即安排刘备写信招降关羽。刘备写得很快，袁绍看看左右，问道："诸位，谁愿意去跑一趟啊？"

帐下一片静默，无人应声。

袁绍心想，这是怎么了，难道被关羽吓破了胆吗？养兵千日，用兵一时，不就是送一封密信吗？这么点小事都不肯做，还能指望你们做什么大事啊！

要说袁绍和曹操的差距真不是一星半点。曹操从众人不愿出战颜良中，立即体会到了部下嫉妒关羽的微妙心态，马上加以改进。但袁绍形同死人，一点也没有想到部下的集体沉默是一种无声的抗议，是对自己处事不满的强烈反应。

袁绍的部属中还是有很多负责的人的。不要说送信这么点小事，就是卖命也是勇往直前的。你看，前面的田丰、沮授，明知道说实话不中听，还是要劝谏，就是最能体现职业精神的。但袁绍对他们的态度，却让很多部下不舒服。这次郭图、审配又莫名其妙地挨骂了，大家也就不作声了。

而对这些下属伤害最深的还是袁绍对颜良、文丑的前后截然不一的态度。

颜良、文丑本是袁绍的心爱之将，袁绍对他们非常重视，他们的死本来也是为主子效力，也是应该的。但袁绍一听到关羽可以来降，就立刻不把他们放在心上了，觉得即使颜文复生，也比不上关羽。

袁绍根本没有想到，颜良、文丑是河北老将，故旧朋友颇多，这些人正指望袁绍杀了关羽为他们报仇呢，又怎么能接纳一个有着不共戴天之仇的人成为同事呢？即使关羽真的来了，恐怕也无法安心、安全呆住。

就是这一句话，让所有的人寒了心。这些下属，都是活生生的人，不是菜市场里的萝卜青菜，可以随意比较、替换的。颜良、文丑把命都卖给了袁绍，却换来他这样的评价，即便在九泉之下，恐怕也难以瞑目。

就是这一句话，起到了恶劣的示范作用，种下了袁绍败亡的祸根。这些下属，就此起了兔死狐悲之感，觉得为袁绍卖命太不值得了。此后的谋士许攸，猛将高览、张郃都在官渡之战的关键时刻纷纷弃他而去，投降了曹操。他们之所以敢于投降曹操，也是因为关羽投降被重视、重用带来的示范作用。而他们也确实得到了曹操的重用。

同样一个汉献帝，袁绍弃之如敝屣，曹操视之如至宝；

同样一个关云长，曹操用之聚人气，袁绍用之伤元气。

就从袁绍的这一句话，就可以推知此后官渡之战的结局了。

袁绍毫不在意，眼睛一瞄，看到了陈震，随手指了指他，说："就是你了，你去跑一趟吧。"

陈震面无表情，领命而去。

再说曹操大胜之后，正在习惯性地考虑如何重赏关羽。现在事情有点麻烦了，能够给关羽的最高奖赏上一次已经一次到位了。曹操已经黔驴技穷了，正在烦恼之际，忽听有人来报："汝南有黄巾军旧部刘辟、龚都滋事，十分猖獗，曹洪屡战不利，乞请丞相拨勇将救援。"

曹操正沉吟间，关羽听到了，大喜过望，连忙上前，说："我愿意效犬马之劳。"

心理感悟：人的价值，是不能用加减法来衡量计算的。

一封家书值万金

关羽为什么会这么说呢?

关羽自己的说法是:"关某久闲必生疾病,愿再一行。"这么说,关羽天生劳碌命,闲下来就会生病?

其实不然。

关羽在不知不觉中已经受到了一条心理学铁律的支配了。

还记得我们在前面说过的"行为决定态度"吗?

一般认为,我们的行为是由我们的态度决定的。但绝非唯一,行为也可以反过来决定态度。

本杰明·迪斯雷利曾经说过:"思维是行为之子。"表达的就是这个意思。如果我们换一句更加熟悉的话,就更加容易理解了——习惯成自然。

菲利普·津巴多曾经做过一个实验。他设计了一个模拟的监狱,随机抽取大学生志愿者分别扮演狱卒和囚犯的角色在里面待一段时间。津巴多想知道,到底是邪恶的犯人和恶毒的狱卒导致了监狱的残酷性,还是狱卒和犯人的自身角色让即便是富有同情心的人也变得十分歹毒。

实验的第二天,这些原本纯真的大学生很快进入了模拟中的情境,开始按照角色的要求来实施行为。狱卒开始贬损犯人,并且有一些人开始制定残酷的侮辱性的规则。而犯人则开始变得冷漠,甚至开始对抗、造反。在这些行为的作用下,大学生志愿者的态度开始趋向真实性的变化,情况越来越恶化,以至于津巴多不得不在第六天紧急叫停了这个原定计划要进行两周的实验。

津巴多最后在实验报告中说:"人们越来越分不清现实和幻觉、扮演的角色和自己的真实身份。这个创造出来的监狱,正在同化我们,使我们成为它的傀儡。"

关羽一战颜良,二战文丑,这些行为已经在他的潜意识中发生作用了,尽管他的意识（即态度）仍然是忠于刘备的，但他效忠曹操的行为却开始逐渐改变他的态度：给曹丞相效力也挺好的嘛！

这是一个危险的开始。如果关羽接下来一直为曹操东征西讨，日渐积累，那么他内心抵触曹操的态度终将被全部改变。最后，给曹丞相效力必然会成为一件天经地义、理所当然的事情。

眼看关羽一直以来的苦苦坚持，顽强地与内心的认知不协调所作的艰苦斗争要毁于一旦！

曹操大喜，放声大笑。这不正是他要的最好结果吗？曹操觉得自己的苦心没有白费，精诚所至，金石为开嘛。当下，立即点精兵五万，派于禁、乐进为副将，前往汝南，征剿刘辟、龚都。

曹操这个人，是典型的多血质性格，喜欢把喜怒哀乐溢于言表。但不幸的是，他往往高兴得太早。

正当他高兴的时候，有人就出来说话了。

说话的是荀彧。荀彧说："丞相，你是不是忘了关羽说的立了功就走人的话了。你现在老派他出去，要是让他知道了刘备的消息，他可就走了。"

曹操一听，心里凉了半截。闹了半天，把这茬给忘了。曹操立即收回笑容，正色说："是啊，是啊，这次让关羽出征后，再也不让他去了。"

荀彧暗暗冷笑一声，退了下去。

大家可能觉得荀彧的态度很奇怪。上次鼓捣程昱出来劝曹操重用关羽的是他，这次出来劝曹操不要再用关羽的也是他。前后的态度正好相反。

其实一点都不奇怪。不管是劝曹操用关羽，还是劝曹操不用关羽，都只有一个原因，那就是妒忌。

以前看着关羽闲着没事干，还是三天一小宴，五天一大宴，上马金、下马银，妒忌。

现在看着关羽干劲上来了，想成为"劳动模范"，这样子下去必然立功累累，还是妒忌。

荀彧觉得不能再让关羽干事了，否则接下去不知道要封什么官了。所以，荀彧来了个紧急叫停。

不过，荀彧的叫停是没有用的。曹操之所以听了他的话，决定不再用关羽，是担心他走人。如果关羽通过行为改变了态度，变得乐意为曹操效力，曹操还是很愿意重用他的。

不过还好，关羽命中注定有贵人相助，又有一个人出现了。如果没有这个人，关羽很可能就迷途难返了。

关羽率军往汝南进发，敌军迎住。关羽当即命令安营扎寨。当夜在营外抓了两个细作，被送到关羽帐前。

关羽一看，认识。这个人是孙乾，以前是一伙的，在徐州的时候被曹操打跑的。

孙乾和刘备失散后，随处游荡，被刘辟收留。孙乾毕竟是跟着刘备见过大世面的，在刘辟面前侃侃而谈，刘辟立即深为叹服。孙乾之于刘辟，和诸葛亮之于刘备差不多，基本上也是言听计从。

经过孙乾的说法，刘辟同意归到刘备旗下。现今听说关羽领兵来伐，孙乾连忙扮作细作，故意被擒，以见关羽。

孙乾告诉关羽的最重要的消息就是刘备的下落。关羽听后，不禁长叹一口气，说："兄长既然在袁绍处，那我一定要星夜赶去。可是，我不久前连杀了袁绍两员大将，那里恐怕难以安身啊！"

关羽都想得到的问题，袁绍却想不到。

孙乾说："待我前去探听情况后再说。我已经和刘辟商量好了，明日交战，他假意败退，汝南就让给你了。你速想脱身之策，我们共同去找玄德公。"

当下计议已定，关羽吩咐小兵连夜将孙乾送走。

于禁、乐进闻听此事，赶将过来，正想询问，关羽眼睛一瞪，两个人吓得不敢吱声，灰溜溜地退了下去。

关羽连斩河北两员猛将，加上此前温酒斩华雄的旧事又被翻出来炒作，实际上已经被舆论神化了。曹营众将，大多对他敬畏不已，这其中尤以于禁为甚。于禁的这种畏惧心理，在几年后又成就了关羽的另一场神话般的胜利，也彻底地改变了于禁的一生。

关羽如愿夺得汝南，胜利回师。曹操大摆庆功宴，决心自此再不用关羽出征。

宴罢，关羽来见二位嫂子。两位嫂嫂对他早已是望眼欲穿，当然不是想念关羽，而是惦记刘备的消息。

两位夫人急不可耐地问："叔叔，你这次出门这么久，可曾打听到了皇叔的消息？"

关羽竟然面无表情，淡淡地说道："没有。"随即告退。

这可能是关羽一生中第一次也是唯一的一次当面撒谎。当然，由于他面孔肤色的问题，他撒谎的时候别人很难察觉。

二位夫人深信不疑，抱头痛哭。她们知道，刘备虽穷，也是个天下名人，云长出去了这么久，都打听不到消息，说明刘备必然已经死于乱军之中了。

二位夫人哭个不停，门外有个随同关羽出征的军士听见了，以为关羽恶待了二位嫂子。这个军士原是刘备的老部下，极有香火之情，心想："关二爷，你这就不对了。你在外面口口声声说尊重二位嫂嫂，见嫂如见兄长。怎么跑到家里就变样了？"一时好事，就跑进来问个究竟。

二位夫人见问，就说："刘皇叔必然没命了。二叔唯恐我们烦恼，故而不肯直说。"

这个军士一听此话，不由大怒，刘皇叔明明在河北袁绍处活得好好的，关二爷为什么不肯告诉这两位朝暮期盼的夫人呢？

一怒之下，军士就说了："二位夫人，你们不要啼哭了，皇叔没事，他现在袁绍那里呢。"

夫人止泪问道："你怎么知道的？"

军士说："我这次跟着关二爷出征，在阵上听说的。"

甘、糜两位夫人闻言大惊，问道："如果这是真的，云长为什么不告诉我们这个好消息呢？"

关羽怎么想的，军士当然不知道了。军士愤愤不平地退下，充满了对关羽负义的愤懑之情。

两位夫人毕竟是见过世面的，当即商量起来应该如何应对。

直觉告诉这两个久经患难的女性：关羽变心了！刘备对他，虽有结义之情，但常年四处奔波、居无定所。反观曹操，对他恩宠已极，别的不说，他短短时间内就已经蹿升至汉寿亭侯。两相比较，其必然是弃刘而取曹。

在这个大前提下，甘、糜二位夫人商量起自身的应对之策，如何保得平安。两位夫人想想也是挺灰心，虽说关羽不义，但自己的丈夫刘备更是好不到哪里去。连自己的丈夫都可以随时扔下她们二人不管，关羽不过是丈夫的结义兄弟，这层所谓的叔嫂关系对关羽又有什么约束作用呢？关羽要效忠曹操，又能怪他什么呢？

如果把关羽叫过来，痛斥一顿，说不定他真的翻脸不认人了。如果是这样，即便是知道了刘备的消息，两个女人也不可能千里迢迢，到敌对阵营寻夫的。要想重新成为刘备的"衣服",目前还必须,也只能依靠关羽。

最后,两位夫人觉得,既然关羽还在隐瞒刘备的真实消息,说明他暂时还不想撕破脸皮,也许还有一丝挽回的可能。计议再三,两位夫人决定,采用刘备惯用的"以柔克刚、以退为进"的策略来做最后的争取。

这一招,刘皇叔用起来是很灵的,不知道刘皇叔的老婆用起来灵不灵?

心理感悟:人是行为的奴隶。知道这一点的人,有可能翻身当主人。不知道这一点的人,必将终生为奴。

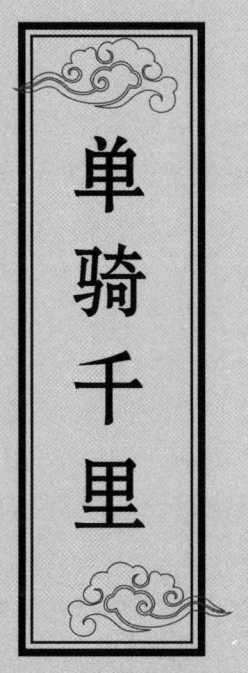

两粒速效救心丸 / 就为那一刹那的冲动 / 两件衣服保了一世英名 / 天下没有人可以负我 / 高人一指铁成金 / 黄头巾的偏见 / 反常背后必有隐情

两粒速效救心丸

两位夫人赶快派人把关羽叫了过来,说:"叔叔,刘皇叔从来不曾负你啊!"言下之意是,虽然刘备把我们当"衣服",但一直把你和张老三当手足的啊!

"现在,你受了曹操的大恩,忘了皇叔的旧义,与其你不肯把皇叔的实情告诉我们,让我们姐妹俩忧愁烦闷而死,还不如你用宝剑砍了我们的头,断了你的阻碍,自个去享受那荣华富贵吧。"

关羽听了,眼泪唰地就下来了,连连跺脚,又气又急。急的是自己遭了误解,气的是女流之辈不知做事之艰辛。

关羽连忙解释说:"兄长确实在河北,我之所以没敢告诉两位嫂子,是因为怕走漏了消息。"

夫人"哼"了一声,不置可否。心里其实在想:"说什么怕走漏消息,知道的人多了去了。"

两位夫人的猜测不假,刘备在河北袁绍处的消息,不但那个老军士知道,于禁也知道,早报告给曹操了。果然是知道的人多了去了。

关羽见嫂嫂的眼光一直盯着自己,无声地发问:"那你打算怎么办哪?"

关羽倍感压力,连忙说:"当然是要去找兄长的啊。不过,这件事情需要从长计议,不可操之过急。"

夫人再次"唔"了一声。关羽懂这里面的意思,刚刚归降的时候,他曾经信誓旦旦地对两位嫂子说过,即便是千难万险,也是此身不惧的。

关羽无语,现在看来,当时说那句话确实过于自信了。当时想着,来日方长,可徐徐图之,如今事到临头,才知道着实不易。这个不易,实际上就是这两位夫人带来的。如果是关羽自己,刀是那么的快,马也是那么的快,千里走单骑又有什么稀奇的,万里也不稀奇。但是,带着两个手无缚鸡之力的柔弱女子,千里迢迢,去敌对阵营投奔刘备，事情就大不一样了。这两位夫人但凡受到一点伤害，关羽的行为就不能算是成功的。

事实上，关羽在漫漫路途上，尽管过关斩将，还算顺利，但两位嫂子差点成了山大王的"衣服"。如果不是廖化出手阻止，刘备必然是要戴绿帽子的，关老爷的一世英名也早就毁于一旦了。

夫人最后说了一句："叔叔，你最好还是抓紧点吧。"

关羽点头，默默退下。

两位夫人的这一招是跟刘备学的。两位夫人和关羽的关系是一种在道德伦理框架内的隐性承诺。但由于刘备的习惯性缺位，这种承诺的约束力其实已经很微弱了。如果两位夫人拿出嫂子的架势，对关羽不依不饶，哭闹打骂，很可能物极必反，关羽索性就撕破脸皮，公开拒绝隐性承诺的约束。而当两位夫人以脑袋的归属为说辞的时候，表面上看是柔弱到了任人宰割的极点，但实际上反而将原本隐性的约束关系显化了。关羽再傻，也不可能去做杀兄弑嫂的事。既然如此，关羽就不得不接受约束，按照道德伦理的惯常约定来行事。由此，两位夫人也赢得了主动权和控制权。

不过，平心而论，两位夫人学刘备用的这一招，有点照猫画虎的意思，形似而神不似。同样的一句话，说的人不同，效果就大大不同。

之所以这样说，是因为夫人们的这两颗脑袋此刻并不值钱。刘备自己用起这一招来就不一样了，他虽然穷，但还是曹操心目中的英雄人物，还是具备相当分量的。刘备使用这招的威力后面很快我们就会看见。

那么，为什么两位嫂子的话会对关羽起作用呢？关羽为什么会听这两位并不值钱的嫂子的话呢？（妻以夫荣，两位夫人的不值钱是刘备的不重视造成的，和旁人无关。）

这里面有一个非常重要的原因。

关羽跟曹操没有白跟，因为他学到了关于资源整合利用最重要的一招。

曹操最拿手的绝技是"挟天子以令诸侯"，关羽则对其善加模仿，并灵活运用为"挟二嫂以保名声"。

曹操是资源配置运用的大宗师。他最擅长两点。第一，把非资源转换成资源；第二，对资源的运用必定要榨干用光，赶尽杀绝。

具体地说，曹操对汉献帝的运用就是一个最好的事例。

汉献帝摆明了就是一个傀儡，别人唯恐避之不及，嫌他碍手碍脚。但曹操却利用他"挟天子以令诸侯"，连续击败张绣、吕布、袁术、袁绍、公孙度、刘表等豪强，顺利地统一了中国的北方，只是在赤壁之战中因为小概率事件（冬天刮东风极少出现，属于一只典型的黑天鹅事件）偶然失利，丧失了统一中国的最好机会。至此，汉献帝的资源贡献率已经可以说是最大化了。

但在曹大师看来，仍然没有用够用足，所以，他把汉献帝作为遗产留给了儿子曹丕，继续利用，一直要到汉献帝完成了禅让任务，才算完结。到那个时候，汉献帝作为一种资源已经没有以物理形式存在的必要了，所以，曹丕适时地结束了他的生命，以便为大魏王朝节省钱粮财宝之类的资源支出再做贡献。

在曹操的影响下，关羽也找到了自己的"汉献帝"，而且数目不止一个，是两个。

这两个人，自然就是刘备的两位夫人，关羽的两位嫂子了。

甘、糜两位夫人，身为刘备之妻，但刘备一直是拿她们当衣服看待的，从来没有把她们当一回事，更不用说当重要资源了。当然，这也间接保全了这两个不幸女子的性命。因为大家都知道刘备不在乎她们，所以根本不会想到用她们做筹码来要挟刘备。

按照常理，刘备都不在乎这两个女人，作为兄弟的关羽更没有必要在乎了。其实，我们如果认真地回忆一下，就会发现关羽在土山被围的时候，最早根本没有想到要保卫这两位嫂子的安全。还是张辽率先作为第二大罪状提出来用以约束关羽不要以死顽抗的。关羽的投降，事先也根本没有知会两位嫂子，只是在投降已成既定事实后才告知的。

所以，这两个女人实际上是没有多大价值的非资源。但是，这却成了关羽协调内心认知不协调这一重大心病的唯一的救心丹。而且不尽于此，根据曹氏资源运用的第二条法则，关羽还可以将两位嫂子作为对外解释辩护之用。

这一招，目前当然还没用上，但随后你就会看到关羽的屡次运用，直到无须解释辩护为止。

关羽内心的认知不协调始终存在，而且随着曹操封赐的日渐厚重而更趋激烈。如果关羽没有一个站得住脚的理由，他真是无法直面自己的心灵拷问和天下人的口舌议论的。关羽又是一个极要面子、不肯认错的人。所以，两位嫂子就成了他唯一的救命稻草。

当关羽一直待在曹操手下的时候，两位嫂子自然用处不大，但一旦他决定要离开曹操，复投刘备，两位嫂子就成了必不可缺的资源。要洗清降曹的污名，有且只有"保护二位嫂嫂平安"这样一个理由。所谓"挟二嫂以保名声"就是这个意思。

关羽要想走人，就必须带着两位嫂子上路，尽管他内心十分清楚，刘备并不在乎这两个女人是死是活。事实上，后来古城兄弟相会，把手言欢，根本没这两个女人什么事。但关羽不得不在乎，不能不在乎。由此，关羽千里走单骑，不管千辛万苦，都要保护二位嫂嫂周全，其中的内情就在这里。

但无论如何，离开曹营是一个非常重大的决定，抛开路上的风险不说，关羽也必须给曹操一个光明正大的交代。这一点关羽比他的兄长刘备强很多，刘备最喜欢偷偷摸摸地溜走，但关羽做不到这一点。如果他这样做了，等于是按下葫芦浮起瓢。曹操对他如此恩宠，他却连话都不留一句就一走了之，仍然难逃忘恩负义的臭名声。

关羽是世界上唯一一个做了不忠不义之事，却被人称为大忠大义之士的人，这主要是由他行事的光明正大决定的。这一点，后面还会详细提到，暂且不表。

所以，关羽需要超常的心理能量来勇敢地面对这一个惊世骇俗的决定——公开向曹操告别，投奔敌营！

仅仅靠两位嫂子的施压，还不足以给关羽充满他所需要的心理能量，让他立即采取行动。关羽还需要有更多的外力对他的内心产生作用。

不要责怪关羽的犹豫，也不要蔑视关羽的彷徨，换了任何一个人，处在他当时的境地，恐怕没有一个人能够比他做得更好。

关羽正在踌躇彷徨、束手无策、坐立不安之际，有人来访。正是这个人的出现，让关羽下定了决心。

心理感悟：善于模仿是一项极其重要的生存技能。

就为那一刹那的冲动

曹操听了于禁的汇报,忧心忡忡,当下把张辽叫过来,商量怎么办。

曹操说:"文远啊,你看,这次真不该让关羽去汝南啊。他现在已经知道刘备在袁绍那里的消息了。我现在追悔莫及,你看该怎么办呢?要不你去探探他的口风,这里的人,能和他说两句的也就是你了。"

张辽心想,这件事怎么就黏在我身上了?红面孔这个人实在不好打交道,无论是给他带去好消息,还是带去坏消息,他都不怎么待见的。

张辽心里老大不乐意,但又无法推辞,只好答应了。回到家里,冥思苦想,做了一番功课,这才登门拜访关羽。

关羽正在烦恼不已,忽听张辽来访,更加触动了他内心的愁海怒波。要不是这个张文远,我何至于陷于今日之境地。别人看我风光无限,谁又知道我内心的煎熬呢?张辽此来,必有所图,莫非孙乾传信的消息已经泄漏了?心中顿时充满了戒心。

张辽进来一看,红面孔面色不豫,全神戒备,连忙从口袋中掏出了一样东西,哈哈大笑道:"云长兄,听说你最近一直在研读《春秋》,小弟特地登门请教啊。"

关羽一听,顿时放松了许多。

张辽的这一手,是非常高明的谈判技巧,意在通过一个不会产生明显冲突的亲切话题,缓和对立双方的紧张气氛。

斯特福·哈罗伊博士在1977年曾经做过一个实验。他把参加实验的男学生分成两组,以测试他们的团队协作情况。在实验之前,哈罗伊博士给两个小组的学生们分别听了一段新闻。其中一组听到的是能够营造良好氛围的新闻:"素不相识者舍命救人,从杀人狂手下救出一家五口";而另一组听到的则是营造不良氛围的新闻:"心地善良的一家五口被人利用,惨遭杀人狂杀害"。

结果非常明显,被预先设定了良好氛围的小组比另一个被设定了不良氛围的小组的协作性高得多。也就是说，良好的氛围，能够让对方的心理与我们更加协调一致。

张辽的目的就是希望关羽好弄一点。

张辽说："云长兄，你熟读《春秋》，给我讲讲管鲍之交吧。"

张辽一张嘴就提这件事，说明他在说服上的火候还不成熟，仍须努力。

对关羽来说，这是一个非常敏感的故事。

管就是管仲，鲍就是鲍叔牙。两个人是春秋时期的齐国人，是非常好的朋友，但却分别为齐国的两位公子效力。管仲辅佐公子纠，鲍叔牙辅佐公子小白。后来，公子纠在和公子小白争夺齐国君主之位时落败，管仲也被公子小白所擒。多亏鲍叔牙从中斡旋，公子小白才与管仲尽释前嫌，还拜管仲为相国。鲍叔牙甘为其下。

张辽的用意很明显，是想借用管鲍故事来比拟关羽和自己二人。两人的交情不错，原先也是各为其主，但考虑关羽你的能力比我强，我也愿意像鲍叔牙一样，自甘居下，以你为尊，共同为曹丞相效力。曹丞相也必然有公子小白的肚量，不计前嫌，对你委以重任。

可见，张辽在家里还是下了点苦功的，《春秋》中故事繁杂，还就这一段非常吻合目前的状况。

张辽的这一招本来也是非常好的一招。他知道仅凭自身的说服力，是无法说服关羽的，而且很可能激怒他。但是，通过典型人物的典型事迹（亦即权威人物的杠杆作用），却能起到四两拨千斤的间接说服作用。你不是喜欢看《春秋》吗？你不是推崇忠义吗？你不是津津乐道于管鲍的故事吗？那我就陪你来玩玩。

但可惜的是，张辽还是没沉住气，操之过急。虽然他通过舒缓的开头，让关羽有所放松，但这还不够，还需要更多的铺垫，还不能直接切入敏感的正题。

关羽仍处于警觉状态。关羽一听，顿时明白，原来是探我口风来了。心里暗自冷笑一声，说："管仲曾经说过，我和鲍叔牙一起去打仗，每次冲锋的时候，我都躲在后面，每次撤退的时候，我都跑得最快，但鲍叔牙从来不认为我怯懦，他说我家里还有老母要养；我曾经三次出仕当官，三次被人赶回了家，但鲍叔牙不认为我没有才能，而是说我的运气还没到。我曾经和鲍叔牙合伙做买卖，每次分红，我都多拿点，但鲍叔牙不认为我贪心，而是说我家里穷，应该多拿点。所以，管仲说：'生我者父母，知我者鲍叔牙。'这就是管鲍相知相交的故事。"

张辽一听，心中一惊："看来你《春秋》真没白看啊！我本想用管鲍从各为其主到共事一主来比拟你我，你却拽向另一个方向，把鲍叔牙拔得这么高，管仲得到的全是好处，那岂不是太难为我了？"但是，套路早就设计好了，还得硬着头皮往下说啊。

张辽说："老兄，那么我和你的交情怎么样呢？"希望谈话能够回到自己期望的轨道上来。

关羽呵呵一笑："我和你呀，邂逅相逢，结为朋友，如果遇到凶险，就相互救援，如果遇到困难，就相互扶持。但是，如果势不可救，那也只好到此为止。"一点没有给张辽留面子。你想和我当"管鲍"，说实话，你还不够格。鲍叔牙能做到的，你根本就做不到。

关羽的应对也堪称一绝。既然心里要拒绝别人，就一定要坚决，而不能拖泥带水，否则，拒而不决，后患无穷。别人一定会乘虚而入，利用你的点滴不忍，得寸进尺，终告得逞。这是典型的"登门槛"技巧。

张辽面色涨得通红，但又不甘心受挫，本来只想通过讲故事不露痕迹地探探口风，气急之下，也顾不得那么多了，大声问道："那么，你和玄德公又是什么样的交情呢？"言下之意，刘玄德对你，难道比鲍叔牙还好吗？据我看来，也是未必。

没想到关羽根本不按你的套路出牌，你不是想说刘备和我，比不上管鲍之交吗？我偏偏要说刘备和我，远胜管鲍。

关羽哈哈一笑，说："我和玄德公，是生死之交，生则同生，死则同死。哪里是管鲍之交能比的！"

张辽急火攻心，放弃矜持，赤裸裸地追问道："那么前阵子玄德在下邳失利，你为什么不拼死一战来保护他呢？"

劝降关羽的整个过程，张辽最清楚。他现在这样说，确实是一时的气话。关羽不怒反笑，淡淡地说："我当时不知道真实的情况。如果玄德公确实死了，我必然追随他于地下。"

张辽冲口而出："那么，现在玄德公在河北袁绍处，你打算怎么办呢？"话刚一出口，张辽就知道自己的试探计划全盘崩溃了，后悔也已经来不及了。

关羽借坡下驴，接过张辽的话茬说："我以前说过的话，怎么能违背呢？文远，还得辛苦你，当初我的三个条件就是你传达的，这次也烦请你代为禀报丞相，然后我自己再去禀报丞相。"我正在烦恼如何去和曹丞相开口呢，你来得正好。解铃还须系铃人，当初到曹营也是你牵线搭桥，现在我要离开曹营了，也还是由你来牵线搭桥吧。

鱼没吃着，反惹一身腥，这就是此刻张辽的真实写照。张辽悻悻然离去。

在这次说服对决中，张辽可取的地方在于：以别人的专长、特长为亲近渠道，借以缓和气氛，打开局面。张辽的错误在于：绝不能和别人在他的专长、特长上展开较量。关羽天天看《春秋》，自然纯熟无比。你要想和他辩论《春秋》，结果当然是必败无疑。

张辽的心浮气躁带来的最大坏处，就是将曹操已经知道关羽获悉了刘备的消息公之于众。

本来，离开曹营、投奔河北是一个非常艰难的决定。关羽在曹操不知情或装着不知情的状况下，还可以有个缓冲之期，还可以再停留一阵，细加考虑。但事实上，很多绝难、艰巨之事，往往是一时冲动才能做成的。如果内心稍有犹豫，往往会动摇不定，进而消极思维就会占据上风，最终导致不了了之。

关羽也正是处在内心孤绝胶着的状态，张辽一捅破了这层窗户纸，是走是留，就没法再犹豫、斟酌了，关羽必须立即做出明确的选择。尽管张辽的本意不是要赶关羽走，但事实上，正是他的言行为关羽提供了更多的心理能量来冲破对不确定的未来的恐惧。

关羽之别曹远走，就此成为必然之举。

心理感悟：坚定和犹豫是拒绝这枚硬币的正反两面，非黑即白，绝没有中间地带。

两件衣服保了一世英名

最近关羽的门上有点忙。前脚张辽刚走,又报有故人来访。

关羽请入一看,却不认识,正想发问,那人已经自我介绍起来:"我是袁绍的手下南阳陈震。"

关羽大惊,说:"先生此来,一定有所赐教。"急忙屏退左右。

陈震带来的就是刘备刘玄德的信。

关羽打开一看,寥寥数行,却字字如利刃刺心,顿时泪如雨下。

刘备的信是这样写的:"备与足下,自桃园缔盟,誓以同死。今何中道相违,割恩断义?君必欲取功名、图富贵,愿献备首级以成全功。书不尽言,死待来命。"

真是嫁鸡学鸡、嫁狗学狗!大家仔细回忆一下,前面甘、糜两位夫人的说辞是不是和刘备如出一辙?

但甘、糜二夫人活生生的话语却只能让关羽流泪,刘备写的几个死板板的字却让关羽泪如雨下。

同样的一句话,不同的人说出来,影响力是大不一样的。这并不是因为刘备的一个脑袋比甘、糜二夫人的两个脑袋值钱。

刘备的脑袋其实也没多值钱,关羽根本用不着靠割他的脑袋来换取功名富贵。刘备的信中提到了桃园三结义的承诺。承诺里说刘关张三个人要同生共死,但刘备自己就先跑了,早把同生共死抛到脑后了,留下关羽给他保护家小,收拾残局。到了最后,却把一个"中道相违,割恩断义"的屎盆子扣了过来,十足的贼喊捉贼的伎俩!

换了其他人,早就怒气冲天了,你不仁,我不义,干什么把责任全推给我啊?大家一拍两散算了。这是现实中极为常见的现象。

但关羽却没有,反而痛哭流涕地对陈震表白,就像他是刘备本人一样:"我哪里是不肯去寻找兄长了，实在是不知兄长去向啊。我怎么可能会侍奉曹公以图富贵呢？！"

刘备有着诸多的不完美，关羽为什么会对刘备如此忠心耿耿呢？刘备对关羽的超乎寻常的影响力到底是从哪里来的呢？

实际上，刘备的影响力是靠睡觉睡出来的。

刘关张三人桃园结义之后，食则同器，寝则同床。

食则同器，说的就是吃饭的时候，三个人用同一个饭碗，同一双筷子。这样的说法有一些夸张，当时的条件虽然比较艰苦，也还不至于这样。但三个人同吃同喝，公筷肯定是没有的，菜必然是夹来夹去。这样做，在个人卫生习惯方面确实差点，但对三个异姓之人培养兄弟之情却有莫大好处。

寝则同床，是说三个人睡觉的时候同睡一张床。这显然是在刘备的主导下进行的。刘备在和关张结拜之后才发现这无意中捡来的兄弟竟然是万人敌。刘备素怀大志，很小的时候，就说我要是当了皇帝就怎样怎样。他最擅长的就是笼络人心，而笼络人心的最佳手段莫过于陪睡。

像曹操、孙权、袁绍这样的世家子弟，对人才再重视，也是不可能陪他们睡觉的。所以，曹操至死也不会明白，他穷尽了所有的激励手段，也不能让关羽改变对刘备的忠心，仅仅是因为他没法做到陪关羽睡觉。当然，即使他想到了这个手段，现实上也已经不可能了，因为关羽早已在和刘备的同床共眠中把心完全交给了刘备。

附带提一句，张飞也是如此。

也许，很多人会觉得这样说是在故弄玄虚，甚至有侮辱英雄的倾向，其实不然。

我们可以来看看现实生活中最亲密的友谊关系是怎样建立起来的。我们常说，只有"一起同过窗，一起扛过枪"建立起来的关系才是最牢不可摧的铁哥儿们关系。

一般而言，"一起同窗，一起扛枪"期间，个体之间过的是群居、合居、同居生活。这种生活带来的高度接近性，将个体间的差异性降至最低，而将相似性增至最大。

大家穿同样的（或类似的）服装，一起在食堂吃饭，住在同一个宿舍里，有着几乎完全相同的作息时间，进行了几乎完全相同的娱乐活动。正是这些几乎重合的共同点让大家之间产生了相似吸引，日积月累，积淀下来深厚的感情。而群体中少数几个志趣相投的人，更是会超越一般的亲密关系，而成为终生不渝的生死之交。

志趣相投即是价值观相互匹配，这一点对个体判定相互间的相似性尤为重要。

亚里士多德曾经说过："朋友就是这样的一些人，他们与我们关于善恶的观点一致，他们与我们关于敌友的观点也一致……我们喜欢那些与我们相似的人，以及那些与我们有着共同追求的人。"

纽科姆1961年在密歇根大学研究了两组转学过来的男生，每组十七人，他们彼此互不相识。但在共同度过了十三个星期的寄宿式公寓生活后，那些一开始就表现出高度的相似性的学生更容易成为亲密的朋友。研究发现，其中一组朋友包括五个文科生，他们的政治观点都很自由，他们也都很聪明；另一组成为朋友的学生则由三个保守而老练的人组成，他们还都是工学院的学生。

刘关张初始的时候，正是如此。食则同器，寝则同床，将接近性推向了最高的极点。和现实中的"一起同过窗，一起扛过枪"相比，他们不但是同居于一个宿舍，更是共眠一床。

而且，他们之所以能够从素不相识走到一起，并成为结义兄弟，就是因为有共同的追求。这些基于内在价值观的共同追求在他们的承诺中展现得非常清晰——同心协力，救困扶危；上报国家，下安黎庶。价值观的高度趋同又将相似性推向了最高的极点。

刘关张这样建立起来的亲密关系（指正常意义上的，不可随意延伸误解）自然是无人可敌的。

作为一个政治人物，也真是不容易，连睡觉时间都要当成一种资源加以利用。付出必有回报，这才有今日的片纸只字，就激得生性坚强的关羽泪如雨下。

陈震加以劝慰，说："玄德公盼你甚切。你既然不背旧盟，就应该赶快前往相见啊。"

关羽止住眼泪，说："人生天地间，无终始者，非君子也。我来这里的时候明明白白，去的时候也得明明白白。烦请您先告知我的兄长，待我向曹操告辞后，再奉二位嫂嫂前去相见兄长。"

二位嫂嫂？曹氏资源定律的身影一闪而过。

陈震一惊，心想："这莫非是关羽的托词？你去向曹操辞行，曹操会放吗？"说，"如果曹操不同意，那你怎么办？"这是十分正常的疑问。

关羽说："吾宁死，岂肯久留于此！"

陈震虽是被指派而来，并非自愿，但在完成领导交办任务的时候却表现得十分具有职业精神，说："那么，你赶快写一封回信吧，以免玄德公悬望。"

再提一下袁绍。袁绍手下，其实人才众多，且又都极具负责精神。如果他善于用人，何至于兵败于曹操之手？

痛哭是一回事，相见又是另外一回事。真是别时容易见时难！别时可以不告而别，再相见时已是换了人间。

关羽细细寻思该怎样写这一封回信，以免相见时尴尬。这一支笔的沉重，真是胜过八十二斤重的青龙偃月刀。

关羽写道："窃闻义不负心，忠不顾死。羽自幼读书，粗知礼义，观羊角哀、左伯桃之事，未尝不三叹而流涕也。前守下邳，内无积粟，外无援兵；欲即效死，奈有二嫂之重，未敢断首捐躯，死于沟壑也；近至汝南，方知兄信；须当面辞曹公，奉送二嫂归也。昔日降汉之时，已曾预言，今已有微功之报，不容不报。忽得兄书，视之如梦。羽但怀异心，神人共戮。披肝沥胆，笔楮难穷。瞻拜有期，伏惟照鉴。"

看来，张辽临时抱佛脚，《春秋》还是没有学好啊。关羽看重的根本不是管鲍之交，而是"羊角哀、左伯桃"之事。羊左二人共死合葬。关羽之于刘备的这一招，和张辽之于关羽的手段如出一辙也。

关羽这封信，写得非常之高妙，深得曹操大宗师的独门精髓。

别的不用多看，只需看"二嫂"两字。"挟二嫂以保名声"也！短短数语中，"二嫂"出现两次，分别为"奈有二嫂之重""奉送二嫂归也"。前一个为自己投降实属无奈做解释，后一个为兄弟再相见找一个过得去的纽带和理由。而且，特别点明了自己的投降之举是"降汉"。

关羽为了维护内心的认知争斗的苦心，就寓于这寥寥几字中，不知道刘备能否领会兄弟的挣扎与复杂？

陈震收好信，趁着夜色，自行返回。

陈震走后，关羽兀自心绪难平，往事一遍遍在眼前浮现……

心理感悟：永远不要低估睡眠的社会功能。

天下没有人可以负我

关羽一夜无眠，挨到天亮，一刻也不能等待，立即去丞相府去辞行了。

曹操听了张辽的汇报后，打定主意，要施"缓兵之计"，吩咐门房在大门口高挂"回避牌"，拒不接客。关羽无奈，怏怏而回。甘、糜二夫人却知道"趁热打铁"，连连追问关羽近日如何安排，何时动身。

关羽说："就在这早晚之间。等我向丞相辞行后，立即请嫂嫂上车。"为了表明自己确实不是消极拖延，关羽又挑选了二十余个旧日随从，吩咐他们开始收拾东西，要求将曹操累日所赠之物，尽皆留下，不可带寸丝而走。

从实质意义上来说，关羽吩咐手下收拾东西，也是一种"缓兵之计"，或者更准确地说是"缓心之计"。但他的"缓兵之计"比曹操缓得有水平。

关羽离开的前提是要明明白白告诉曹操，而现在曹操避而不见，这就必然有一段时间的延缓。而甘、糜两位夫人却是一刻也不愿再等。两者之间存在着一个时间差。

如果关羽只是坐等面见曹操，两位夫人必然会认定他是有意拖延，消极怠工，其实内心还在犹豫观望。如果让两位嫂嫂产生了这种想法，对关羽的"挟二嫂以保名声"的策略是极其不利的。试想，两位嫂嫂和刘备见面后，一定会将关羽离去之前的种种行为表现和她们认定的思想动态告诉给刘备，势必就给刘备留下内心的阴影，关羽就很难将自己从曾经的污点行为中摆脱出来。

唯有付诸有形的行动，才会让人觉得你真的是在行动，没有拖延，也没有丝毫的动摇。所以，关羽在行期未定之时，就吩咐手下开始收拾行囊，从而彻底安了两位嫂嫂之心。

同时，关羽吩咐将曹操赠物全部留下，也是为了表明自己彻底向过去告别，不再和曹操有任何一丝一缕的联系。

反观曹操的"缓兵之计"，不过是逃避罢了。但问题并不会因为他的避而不见就自动得到解决，反而会向恶性的方向发展。

曹操的用意是通过切断信息沟通的渠道来阻止关羽的行动。但他这样做，并不能真正切断所有的渠道，关羽还是有办法通过其他的替代途径来实现传达要走的信息的目的。相反，如果曹操采用公事繁忙，连夜出巡这样的方法才更为有效。只有这样的安排，信息的传递才可以得到有效的拖延。

两位嫂嫂不断催促，关羽多次前往相府辞行，但曹操总是避而不见。关羽无奈，去找张辽，张辽也是托病不出。

关羽知道，要想当面找曹操辞行已经不可能了。但已经说过要走了，再不走也不行了。左思右想，决定给曹操写一封辞行信（这就是一种应对的替代渠道）。

汉寿亭侯关羽，特沐再拜，奉书汉大丞相曹麾下：羽闻有天而有地，有父而有子，有君而有臣；天气应乎阳，地气应乎阴；万物若顺时，方可养群生而成三纲五常之义也。羽生于汉朝，少事皇叔，誓同生死。前者下邳失守，许降丞相，所请三事，已蒙恩诺。羽所以归焉。拔擢过望，实难克当。今探知故主刘皇叔现在袁绍军中，使羽旦夕不安。三思丞相之恩，深如沧海；返念故主之义，重若丘山。去之不易，住之实难。事有先后，当还故主。尚有余恩未报，候他日以死答之，乃羽之志也。谨书告辞，幸希钧鉴！建安五年秋七月，关羽状上。

关羽的这封信，有五层含义。

首先，他界定了双方之间的关系。他自己是"汉寿亭侯"，曹操是"汉大丞相"，两者都是处在"汉"的大框架下的。这里表现了关羽对于"汉寿亭侯"这个头衔是比较在乎的（这一点后面还会重点提到）。而更重要的还是要突出点明当初自己是"降汉不降曹"的，即使是向曹操投降，也是因为曹操是汉大丞相而作为汉的代表的缘故。

其次，关羽接连使用了"天地、父子、君臣、阴阳、顺时、三纲五常"等大道理，是用来表明自己今日离曹而去是符合这些社会伦理道德的基本原则的。

第三，再次重申"关三条"，提请曹操不要忘记当年的承诺。

第四，平心而论，曹操对关羽确实是恩重如山的。尽管关羽一再在人前宣称自己立了三功，已经回报了曹操的恩德（互惠原理）。但和曹操给予的相比，关羽付出的并不相当。而且，人有一种很奇怪的心理，往往对将要失去或已经失去的东西评价过高，而对已经得到已经拥有的东西评价过低。当关羽为曹操效力的时候，觉得刘备对自己恩深义重；而当他要离曹而去的时候，反过来又觉得曹操对自己也是恩重如山。

我们经常听人祝福长辈"福如东海，寿比南山"。山与海是并驾齐驱、等量齐观的。所以，关羽所写的"三思丞相之恩，深如沧海；返念故主之义，重若丘山"，等于是将曹操和刘备相提并论了。当然，这只会出现在离别前的这一特殊时刻。

第五，关羽离开曹操，去投奔敌营，毕竟内心还是怀有愧疚心理的，这也是人之常情。所以，关羽又写下了"尚有余恩未报，候他日以死答之，乃羽之志也"以寻求内心的平衡与安宁。

关羽此刻写下这几个字并不要紧，也许只是为了迎合礼仪上、心理上的一些需要，但这又是一种书面的承诺。我们知道，书面文字的威力是巨大的，这也决定了关羽日后必须以"死"来回报回馈曹操的恩德。

关羽写好信，吩咐手下众人将累次所受的金银，登记造册，一一封存，又意味深长地看了铸有"汉寿亭侯"的金印一眼，并将其高高悬挂。

封金挂印毕，关羽又令人将信送给曹操，请两位嫂嫂上车，另带男女二十余人随行服侍，就此开始了"千里走单骑"的艰辛旅程。

关羽手提青龙刀，护送车仗径出北门。门吏正待阻挡，关羽怒目横刀，大喝一声，门吏畏惧，纷纷退避。车仗就此直奔官道进发。再说曹操收到关羽的信，展开一看，呆坐半晌，才说出一句来："关羽，他竟去了！"

这一刻，曹操内心的失落、懊恼、后悔、自责、无奈之感，何其复杂！

随后，有人来报，关羽封金挂印，片缕不带，只与原跟从二十人，小车一辆，随身行李，平明时分出城而去。曹操回过神来，立即召集众人商议。众人闻讯皆惊，议论纷纷。正在此时，将军蔡阳挺身而出，说："我愿率三千兵马，前往追击，必当生擒关羽，献于丞相。"

曹操摇了摇头，说："事主不忘其本，乃天下之义士也。来去明白，乃天下之丈夫也。汝等皆当效之。"

蔡阳等人十分不解，最想留住关羽的人就是曹操，而关羽不辞而别后，第一个为关羽辩护的人竟然也是曹操。竟然还要我们向他学习，难道是要我们学习他的忘恩负义、不告而别吗？！

蔡阳还待分辩，曹操大声斥退，不让他前去追赶。

让曹操名闻天下的一句话是："宁可我负天下人，不可令天下人负我。"那么，今天关羽辜负了他，为什么曹操竟然心平气和，不恼不怒，要成全关羽呢？

其实，曹操内心何尝不恼不怒？他此刻内心的认知失调早已达到极点！

他万分不愿放关羽走，但也不能违背曾经公开宣示过的"关三条"。在这两者的冲突之下，既然他无法改变已经发生的事实，就只能改变自己内心的态度——将不愿放关羽走，转变为同意、支持、维护关羽的走！尽管这是一个极其痛苦的转变过程，但就心理学而言，这是再正常不过的事情了。

2003年美国以伊拉克拥有大规模杀伤性武器为由对伊拉克发动了战争。战争伊始，仅有百分之三十八的美国人认为即使伊拉克没有大规模杀伤性武器，这场战争也是正义的。大约有五分之四的美国人相信他们的军队会找到这些武器，并且支持这场战争。但是，在战争中，伊拉克并没有使用这些武器，这就让战争的大多数支持者感觉到了不协调，尤其是当他们看到战争对伊拉克造成的巨大破坏和伤害后，这种感觉变得更为强烈。为了减少这种不协调带来的不快感，一些美国人修正了关于政府开战的原因记忆。这些原因从伊拉克拥有大规模杀伤性武器被解释为从残暴的种族灭绝统治下解放被压迫的人们，并为中东的和平与民主打下基础。战后一个月，曾经少数的支持性观点变成了多数观点，百分之五十八的美国人在即使没有找到此前宣称的大规模杀伤性武器的情况下仍然支持这场战争。

唯有转变态度才能让自己的内心平安。尽管这种转变是一般人很难在短时间内完成的。但是，我们别忘了，曹操始终是一个资源配置的绝顶高手。既然关羽之走，已经势不可挡，那么，当务之急就不是去阻止、惩罚、报复，而是必须顺应此事，从这件事中榨取最大的资源效用。

实际上，"宁可我负天下人，不可令天下人负我"这句话曹操老早就不讲了。当初说这句话的时候，曹操正处于弱势，又正值年少轻狂。现在，作为一个非常成熟的政治家，即便曹操心里还是会这样想，但再也不会公之于众了。而且，曹操的想法已经更进一步了：即使天下人负我也不要紧，我也会让"负"转为正，让"负"为我所用。从这个角度来说，天下无人可以负我！

曹操内心这些高妙、微妙的想法，像蔡阳之流又哪里会知道呢？

心理感悟：逃避、拖延有助于事情往自己不愿意看到的方向发展。

高人一指铁成金

由于立场对立的原因，在曹操手下的大多数人看来，关羽背曹而走的行为是不忠不义、忘恩负义之举。

按照关羽的逻辑，他是降汉不降曹的。那么，"汉"为正统，"汉"并未负他，他弃汉而走，是为不忠。曹操对他拔擢之恩、优遇之义，关羽统统放弃，不告而别，是为不义。

所以，曹操虽然斥退了一个蔡阳，另一个蔡阳就站出来了。这个人就是程昱。

程昱说："丞相为什么要放关羽走呢？"

曹操说："我这是为了保全关羽的不忘旧主的义气啊。"

程昱说："丞相您度量大，能够容忍他的这种行为，但是诸将都不服气啊。"

曹操非常敏感，他最担心的情况果然出现了，连忙问道："诸将为什么都不服气？"曹操对手下人的思想动态的变化是高度警觉的。

程昱说："关羽有三大罪状，让大家伙儿心中不平。"

"关羽事急来降，毫无功劳，丞相立即拜他为偏将军，上马金、下马银。虽然斩颜良、文丑，立了点功劳，但丞相立即封他为汉寿亭侯，恩荣已极。今日一旦弃丞相而去，不能尽忠，这是第一条罪状。

关羽没有丞相的命令，就飘然而走，门吏刚想阻挡，他就要挥刀杀人。目无法纪，这是第二条罪状。

虽然故主刘备对他有些微薄的恩义，但他却忘却了丞相的大恩大德，胡乱写了封信，冒犯丞相的威严，这是第三条罪状。"

程昱这几句话，是很有威力的，一字一顿，全都狠狠地砸在曹操的心坎上。幸亏曹操不是袁绍，如果是袁绍，十个关羽也被杀掉了。

程昱的话还没完，更厉害的还在后头："如果今天让关羽归顺了袁绍，等于是放虎归山，日后必有大患。不如派蔡阳追上诛杀，永绝后患。"

程昱的心理看起来非常奇怪，当初想让关羽立功早点走人的是他，如今关羽真的走了，想杀关羽的也是他。其实一点也不奇怪，说到底，还是妒忌心理作怪。

关羽实在是太特殊了，所有的规则对他都不适用。不管是走是留，都得到了曹操别样的宽容和优待。这必然激起其他人的不平。

曹操知道，如果自己在这件事情上处理不好，不但在识人、用人上的威信、威望将大减，而且还会冷落了这帮子给他卖命的铁杆兄弟。

曹操的当务之急是必须扭转或颠覆大家对关羽远离这件事的根本看法。你们不是认为关羽此举是不忠不义的吗？那我就得将这件事包装成既忠且义、大忠大义之举。

只有将关羽包装成大忠大义之士，才有可能继续维护曹操在识人、用人上的一贯正确性，才有可能让关羽作为一个完美的样本继续发挥"对主上忠义"的示范作用，让手下这帮人向关羽效仿学习，永远忠心耿耿地为自己卖力。

由此，曹氏资源配置法则又发展出了第三条规则：如何将负资源转换为正资源，并加以充分利用。

曹操对程昱说："不能这样做，我以前曾经答应过他，一旦有了刘备的消息，就立即放他走的，所以今天对他网开一面。如果追而杀之，天下人都会说我言而无信的。"

程昱当然是知道曹操曾经说过的名言的，心里却很不以为然。但是，他应该好好想想，以曹操现在的身份地位，背信的代价是很大的。一个本来一无所有的人，背信弃义也许反而会有所收获，但曹操以丞相之尊，是汉王朝的实际掌舵者，如果言而无信，成本实在太高，确实是得不偿失的。

关羽待得惬意，走得轻松，程昱还是很不服气，继续说："但他不告而别，终究是失礼！"

程昱等人不是智障者，曹操要将关羽的行为包装成忠义之举，必须有一个大前提，就是关羽必须光明正大地走掉。如果关羽是像刘备那样偷偷溜走的，就根本不具备包装的基本条件。人人都会以为他是因为忘恩负义而内心惭愧，见不得人，这才偷偷溜走的。

曹操也明白这一点。但是关羽这个举动由于曹操自己的不配合（避而不见）而没有很好地完成，所以，曹操必须将责任揽到自己身上，以强化关羽的光明正大。

曹操连忙说："这个确实不能怪关羽。他曾经好几次到相府来向我当面辞行，都被我用回避牌阻挡了。而且，关羽走的时候，把我以前赏赐给他的金银丝帛全部留了下来，一丝一毫都没有带走。关羽真可谓是千金不可易其志，大忠大义的大丈夫啊。这样的人，是我最敬佩的啊！"

程昱简直不相信这样的话是从曹操的嘴里说出来的，但看曹操的表情，确实是发乎内心的由衷之言。

曹操的苦衷又有谁知道呢？尽管他内心懊恼、挫伤，但如果不维护关羽的正确和伟大，就不能维护他自己的正确和伟大，曹操只能"发乎内心"地这样做。

而这样做，带来的最大作用就是将关羽这个负资源，成功地转化为正资源，继续为曹操所用。从这个角度来说，无论关羽是走是留，曹操都有所收益。

程昱不甘心曹操就此成为关羽的最死硬的辩护者，于是放了一句狠话，说："丞相啊，如果关羽久后为祸，可别怪我没有提醒你啊！"

曹操也是要面子的人，他见程昱如此不依不饶，反而激起了逆反心理。既然你们容不得我放关羽走路，本来让他走就算了，现在我偏偏要再送一个大人情给他。

当下，曹操命令张辽先去追赶关羽，请他留步，然后自己率领文武诸人，亲自为他送行。曹操还吩咐准备了黄金给关羽当路费，再拿一件红锦袍当秋衣（关羽向来穿的是刘备送的绿袍，因此曹操特意选了红色，以示区别）。

关羽护着二位嫂嫂的车仗，行走不快。正行之间，忽听见背后有人大呼："云长留步。"

关羽一阵紧张，但想"呼我字者，应该和我友善，不是害我之人"。当下吩咐车仗从人只管沿着大路紧行，自己转过马头，静待来人。

来人正是张辽。关羽勒马横刀，问道："文远，莫非是来捉拿我的？"

张文远的谈判技巧早已经大幅提高，上次土山谈判，是下意识地扔刀在地，换来关羽的好感。这一次，他已经知道曹操的心意，根本没带刀，空手而来。

张辽说："你看我身无片甲，手无军器，像是来抓你的吗？云长兄，你不要紧张，我是特意来报信的。丞相知道你要远行，特意要来相送，因此派我先来告知，绝对没有伤害你的意思。"

关羽内心一阵暖流涌动。这曹丞相啊！随即又恢复警觉："莫非这是缓兵之计，先稳住我不走，再施其他阴谋？"

关羽回头一看，数十步后恰是灞陵桥，便回马退后，占据桥头的有利地形，笑道："便是丞相铁骑到来，我也不惧，愿意决一死战！"

正说话间，尘土飞扬，曹操率领数十骑飞奔前来。关羽见来者全部手无军器，放心大半。

曹操说:"云长,为什么走得这么急啊?"

关羽心想:"你不是知道的吗,还来问我?"说:"现今关羽探知故主在袁绍处,此前也曾和丞相约定,因此告辞。我好几次到相府想当面向你辞行,但都未能参见。因此封金挂印,纳还丞相。望丞相不背前言啊。"

曹操说:"我向来取信天下,怎么会背负原来的约定呢?我这次亲自来相送,是担心你路上紧缺盘缠啊。"命令一将下马,托过黄金一盘。

关羽婉言谢绝。曹操又说:"这不过是稍微酬谢你的大功罢了。"

关羽深为感动,不由自主地说:"我久感丞相的大恩,曾经立的一点小功劳也是不足为报。他日相逢,一定另有酬报!"

此刻,我们似乎看见,互惠原理的光芒一闪而过。

听到关羽这句话的人都是幸运的人。用不了多久,他们就会知道关羽这句话的价值所在!

曹操微微一笑,说:"云长忠义之士,恨我福薄,不得相从啊!现有锦袍一领,略表寸心。"命令一将下马,双手捧将过来。

关羽唯恐有变,不敢下马,却只用青龙刀的刀尖挑过锦袍,披于身上,向曹操道谢:"多谢丞相赐袍!"再不停留,望北而去。

曹操眼望关羽绝尘而去,嘴角露出一丝不可捉摸的微笑。曹操手下虎将许褚怒极,说:"此人实在无礼,必须拿下问罪!"

曹操摇了摇头,继续充当关羽的辩护士,说:"不可。他不过是一人一骑,我们有二十多人,他怎么能不怀疑呢?我既然已经说过让他走了,绝对不能失信!"

曹操引众人回城,一路上,曹操叹息不已,诲人不倦:"汝等众将可当效云长,以成万世之清名也!"

在曹操看来,一个关云长走了,无数个关云长即将成长起来。

再说关羽回头来赶车仗,却见踪影全无,不禁大惊失色!失却二位嫂嫂,等于是要了关羽的命!

心理感悟:就资源的利用而言,腐朽和神奇只有一步之遥。

25

黄头巾的偏见

关羽急急来寻车仗,遍寻不见,心中一阵发慌。若是二位嫂嫂不见,关羽的千里走单骑就没有任何意义了。

正在束手彷徨的时候,忽听山头上有一人大声叫道:"云长公,请且慢!"

关羽举目一看,只见一个二十出头的年轻人,黄巾锦衣,持枪跨马,马项下悬着首级一颗,引百余步卒,飞奔前来。

关羽发问道:"来者何人?"那少年弃枪下马(这一招我们已经多次看见过了,不再详析),拜服于地。

关羽深感纳闷,唯恐有诈,勒马停刀,说道:"壮士请通报姓名。"

少年道:"我是襄阳人,姓廖名化,字元俭。身处乱世,流落江湖,因此聚众五百余人,占山为王。刚才同伴杜远下山巡哨,误将两位夫人劫掠上山。我问了一下几个随从,说这两位是刘备刘皇叔的夫人,当即跪拜。但杜远出言不逊,已经被我杀了,两位夫人毫发未损。现纳头在此,特向将军请罪!"

关羽后怕不已,若是两位嫂子有什么闪失,即便是踏平这个山寨,将杜远之流碎尸万段,又有何益?不由地对廖化涌出感激之情,但一眼瞥见廖化头上扎的黄色头巾,不禁微微皱起了眉头。随即急问:"两位夫人此刻在哪里?"

廖化道:"小人担心她们受伤害,现在留在山寨中,安排了专人服侍保护。"

关羽说:"赶快请她们下山。"

过不多时,百余名小喽啰护送着车仗下山。关羽立即下马,站在车仗前连声问候:"嫂嫂受惊不小,此乃关羽之罪也!"

二位夫人说:"多亏了廖将军啊!要是没有他,我们姐妹俩可就被杜远侮辱了。"

关羽问左右随从廖化是如何解救两位夫人的。随从说:"杜远将两位夫人劫持上山后,就要和廖化各占一人当压寨夫人。廖化问起缘由,好生敬服,当即要杜远恭送夫人下山。但杜远死活不从，廖将军就将其杀了。"

关羽又是一阵后怕！如果二位嫂嫂真的被山大王玷辱了，那么自己就真的百死莫赎，无脸去见兄长刘备了。心里再度涌起了对廖化的感激之情。

关羽拜谢廖化。廖化提出，自己愿意带领部众，跟随关羽，护送两位夫人一起上路，共投刘备。

关羽看了看廖化头上的黄头巾，暗暗寻思："这个人虽然有恩于我，但终究是黄巾贼之类的人，如果与他为伴，必然遭人耻笑。"当下婉言拒绝："你有这番情意，我十分感谢。不过呢，我当初拜别曹公的时候，曾经和他发誓说，要千里独行的。现在刚上路，就违背誓约，实在是不太好。所以，只能领你的情，却只好说声抱歉了。日后如再相逢，必当重谢！"

廖化闻言，不敢强求，只好怏怏而去。

廖化为什么要杀杜远呢？

对廖化来说，杜远是自己的兄弟，作为山大王，下山抢个女人当老婆，也是很正常的事情。那么，为什么当廖化一听说抢来的这两个女人是关羽一路护送的刘皇叔之妻，就立即对杜远拔刀相向呢？难道近在眼前的兄弟之情，还比不上远在天边的刘皇叔的一个名头吗？

应该说，廖化是一个有能力、有眼光、有追求的人。东汉末年，正值乱世，廖化找不到一个好的平台效力，只好落草为寇，但他始终在寻找更好的机会。当杜远把刘备的老婆劫持上山后，廖化立即意识到机会来了。刘备仁德之名，远播天下。虽然他屡战屡败，但总是败而不亡。廖化认定刘备必有东山再起之日。所以，就准备借此机会，投奔刘备。

但这虽然是一个重要因素，却还不是紧急因素，紧急因素就是关羽就在山下。关羽自斩了颜良、文丑，威名早已盛传于许都附近。廖化所据山头，就在许都附近，如何不知？廖化深知，如若惹恼关羽，恐怕整个山寨人马都死无葬身之地。只有赶快送还二位夫人，向关羽请罪，尚有宽容之机。

但杜远却是目光短浅之人，只图眼前快活，哪管明天死活？两人争执不下，廖化干脆快刀斩乱麻，将其一杀了之。这又足以说明，廖化在关键时刻，是一个非常有决断力的人。

但廖化却没想到，自己竟然会被关羽拒绝，只得黯然作别。其实廖化也无须懊悔。根据互惠原理，用不了多久，他对关羽和二位夫人的恩德就会得到回报。后来，廖化在蜀汉效力，深得重用，最后官至右车骑将军。

民间还流传着这样一句话："蜀中无大将，廖化当先锋。"很多人以为这是对廖化的贬损，实则不然。廖化和关张赵马这些超一流猛将相比，当然是有差距的，但蜀国的先锋也不是随便什么人就可以充任的。关张赵马等人过世后，廖化已经是当时蜀国数一数二的人才了，这才有充当先锋的可能。

由此亦可见，廖化在职业选择和职业规划上的前瞻眼光。

不过，选择和规划再好，也要得到老板的许可才行。那么，关羽为什么要拒绝廖化呢？

答案非常简单，问题就出在廖化的头巾颜色上！

事实上，关羽此时正是缺人之际。这次二位夫人之所以会被杜远劫擒上山，就是因为他分身乏术。他自己在和曹操话别，无人保护二位嫂嫂。如果能够收容廖化同行，不但廖化可以独当一面，廖化所部的五百余人也可成为强援。但关羽却将廖化拒之门外。

廖化最大的失误就在于和关羽面洽的时候头戴黄巾。

什么颜色的头巾不好戴啊，偏偏要选择黄色！刘关张兄弟靠着剿灭黄巾军起家，多年的征战生涯，使关羽形成了条件反射，只要一看见头戴黄巾之人，立即就会出现反感、对立的情绪，在潜意识中将其归入对手的行列。

人是一种群居性动物。在长期的进化中，人们认识到给自己贴上标签，将自己分类，归入某一种类别是非常有用的。每一个类别就是一个群体。人们将自己与特定的群体联系起来，并以此获得自尊、自足，是为内群体。人们还将自己的群体和其他的群体（**是为外群体**）进行比较，并且偏爱自己的群体，轻视其他的群体，甚至仇视对立的群体。

我们将这种心理现象称为偏见。所谓偏见，就是一个群体及其成员对另一个群体及其成员的负面的预先判断。

"9·11"事件过后不久，美国人对那些被认为具有阿拉伯血统的人的敌意明显高涨。在纽约，一位男士试图开车撞倒一位巴基斯坦妇女，嘴里还高喊着"为了我的国家"；在得克萨斯州的丹顿市，一家清真寺遭到了燃烧弹的攻击；在波士顿大学，一位中东籍的学生被人刺伤；在科罗拉多大学，学生们在图书馆里用油漆写上"阿拉伯人滚回家去"。

事实上，上述例子中的那些被认为具有阿拉伯血统的人是无辜的，和"9·11"

事件并无任何关系，但美国人却将他们归于同一个对立的群体，并迁怒于他们。

这就是偏见强悍的负面作用。

关羽和黄巾军（并扩延至黄巾者）分属两个不同的、对立的群体。关羽内心对黄巾军必然抱有偏见。

廖化并非黄巾军，但是他头巾的颜色激活了关羽内心的偏见。关羽很自然地就将他归入和黄巾军同一类的群体，尽管廖化对自己有大恩，但关羽仍然感觉不喜欢他。

当我们所在的群体已经获得成功后，通过更强烈地认同该群体，我们可以使自己的感觉更加美好；反之，当我们所在的群体遭受失败后，我们更加倾向于和这个群体保持距离，甚至脱离关系。

在1988年的汉城奥运会上，牙买加裔加拿大短跑选手本·约翰逊在100米短跑的世纪大战中获胜，赢得金牌后，加拿大的媒体大肆报道了一位"加拿大人"取得了这一辉煌的成就。但是，当约翰逊因被查出服用类固醇违禁药物而被取消金牌后，加拿大的媒体就开始强调他的"牙买加"身份。

同样的一个约翰逊，当他是一个英雄的时候，人们喜欢自动拉近和他的距离、联系；而当他成为丑闻的主角后，人们立即想要洗清和他的关联，希望和他保持远距离。

在关羽眼里，黄巾军这个群体属于不入流的草寇，是和自己格格不入的。而且，在和黄巾军的斗争中，关羽所在的朝廷一方取得了最终胜利。从而，关羽对自己所在的群体更加拥有一种相对的优越感，认为自己一方是正义的、高贵的，而将黄巾军这个群体视为邪恶的、低贱的。

所以，关羽才会有"这个人虽然有恩于我，但终究是黄巾贼之类的人，如果与他为伴，必然遭人耻笑"这样的想法。

廖化哪里会知道关羽这些微妙的想法呢？

他本来是无辜的，和关羽讨厌、痛恨、鄙视的黄巾军没有任何关系，却因为服饰细节上的一个小小的缺陷，就错过了一个大好的机会。

当然，他预先付出的恩惠还会再给他一次机会，但还是要耐心守候才行。

心理感悟：在营造第一印象时，服饰是仅次于外貌的第二张名片。

反常背后必有隐情

两位嫂嫂失而复得，关羽欣慰不已，庆幸不已。但是，刚出许都就差点出了大事，也极大地增加了关羽的心理压力。千里走单骑才刚刚开始，前方还有更多的艰难险阻，更多的不确定性。关羽暗自下定决心，必须要保护二位嫂嫂平安。

却说甘、糜两位夫人一眼看见关羽身披红色锦袍，煞是显眼，不由大为诧异。因为关羽从来都是身穿绿袍，反差极大。关羽急忙将曹操灞陵桥头赠袍之事禀告二位嫂嫂。二位嫂嫂未置可否，心中却想，就为了这一件红袍，差点误了我姐妹俩的清白！甘、糜二位夫人深知自己在刘备心目中的地位并不高，如果出了意外，势必连"衣服"也当不成了。又不便多言，只好吩咐关羽催动车仗一路前行。

天色渐晚，远远望见前面有一庄园。关羽决定在此借宿一晚。至庄园处，只见庄主已经须发皆白，亲自出来迎接，问道："请问将军尊姓大名？"关羽向前施礼道："我是刘备刘皇叔的兄弟关某啊。"

人是各种社会关系的总和，每个人也因此具备了多重的身份识别方式。故而，每个人在介绍自己身份的时候，往往会根据所处环境情形的不同而有所不同。

关羽也正是如此。

关羽有多重身份，比如他可以介绍自己是汉寿亭侯。头衔或职位的指示作用非常明显，可以免去很多的解释麻烦。中国人素来敬畏尊重位高权重的高官。如果关羽这样介绍，得到隆重接待的可能性会大大增加。关羽还可以直接说出自己的名字，不带任何头衔的修饰。但如果不通过头衔、职位来对自己的身份进行宣示，当接待者比较孤陋寡闻的话，可能会把你看成平庸之辈而随意对待。

这是两种比较直接的介绍方式。但关羽都没有采用，而是采用了一种间接的自我介绍方式。

关羽只说自己是刘备的兄弟，甚至连自己的名字也用了一个"某"字替代。关羽把刘备作为介绍自己身份的一个中介者。

这种方式我们在现实生活中也经常会遇到。比如说李小龙的师父叶问。叶问是谁，此前几乎无人知晓。但李小龙却大名鼎鼎。通过李小龙这个中介者，人们很容易就能识别叶问。否则，即使解释半天，可能也无法解释清楚。

一般而言，如果采用这种方式来介绍自己，必然是作为中介者的这个人的身份、地位、知名度、影响力远远胜过自己。而在某种程度上，自己和这个中介者相比，处于从属、附庸的地位。

但是，任何一个稍具自尊心的人往往不会采用这种方式来介绍自己，甚至当别人用这种方式来介绍自己的时候会恼怒不已。因为每个人都愿意成为别人身份的中介者，而不是相反。

关羽是一个自尊心很强的人，有着非常强的自我认知度。按照常理推断，他肯定不会采用这样的间接介绍方式。因此，他的举动是颇为反常的。

那么，他为什么会这样做呢？凡是反常的举动，背后一定隐藏着微妙的原因。

我们知道，尽管关羽已经采用了种种办法来减缓自己内心的认知不协调，但关羽在曹营中的这一段挥之不去的经历始终是一个污点，始终给关羽造成困扰。当关羽奉送二位嫂嫂归刘的时候，随着兄弟相见之日的日渐迫近，关羽内心的态度必须加倍努力地做出改变。

正是因为这个原因，关羽才会在一个素不相识的老者面前，以牺牲自尊心为代价，将自己的身份描述为刘备的一个小兄弟，借此来突出、强化自己和刘备之间的关系。

不过，老者的第一反应却是："哦，是不是那个斩颜良、诛文丑的关公啊？"

关羽的苦心并未得到老者的响应。人们总是倾向于以他人最独特的特质和行为来描述对方。

洛丽·纳尔逊和戴尔·米勒在1995年的时候做过一个实验。实验的结果表明，如果某人既是跳伞运动员，又是网球运动员，那么在向人们介绍这个人的时候，人们会想起来这是一名跳伞运动员。当要求人们为这个人挑选一本礼品书的时候，人们会挑选跳伞书而不是网球书。一位既养宠物蛇又养宠物狗的人，在人们的印象中更像是养蛇而不是养狗的人。

显然，跳伞和蛇比网球和狗更具独特性。

对于关羽来说，他目前最为独特的行为就是斩颜良、诛文丑。所以，不管他怎么介绍自己，别人总是用最能将他和其他人区分开来的独特行为来识别他。

关羽答道："正是。"

名人的光临总是会蓬荜生辉的。老者大喜，立即邀请关羽进庄。

关羽说："车上还有两位夫人。"老者请出妻女，请甘、糜二位夫人下车，在草堂上落座。关羽叉手，恭恭敬敬站在二位夫人的侧边。

二位夫人略有些惊奇，老者也略有些惊奇，邀请关羽也落座。关羽却说："尊嫂在上，安敢就座。"

老者说："您和刘备不过是异姓兄弟，为什么对嫂嫂这么恭敬呢？"

关羽说："我和刘备、张飞结为兄弟，誓同生死。二位嫂嫂相从于兵甲之中，始终不敢失礼啊！"

老者深为叹服，说："关将军真乃天下之义士也。"

关羽对两位嫂子向来是尊敬有加的，但以这一次为最。这也有一些反常，那么，这是为什么呢？

还记得我们前面在介绍"唤起"的时候提到过的一个概念吗？那就是对他人在场时的评价顾忌。

关羽急切希望自己能够得到外界、他人对他做出仍然忠于刘备、与刘备誓同生死的这种评价。他对这种评价非常在乎，所以评价顾忌对他起的作用也最大。这也是关羽调节内心认知失调的最迫切的现实需要。

老者非常沉得住气，一直到设宴款待关羽等人时才介绍自己是汉桓帝时的议郎胡华，目前致仕归乡。

闲谈中，胡华说起自己的儿子胡班现在荥阳太守王植手下当从事，关羽此行必定要从那儿经过。关羽将自己辞别曹操投奔刘备的种种事情，一一说与胡华。胡华听了，唏嘘不已。胡华遂写了一封书信，交由关羽带给儿子胡班，让儿子在关羽路过时多行方便。

关羽收好后，却不甚放在心上。殊不知，若没有这一封信，自己这一行二十多人的性命就危在旦夕了。

是夜，二位夫人在正房里歇息。关羽坐在房外，秉烛翻看《春秋》，一夜未眠。托胡华的福，甘、糜两位夫人得到了这一辈子关羽最为恭敬的礼遇。

回头再说曹操带领众人，从灞陵桥返回。众人议论纷纷，愤恨交加。但曹操却一直捻须微笑，不发一语。

曹操对自己的举措安排非常满意。

等关羽回到刘备身边，必然有意无意间会将曹刘做一个对比。曹操已经在极短的时间内穷尽了所有的激励方法，刘备最多也只能依样画葫芦，而不可能有创新之举了。而激励是最需要新意的，一旦落入俗套，就不可能起到激励作用。这样，关羽就有可能陷入激励倦怠，从而不能发挥最大的资源效用。而更重要的是，关羽虽走，但曹操对关羽的超级礼遇，也已经把骄傲的种子深深埋进关羽的心中。关羽本来就是个高傲自尊的人，一旦骄傲的种子破土而出，势必茁壮成长，不可收拾。而最后的结果则是骄者必败！

曹操也已经明白了，太容易得到的东西是不会得到珍惜的。既然如此，我虽然放你上路，但必须让你的旅程充满艰辛险阻，甚至不得不停滞不前，进退两难。

要实现这一点，非常地容易。前行路上有五座关卡，你单人独骑，带着两位嫂子，没有我的通行文书，你哪里走得过去呢？只要守将紧闭关门，对你置之不理，你就叫天天不应，叫地地不灵。即使你想绕道而行，山道崎岖，车仗难行，也是不可能的。只有当你吃尽苦头后，我才会派人给你送去通关文书，只有这样，我的恩惠才会显得分外珍贵，你才会分外珍惜，从而才会牢记不忘，才会给我丰厚的回报。

不表曹操暗自得意，静待关羽难堪。却说关羽在胡华庄上吃过早饭，请二位嫂嫂上车，辞别胡华，提刀上马，直奔东岭关而去。

一段最困难的旅程即将拉开帷幕，谁也不知道等待关羽的将会是什么样的命运。

心理感悟：在不同的身份表达方式中游刃有余是一项必备的生存技能。

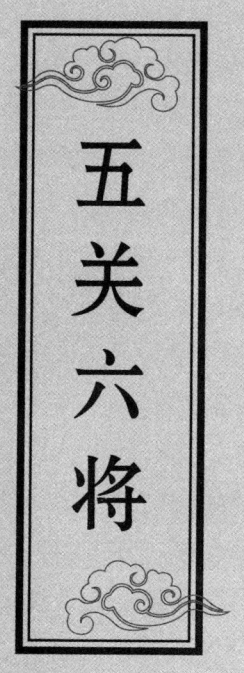

五关六将

天生我才必优秀 / 非法的权威就不是权威 / 虚情假意易骗人 /
面孔就是介绍信 / 黎明前夕的放松 / 领导的话也要分析执行 /
讨价还价的技巧 / 浑身有嘴也难剖白 / 一个玩笑的代价 /
眼泪是最好的润滑剂

天生我才必优秀

关羽一行迤逦而行,直奔东岭关而来。

东岭关是一个小关卡,守关之将叫孔秀,手下只有五百军兵把守关隘。关羽催动车仗上岭。军士报知孔秀。

孔秀一听,立即提剑出关,看见关羽,喝令关羽下马听话。

很多人以为孔秀这是在没事找抽!孔秀的顶头上司曹操以丞相之尊,都一直对关羽奉若上宾,客客气气,礼送出境。一个小小的无名小卒孔秀竟然敢呵斥生性傲慢、威名赫赫的关羽,你说不是找抽是什么?

但是,很多人更没有想到的是,关羽竟然乖乖下马,向孔秀施礼。

这恐怕是关羽一辈子中唯一的一次低声下气。一个自尊心超级强悍的人为什么也会低头服软呢?

事实上,关羽还沉浸在曹操亲自来送行的美好感觉之中,根本没有想到接下来会横生枝节。他在曹营待了挺长的一段时间,虽然此刻已经别曹远走,但潜意识中认为自己还是身处曹营,也没有把孔秀视为敌对的一方,从而也根本没有处于战斗状态。

在没有足够的心理准备的前提下,孔秀出人意料的强横态度竟然让关羽猝不及防。关羽一直被曹操捧得很高,已经有很长很长的一段时间没有受到如此"礼遇"了。孔秀在两人初次见面的第一瞬间就占据了优势地位。这是两个人的一场心理交锋,关羽落了下风,所以处处被动。

那么,孔秀又是什么心态呢?

曹营中上下人等,对关羽最常见的一种心态就是妒忌。但由于曹操对关羽十分恩宠,众人大多是敢怒不敢言。而孔秀镇守东岭关,官职虽小,却也是独霸一方。在他的地盘上,他自我感觉有着无上的权威(这样的人在现实中是屡见不鲜的)。

只要大名鼎鼎的关云长进了他的地盘，不管怎样，他也要抖抖威风，以发泄或部分发泄自己的妒忌。但毕竟他此刻还不知道关羽所为何来，还不太敢造次。

孔秀一看关羽服软，口气略缓，问道："关将军，你要到哪里去？"

关羽回答说："我已经辞别了曹丞相，现在去河北寻找兄长刘玄德。"

"关三条"在曹营中的知名度非常之高。孔秀一听，顿时警觉起来，连忙追问道："河北袁绍，正是曹丞相的死对头，将军此去，必然带有曹丞相的公文吧？"

关羽一愣，什么公文？说实话，关羽是在几股力量的催逼之下，非常冲动地踏上了千里走单骑的旅途的，根本没有考虑过向曹操讨要通行公文的问题。只好答道："因为我出来得太仓促了，没有向丞相讨取啊。"

孔秀说："如果没有公文，我可不能放你通行啊。这样吧，将军你且在这里住下，待我差人禀告丞相后，才能放行。"

曹操暗中为难关羽，给关羽的旅程增加艰难险阻的如意算盘眼看就要实现了。

关羽心中一凉，暗自着急："我怎么能在这里停留。夜长梦多，要是曹丞相反悔了，我可就走不了了。"连忙说："等你去禀告丞相，就会耽误我的行程啊。"意思是你通融通融吧，放我过关就行了。

关羽素不求人，这样说已经等于在求人了。

但孔秀的态度却强硬了起来。你是丞相的红人，如果你有丞相的通行公文，那我拿你也没办法。现在你什么也没有，那可就别怪我公事公办了。

所谓公事公办，就是职场中最常用来缓解内心妒忌、进行打击报复的手段。

孔秀板起脸说："那我也没办法，一天不禀告，你就得住一天，一年不禀告，你就得住一年。"

关羽忍气吞声了许久，终于憋不住发火了，一张红脸涨得更红，怒道："你怎么敢如此侮辱我呢？"

孔秀轻描淡写地道："这就是规矩，不得不如此啊。现在正是乱世，龙争虎斗，如果没有通行公文，你就是说破天也没用！"

关羽大怒："这么说，你今天是不容我过关了？！"

孔秀哈哈一笑道："你要过去，也行。但必须留下车仗老小当人质。"

关羽勃然大怒，提起青龙刀准备砍杀孔秀。注意，此时关羽并未真正进入战斗状态，更别说进入唤起状态了。所以，孔秀可以从容逃回关中，紧闭关门。

孔秀这一退，实质是进，顿时让关羽陷入了进退两难的困境。关羽既无法前进,又无路可退。正是曹丞相预料中的理想状况。

按照曹丞相的想法,守关之人没有看到通行公文,当然是不敢轻易放人过去的。但守关之人慑于关羽的威名,也不敢轻易和关羽为敌。最大的可能就是闭关紧守,双方僵持在原地。这对守关者并无妨碍,只要关羽没过关,就不算是玩忽职守。但对关羽来说,可就惨了,僵持久了,就只能风餐露宿、温饱难继了。在家千日好,出门一时难,这时,关羽就该知道曹丞相的好处了。等将关羽的意志消磨得差不多了,再令人送上通关文书,那时候,这一纸公文的分量恐怕要胜过汉寿亭侯的金印了。

但是,最出人意料、最不可思议的情况发生了!这也顿时令曹丞相的大好计划就此落空,化为乌有。

孔秀退回关中后,竟然不是闭关紧守,而是鸣鼓聚军,披挂整齐,然后大开关门,出来挑斗关羽!

孔秀全副武装,手提长枪,对关羽大喝一声道:"你敢过关吗?"

关羽不怒反笑,用嘴巴谈判不是他的强项,用大刀谈判才是他的强项。关羽吩咐车仗退后,纵马提刀,不发一言,直奔孔秀。

刀光闪处,孔秀尸横马下,血溅长空。

很多人以为,关羽再度被"唤起",所以像处理华雄、颜良一样报销了孔秀。但其实不然,以孔秀之能,根本不足以让关羽"唤起"。孔秀最多只能算是二流的将军,其武功和关羽根本不在一个等级,关羽根本无须唤起,就足以轻松解决孔秀。

事实上,最值得关注的问题不是关羽为什么能够一个回合就斩杀孔秀,而是孔秀为什么会如此"勇敢"(在旁观者看来则是相当的不自量力),竟然敢直接向关羽发起挑战?

有人说,孔秀根本就是个脑残。也有人说,孔秀为"冲动是魔鬼"这句名言增加了一个小小的注脚。

其实不然,孔秀的毛病在于盲目乐观,而盲目乐观并不仅仅是孔秀的个人专利,在我们绝大多数人身上都存在着这种盲目乐观的倾向。

这种盲目乐观就是"自我服务偏见"。具体地说,当我们在加工和自我有关的信息时,会出现一种偏见:在大多数情况下,我们把自己看得比别人更好。和总体水平相比,我们觉得自己的道德更加高尚,相貌更加出众,身体更加健康,能力更加强大,对事物的评价更加客观,在绩效中的贡献更加重大。

戴夫·巴里曾经指出，无论年龄、性别、信仰、经济地位或种族有多么不同，有一件东西是所有人都有的，那就是每个人的内心深处都相信，我们比普通人强。

多数司机，甚至大部分曾因车祸而住院的司机都会认为自己的驾驶技能比一般的司机更加熟练、安全。

大多数外科医生认为自己的患者的死亡率要低于平均水平。

多数美国的大学生认为他们将比保险公司预测的死亡年龄多活十年左右。

在美国的一个全国性大调查中，百分之九十一的妻子认为自己承担了大部分的食品采购工作，但只有百分之七十六的丈夫同意这一点。

加拿大已婚的年轻人通常认为，他们在清理房间和照料孩子等方面所承担的责任，要比配偶多得多。

……

一言以蔽之，就是每个人都觉得自己高于平均水平。尽管连傻瓜也知道，绝对不可能出现每个人都高于平均水平的情况。

当人沉浸在这种对自我的美好感觉中的时候，傻事就不可避免了。

你关羽当然厉害，颜良、文丑死在你刀下不假，但我孔秀可不是颜良，也不是文丑。颜良、文丑之所以死在你刀下，那不过是因为他们浪得虚名，并没有什么真才实学。就算他们不是浪得虚名，你关羽恐怕也只是因为运气好，才一刀杀了他们吧？

既然如此，我怕你何来？孔秀怀着必胜之信念，根本没有想到自己会失败，根本没有想到自己会被斩。所以说，孔秀并非脑残，更非冲动，只有"自我服务偏见"才是孔秀"勇敢"站出来挑战关羽的真实原因。

心理感悟： 人往往不是生活在现实中，而是生活在高于平均水平的良好感觉中。这句话不仅仅是五关六将的墓志铭。

非法的权威就不是权威

关羽斩了孔秀，孔秀手下的军士四散奔走。关羽大喝道："军士休走！我杀孔秀，情非得已，和你们无关。"众军士均战战兢兢地拜伏于地。

关羽道："你们听好了！曹丞相都是亲自饯行，送我上路，孔秀不知好歹，故意阻拦，想要杀害我。我迫于无奈，只好杀他。这一番话语，请你们派人速往许都，报知曹丞相。"

关羽虽然走得光明正大，但将曹操手下守关将军诛杀，却难免心中有愧，所以才会有这一番说辞。

关羽当下立即催请车仗上前过关，往洛阳进发。从这一刻起，关羽才明白前路艰险，但已经无路可退，只能提振精神，奋勇向前。

早有军士飞奔报知洛阳太守韩福。

韩福紧急召集诸将商议。牙将孟坦说："关羽既然没有丞相的通行文书，我们只能认定他是私自出行。如果不加以阻挡，必有罪责。"孟坦的话当然是对的，因为曹丞相也是这样想的。

韩福说："关公勇猛无敌，连颜良、文丑这样的猛将都被他斩杀了。我们不能力敌，只有用计擒他啊。"

看起来，韩福似乎比孔秀清醒得多，他至少知道凭借自己和手下诸将，真刀实枪地和关羽干，肯定是没有胜算的。但其实不然。韩福和大多数人一样，也是活在高于平均水平的美好幻觉之中。

既然知道关羽勇猛无敌，不可力敌，那就闭门守关好了。洛阳曾为故都，城雄势险。关羽随身只带了二十来个随从，大部分只能服侍、照料两位夫人，根本没有什么战斗力。只要韩福对关羽置之不理，将关羽僵在原地，就是大功一件。何必搞什么用计擒他呢？

韩福之所以这样说，是因为他及他手下的诸将都认为，自己的智商绝对高于常人，用计是可以胜过关羽的。正是在这种乐观情绪的导引下，韩福等人开始谋划起计策来。

孟坦说："我们先用鹿角拦定关口，等关羽到来时，小将引兵和他交锋，韩太守您就站在高处用暗箭射他，如果关羽中箭落马，就让埋伏在两侧的军士将他擒拿，押送许都，丞相必有重赏。"

孟坦的这段话，淋漓尽致地表现了"每个人都高于平均水平"的自我服务偏见。

第一，"等关羽到来时，小将引兵和他交锋"。孟坦显然以为，自己是可以和关羽斗上几个回合的，足以给韩福暗箭瞄准射击留下充足的时间。

第二，"韩太守您就站在高处用暗箭射他"。孟坦不但对自己有信心，对韩太守的箭术也很有信心，认为韩太守必然是能暗射中的。

第三，"如果关羽中箭落马，就让埋伏在两侧的军士将他擒拿"。这句话里的"如果"可以去掉，或者改为"必然"二字才更符合孟坦的真实想法。因为他只"如果"了一种"射中"并且"落马"的情况，并没有考虑其他的"如果"。显然，对孟坦来说，这是不用考虑的。孟坦还对自己的军士极具信心，认为军士必然可以擒住中箭落马的关羽。

孟坦实质上是把"每个人都高于平均水平"扩延至"每个群体都高于平均水平"的境界了。

韩福深以为然。商议已定，众人满怀信心，静待关羽上门。

人报关羽已到关前，韩福当即率领一千人马，摆列关口。关羽见关前旗号林立、刀枪密布，不由地暗叹一口气，要想顺利过关，恐怕是不可能的了。

韩福喝问："来者何人？"这是揣着明白装糊涂，但也是在交往之初占据有利地位的重要手段。

关羽这次吸取了上次的教训，没有下马，只在马上略欠了欠身，说："我是汉寿亭侯关羽，要从这里过关。"（下马等于直接把交往的主动权交给了对方。）

关羽这次报出了自己曾经拥有的头衔。这本是人际交往中的极为有用的一个手段，可以立即建立起自己的权威地位，从而把握主动。

我们不妨先来看一个非常有意思的案例。美国的一位教授，经常在外面旅行。旅途中，他喜欢在酒吧、饭店、机场与陌生人交谈。在这些经历中，每当他提起了自己的头衔时，交谈的气氛立即就会改变。此前妙语连珠的谈话伙伴，立即变得木讷，对教授充满了敬意、唯唯诺诺而不再有任何独立甚至对立的见解了。

在某种程度上，头衔甚至比头衔的主人更具影响力。

在澳大利亚的一所大学里来了英国剑桥大学的访问者。在不同班级中，他的身份被有意地加以不同的介绍。第一个班级，他被介绍为学生；第二个班级，他被介绍为实验员；在第三个班级，他是讲师；在第四个班级，他是高级讲师；而在第五个班级，他的头衔则是教授。最后，当他离开之后，研究者们要各个班级的学生们估计他的身高。结果表明，随着他的头衔或地位的每一次上升，他的身高就平均增加了半英寸。所以，同样的一个人，当他做"教授"的时候比他做"学生"的时候看上去要高二点五英寸。

爵位和职位虽然不属于一个序列，但按照常规推断，汉寿亭侯的爵位显然要高过韩福的洛阳太守的职位。显然，在同一个组织内，地位高的人比地位低的人更有影响力。地位低的人往往不敢违背地位高的人发出的指令，尽管这个指令也许不尽合理，甚至是错误的。

一个善于运用头衔来建立权威感的人，往往能在组织内呼风唤雨，达成其可告人或不可告人的目的。

现实中，我们还经常听说诈骗分子利用名人的头衔进行诈骗，并屡屡得逞的案例。这也是对头衔的一种运用。当然，这是非法的运用。

那么，关羽能不能通过头衔产生的光环，让韩福放弃抵抗，顺利过关呢？（在某种程度上，这种行为也有诈骗的成分，因为关羽已经挂印，这代表着他已经不再是汉寿亭侯了。）

答案是不能。

因为关羽忘记了一个前提条件。权威必须是合法的，才能起作用。或者还有一种情况，即权威已经不再合法，但由于信息不对称，对方不知道权威已经不合法，那么权威还能起到以大压小的作用。

如果此刻关羽是率兵出征，路经洛阳，那么韩福见了汉寿亭侯关羽，必然是恭恭敬敬，鞍前马后效劳。但关羽此刻只带了二十余个随送，还有一辆车仗，摆明了是因私而出。更加要命的是，韩福已经知道关羽此行的真正目的，所以，关羽的头衔再吓人，也因为其合法性已经不再存在而失去效力了。

实际上，曾经有一个好机会摆在关羽面前，但他没有珍惜。本来他是有机会"诈骗"成功的。

还记得廖化吗？那个只因为带了黄头巾而被关羽拒之门外的廖化！

廖化曾经想带着五百喽啰，跟随关羽。东岭关孔秀手下也只有五百军士。设若关羽带了廖化同行，斩杀了孔秀后，以一比一的比例，基本可以控制孔秀手下的军士不能前往洛阳报信，再令廖化的喽啰换上军士之服，即可假扮因公而出。这样，就可以使韩福得不到真实信息，也就有可能光明正大地以"头衔"的威力压过、骗过韩福，顺利过关。

但此刻后悔也没有用了。韩福早已全神戒备，就等着暗箭伤人，将关羽擒拿去邀功。

韩福不理"头衔"的茬，说："你可有曹丞相的通行公文？"就知道你没有，偏偏要问你要。

关羽一听，怎么都是同一种说法。这从一个侧面说明了曹操治军之严，还从另一个侧面说明了"公事公办"在组织中的盛行度。

关羽答道："来前事情冗杂，不曾向丞相讨得。"

关羽的这个回答毫无力道。既然前面准备拿"头衔"压人，此刻就该破口大骂："混蛋，眼睛长到哪里去了？竟敢找我要通行公文？"

这种场景经常出现在某一类战争间谍片中，似乎屡见奇效。

关羽毕竟还是心虚，毕竟曾经公开宣示要光明正大地走人，如果靠"诈骗"手段过关，恐怕也难以协调好内心的认知不协调。

韩福说："我奉丞相钧命，在此镇守，专门负责盘查诘问往来奸细。如果你没有公文，就只能当作私自逃窜处理。"

又是"公事公办"！

韩福比孔秀还要不客气。孔秀不过是"请"关羽多住几天，等禀告了丞相再行处理。韩福则直接把关羽当成了奸细。这也说明韩福对自己高于平均水平的感觉尤胜孔秀一筹。

关羽大怒，说："东岭孔秀，已经被我杀了。你在这里阻拦我，难道就不怕我杀了你吗？"

韩福心想："孔秀怎么能和我相比呢？"按照先前商定的计划，喝道："谁给我去擒拿此人？"

孟坦应声而出，抡双刀来取关羽。韩福自去高处准备射箭。关羽叫退车仗，拍马来迎。

自信和乐观确实能有效提升个人能力。即便是盲目自信和盲目乐观也能在短期内取得成效。

　　孟坦竟然在关羽刀下战了三个回合，寻思韩福应该准备好了，当即拨回马头，准备引关羽来追。哪里想到关羽胯下赤兔，乃千里之驹，孟坦之马，不过是寻常之马，如何逃得？不久前的文丑就是死于临阵脱逃，孟坦哪里能够幸免？星飞火溅的瞬间，关羽已经赶上，大刀挥出，孟坦就此被斩作两段。

　　韩福躲在门边，尽力放了一箭，正中关羽左臂。关羽拔掉箭矢，不顾包扎，飞马赶至，直取韩福。韩福来不及逃走，关羽手起刀落，又将韩福斩于马下。

　　韩福、孟坦显然和孔秀一样高估了自己的能力，低估了关羽的能力。这三条人命的惨重代价，能否让后面关卡的守将更加清醒地认识自己呢？

心理感悟： "公事公办"这条显规则实际上是所有组织里最大的潜规则。

29

虚情假意易骗人

人生就如天气,很难预料。当你春风得意马蹄疾的时候,也许随之而来的不是高歌猛进,而是电闪雷鸣雨暴。而当你做好了应对恶劣天气的心理准备后,也许一阵大风就吹散了乌云,艳阳再次普照大地。

关羽的心情也是如此起起落落。东岭关和洛阳这两关的遭遇让他对前路充满了戒心,却没想到,在第三关沂水关却得到了如沐春风般的美好接待。

沂水关守将姓卞名喜,原系黄巾余党,兵败后归于曹操。

卞喜听说关羽连闯两关,直奔沂水而来,当即率人离关远迎。关羽一看卞喜如此殷勤热情,不由放下戒心,下马相见。宾主言欢,其乐融融。

卞喜说:"关将军名震天下,谁不敬仰?今天去投奔刘皇叔,真是大忠大义啊!"

关羽见卞喜这样说,反而有些不好意思了,说:"可惜孔秀、韩福等人不像你这般想啊,白白成了我刀下之鬼。"

没想到卞喜浑若无事,竟然说:"将军您杀得好啊。像这等不明是非、不识时务的人,杀了也是白杀。回头等我面见丞相,代为说明您是不得已才这样做的。"

关羽大喜,称谢不已,和卞喜携手而行。

卞喜为什么能如此轻易取得关羽的信任?

每个人都希望自己的行为能够得到外部的认可,尤其是当这种行为在"情、理、法"中的某个方面甚或所有方面存在争议,就连行为的主人也对此深感不安、缺少把握的时候,任何一点善意的表示,都弥足珍贵,都会被放大,以协调行为主导者内心的不适感。

关羽的心理远没有他外在行为那么特立独行。孔秀、韩福虽然因阻拦他过关而被斩,但守关正是他们的基本职责。这一点基本常识,关羽当然是知道的。所以,关羽内心深处对这两人，以及对他们的上司曹操，还是怀有内疚之意的。

而卞喜竟然不以为忤，对关羽的行为高度认同。这种投其所好的办法是史上所有精通拍马溜须之徒最常应用的。千穿万穿，马屁不穿，关羽又怎能例外？

前面我们曾经说过，"第三方推崇"在提升一个人的正面形象时的突出作用。引申一下，"第三方解释"在为某些不当行为开脱、辩解的时候也有相当的作用，其功效远远大过行为主导者的自我辩白、申诉。

所以，关羽迅即从卞喜的言行中找到了内心的一致感，从而立即对其产生了信任。

卞喜早已在关前的镇国寺安排了宴席。卞喜带着关羽一行来到镇国寺，众僧鸣钟出迎。

镇国寺有僧众三十余人，寺内的长老法名普净。普净一见关羽，大吃一惊，迎上前来，问道："将军可是关长生？"

关羽也是一惊，"长生"是他幼时之名，早已不用，这个和尚如何知晓？

普净又问道："将军离开蒲东几年了？"

蒲东乃关羽家乡，关羽心下再无怀疑，此人必是老乡无疑。关羽说："我离家已近二十年了。请问高僧如何晓得关羽旧事？"

关羽当初因为杀了地方上的一个豪强之徒，畏罪出逃，流落江湖，这才和刘备、张飞相交。这段往事他积压心底，平素并不提起，今天突然有一个并不相识的老僧直截了当说出他的来历，关羽心中还是有些惊诧。

普净又问："将军可还认得贫僧吗？"

关羽摇头道："离乡多年，真是不认识了。"

普净微微一笑，道："贫僧家与将军家只有一河之隔。"

关羽顿悟，道："原来是你啊！"两人相视而笑。关羽自小体貌异于常人，而经久没有大变。普净则不同，原为乡间少年，今成佛门长老，名姓样貌均已大变。所以，普净认出关羽较易，而关羽认出普净则较难。

至近老乡，相隔多年，异乡相见，这种相逢之喜对于正在困境中挣扎、煎熬的关羽真是一种珍贵的心理养料。

卞喜见两人述起乡情，唯恐没完没了，泄露机密，当即呵斥普净道："我正要请关将军赴宴，你这个僧人叽叽咕咕说个什么？"

关羽却道："老乡见老乡，怎么能不说说旧情呢？"卞喜见关羽发话，只得任由普净请关羽入方丈室内奉茶。

方丈室内壁上挂着一把戒刀，普净以手触刀，频频目视关羽。

关羽心有所感，领会了普净之意，吩咐随从护持青龙偃月刀，在自己附近。

卞喜又来相请关羽到法堂赴宴。关羽看见帷幕之后，多人密布，心中顿知普净暗示非虚，遂高度警觉，直接喝问卞喜："卞将军，你请关某人到底是好心，还是歹意？"

卞喜大惊，急道："将军何出此言，我怎么敢对你起歹意呢？"

关羽冷笑道："那么你在帷幕后放着这许多人干什么？"

卞喜一时失语，关羽怒道："我以为你是好心好意请我赴宴，没想到暗藏祸心，早已埋伏下刀斧手，要取关某性命，却也没这么容易！"

卞喜见计谋泄败，急叫："左右赶快下手！"

早已埋伏好的刀斧手蜂拥而出，来杀关羽。关羽抢过随从手中大刀，抢开刀风，所向披靡。卞喜见势不妙，急忙往后院逃跑。

关羽哪里肯容，大步赶上，一刀将卞喜劈成两段。关羽急忙来看二位嫂嫂，早有卞喜部下兵士团团围住，幸好尚未下手，料是卞喜轻视二位夫人不过是女流之辈，只需集中精力对付关羽即可。

关羽挥刀，大叫："卞喜已死，谁敢为敌？"赶散兵士，保护二位嫂嫂。

普净过来相见，关羽称谢不已："若不是法师相救，早已被卞喜这贼害了！"为了二位嫂嫂平安，关羽不敢久留，当即向普净告辞出关。

普净说："贫僧在此地也难容身了，我也马上收拾衣钵，往他处云游去了。咱们后会有期。"

卞喜早已得知孔秀、韩福因为阻拦关羽被杀，为什么还要和关羽为敌呢？

这也是出自"自我服务偏见"的判断误差。孔秀是自以为武艺可以匹敌关羽，韩福虽知自己武艺不及，但却自以为智谋可胜关羽。但这两人表现在外的形式都是因直接和关羽对抗而死。

对卞喜来说，这两人都是死于直接和关羽硬拼（韩福所谓的计谋，外在形式并不明显）。

所以，卞喜就做出了这样一个判断：你们打不过关羽，我承认我可能也打不过关羽。但是，你们哪里有我的智谋厉害呢？我只要假装和关某友善，事先埋下伏兵，骗他到镇国寺赴宴，酒酣面热之时，关羽必无防备，我只消唤出刀斧手，关羽必然身首异处，我自然是大功一件！

卞喜这一招，技术含量颇高。关羽实际已经钻入他的圈套，若不是巧遇普净，关羽的千里走单骑就要永远停止在沂水关了！

那么，普净为什么要冒着巨大的风险相救关羽呢？要知道，卞喜拥关自重，镇国寺正在其管辖之下，稍有不慎，不但关羽难以幸免，普净自己也难逃一死。

普净和关羽的老乡关系是一个非常关键的决定因素。

前面我们曾经提到过刘备通过运用"接近性"法则赢得了关羽、张飞的衷心爱戴。这里再深化说明一下，接近性可以分为先天存在和后天营造两种。刘备主动运用的"食则同器，寝则同床"属于后天营造的"接近性"。而像因为血缘、地缘等因素造成的亲友关系、同乡关系则属于先天存在，是不可选择的。

人们往往因为相互间的接近、一致而相互喜欢。普净和关羽可以说是少年玩伴，在早期就建立了亲密的关系、深厚的感情。相隔二十年后在异地相逢，曾经的记忆和感情都在这一刻重新焕发出加倍的生机。

普净知道卞喜早已布下伏兵，要暗害某人。事先他并不知道到底是何人将会遇害。迫于卞喜的淫威，普净也只可能装聋作哑，毕竟事不关己，最多为了平息内心的不安，为这无辜遇害的人念上几声佛号罢了。但一旦他得知卞喜要害的这人竟然是他的至近老乡关羽后，普净就不能无动于衷、坐观其变了。但他还是畏惧卞喜的威权，所以也不敢直言，只是委婉请关羽进入方丈室叙旧，通过暗示的方式提醒关羽。如果关羽愚钝，不能理解，恐怕普净也只能苦笑无奈了。

而且，关羽杀了卞喜之后，普净也立即收拾衣钵，迅即远离，充分说明了普净内心的恐惧不安。可见，普净的这个行为，确属不易。

普净之所以对关羽援之以手，除了同乡关系之外，还有一个因素。

这就是宗教信仰。信仰对一个人的价值判断起着非常重要的作用。

普净是佛门中人。佛教的主旨是抑恶扬善，普度众生。对普净来说，身为一寺长老，必然要让自己的行为和自己的信任相一致。只有这样，才能让自己的内心不会产生认知不协调，才能让其他的僧众更加信任并服从自己的管理。

当然，由于身处乱世，刀兵盛行，保命是第一位的需求（保自己的命比保别人的命更加重要），宗教信仰对人的约束作用大大减小。如果普净真的对卞喜的阴谋袖手旁观，尽管这对他的威望有所损害，但寺内僧众还是会对他的不作为表示理解。

总之，老乡关系带来的接近性和宗教信仰带来的一致性，这两个因素起了叠加效应，促使普净鼓起了勇气，和手握重兵的卞喜作对，揭发了卞喜的阴谋，挽救了关羽的性命。如果只存在两个因素中的一个，卞喜的阴谋也许就会成为现实。

心理感悟：当虚情假意戴着面具出现，信任往往会对其一见钟情，坠入爱河。

面孔就是介绍信

关羽幸运地躲过一劫,再次上路,护送二位嫂嫂,向荥阳进发。

谁知道等待着关羽的会是什么样的命运呢!

镇守荥阳的是太守王植。在关羽到来之前,王植已经知道了孔秀、韩福、卞喜的死讯。用武力,胜不了关羽;用智谋,也胜不了关羽。如果你是王植,你会怎么应对这个难题?

王植经过慎重的思考,做出了一个决定。

关羽来到荥阳,没想到王植已经在关口笑脸相迎。有了卞喜的教训,关羽的警觉性提高了很多。但王植既没有迎合关羽过关斩将的行为,也没有索要通关文书为难关羽,只是浑若没事地说:"将军一路奔波,两位夫人车马劳顿,还是请先入城,在馆驿中好好休息一晚,明天再上路不迟。"

关羽见王植情殷意切,当下同意了王植的提议,请二位嫂嫂入城,在馆驿中暂歇。

王植说已经准备好了宴席,盛情邀请关羽赴宴。

关羽推辞说:"有二位嫂嫂在这,不敢饮酒。"王植累次邀请,关羽坚定地拒绝了。很显然,关羽虽然不善于对付糖衣炮弹,但卞喜的"宴杀计划"在关羽心中留下的阴影尚未散去,镇国寺事件的近因效应仍在发挥作用。关羽唯恐自己赴宴会和二位嫂嫂分开,即便自己凭着一身本领能够保得平安,如果二位嫂嫂出了意外,自己也是百死莫赎。

王植无奈,只好吩咐手下将美酒佳肴全部送到馆驿,款待关羽一行。

关羽细心地盘查了馆驿四处,见并无异常之处,就先安排二位嫂子洗漱安歇,其他随从也纷纷各自休歇。

关羽虽觉疲累,但毕竟心中有事,一时也不敢去歇息,只好拿出《春秋》,坐在厅堂上秉烛观看。

这个关羽，现在最要紧的不是看《春秋》，而是动动脑筋，思考一下王植为什么会如此对待自己呢！

世界上没有无缘无故的爱，也没有无缘无故的恨。如果一个人表现出来的行为和他应该表现出来的行为有很大的反差，那么就要警惕是什么导致或支撑着这种反差的。

也许关羽并不知道王植和韩福的关系。这两个人实际上是儿女亲家。韩福刚死，王植就接到了通报。以他们俩的关系，王植会心甘情愿地将关羽待如上宾，并礼送出关吗？

即使关羽因为和曹营众将交往不深，不了解这背后错综复杂的人际关系，他也应该细细想想为什么王植会表现得和其他守将不一样。除了暗藏阴谋的卞喜，前两关的守将都是咄咄逼人地向关羽索要通关文书。这说明，如果私自放关羽上路，这些人都是要被曹操军法处置的。那为什么王植就不怕呢？

如果关羽能够抓住这个反常点，就应该婉拒留宿的邀请，趁着王植殷勤的笑容尚未消失，赶快上路，以免夜长梦多。即使王植不顾一致性的约束，当场翻脸，那也可以立即辨识出他的真面目，也胜过稀里糊涂地中了人家的计谋。

却说王植，秘密换来从事胡班，下令说："关羽背着丞相私自外逃，一路上杀了三关守将，罪该万死。但是，此人勇猛难当，不可力敌。你马上带着一千军兵，围住馆驿，在四周堆满柴薪，一人一个火把，四处放火。不管是谁，一律烧死。今晚二更行事，我自己再带一千军民接应。"

胡班领命，自去安排停当，只等二更到来，便要放火烧馆。

正闲坐间，胡班却起了一个念头："这个关羽，听说是个英雄，颜良、文丑都是河北名将，人不能胜，却全都死在他手上。此前还有过温酒斩华雄的壮举。我也学得一身武艺，这样的英雄来到荥阳，如果不见上一面，看看他到底是长得什么模样，就一把火烧死了，恐怕也是终身的遗憾。"

这个念头一起，胡班就再也坐不住了，当下走进驿馆，问驿吏道："关将军现在何处？"

驿吏道："关将军还没睡，正在厅上灯下看书。"驿吏待要引见，胡班拦住，道："我自去一观，无须通报。"

胡班走近一看，只见关羽红脸威严，端坐如松，左手撩须，右手捧卷，正在灯下细看《春秋》。不禁大惊，感叹道："神威凛凛，真乃天人也！"

这句话声音有点高，关羽听到了，发问道："何人在此？"

胡班不敢逃匿，硬着头皮入内拜见，说："我是荥阳太守手下从事胡班。"

关羽突然想起一事，说："你莫不是许都城外胡华的儿子？"

胡班点头称是。关羽说："幸好你来，差点忘了一件事。"当下吩咐随从把胡华所写之信转交给胡班。

关羽对此信并未给予足够重视，一路杀伐不停，竟然将这封信忘了个一干二净。却不知道，正是这封看似微不足道的信，救了自己一行二十多人的性命。

胡班看完信后大惊，道："好险啊，险些误了忠良性命。"当下立即将王植的图谋全盘告诉了关羽。

关羽听说王植在馆驿四周布满了柴薪，一千军士人手一个火把，只等二更点火，不由地惊出一身冷汗！来不及慨叹自身运途不济，竟要遭遇这么多磨难挫折，立即唤人请二位嫂嫂起床上车，自己则披挂整齐，提刀上马。胡班前去打开城门，关羽催动车仗，赶快走出馆驿。

胡班开好城门，又转回身去放火。王植看见火起，就来接应，却见馆驿中空无一人，愤怒已极，不及细问，料定关羽一行并未走远，立即下令出城追击。

王植的这番安排，还是没逃出"自我服务偏见"的魔爪！不可力敌，必可智胜！你卞喜虽然也用过计谋，但还是不够老练，你布下伏兵，但还是要和关羽硬碰硬地正面砍杀才能成功。以关羽之神勇，即使是步战，你也占不了上风。既然要用计，就得用关羽绝对抵挡不了的计策。你关羽再神勇，也抵挡不了火攻，那我就火来对付你，准保马到成功！

王植的这番谋划，虽非天衣无缝，但对"吃软不吃硬"的关羽来说，还是有着很大的成功可能的。如果不是胡班横生好奇之心，非要看上关羽一眼，关羽的故事就将提前结束，一切都将在荥阳尘埃落定。

从胡班接受王植命令前后的表现来看，王植对他的控制力还是非常强的，胡班严格执行了他的命令。那么，令人费解的是，为什么胡班仅仅是看了关羽一眼，就会迅速转变立场，由忠于王植到钦佩关羽，并全盘将王植的计谋托出，并提前为关羽开好了城门，放了他一条生路呢？

如果关羽事先将胡班之父的信件交到了胡班之手，胡班暗中帮关羽的忙还是合情合理的。但关羽偏偏忘了这一回事。所以，胡华之信的作用虽不可轻视，但并不是胡班转变的第一因素。

那么，到底是什么因素导致了胡班内心态度一百八十度的大转弯呢？

很简单，第一因素就是关羽的容貌！

人们一直不肯正面承认外貌与生俱来的影响力。

伊索曾经说过："我们应该更加注重心灵，而不是外表。"亚里士多德也曾经说过："人格的魅力胜过任何介绍信。"

这两句话都很有道理。但是，这是就长期而言的。当一个人第一次看到另一个人的一瞬间，他并没有足够的时间和信息来对这个人进行心灵上的判断，只能根据外貌来做出判断。事实上，人际交往中的第一眼就决定了百分之八十以上的一个人对另一个人的评价。

巴特·辛普森的一个实验结果后来被称之为"巴特·辛普森效应"。这个结果告诉我们，大多数人认为，长相一般的孩子，他们的才干和社交技能都不如那些漂亮的同龄人。

反之，人们就下意识地将一些正面的品质如聪明、善良、诚实、机智、勇敢、威严等加到那些拥有充满吸引力的面孔上。这一点，就连尚未具备完整的思维判断能力的婴儿也不能例外。1987年的一个实验充分证明了这一点：三个月大的婴儿偏爱有吸引力的面孔，对这些面孔的注视时间大大超过平常的面孔。

面孔的吸引力会直接转化成面孔主人本身的吸引力。所以，在外貌上有魅力的人，往往能够获得更有声望的工作，赚取更多的财富。

罗瑟尔1990年在加拿大全国范围内进行取样调查，让主考官对样本的吸引力进行了五个等级的评定（"一"表示相貌平平，"五"表示容貌出众，非常有吸引力）。结果发现，在吸引力上得分每增加一个单位，每年平均能够多挣一千九百八十八美元。弗里茨1991年也进行了类似的实验，根据照片对七百三十七个MBA毕业生的外表进行了五等级的评价，发现吸引力得分每增加一个单位，男士可以每年多挣两千六百美元，而女士可以多挣两千一百五十美元。

外表上的优势可以让人在建立影响力和权威感上轻松裕如。

一个对1974年加拿大联邦政府选举结果的研究表明，外表有吸引力的候选人得到的选票是外表没有吸引力的人的两倍半。而美国宾夕法尼亚的一个对审判结果的研究表明，那些容貌英俊的被告被判的刑期明显较短。确切的数据是外表有吸引力的被告免除坐牢的机会是外表没有吸引力的被告的两倍。

在三国及其后的魏晋时代，可以说是中国历史上最为重视仪容风度的年代，也是外貌的影响力最大的年代。在《世说新语》中专有"容止"一章记载魏晋的美男子。潘安就是当时最负盛名的美男子。他的乳名叫"檀奴",这直接导致了后来许多女子都把自己的情人或者老公唤作"檀郎"。可以说,潘安因为其出众的容貌而成了当时很多女子的"梦中情郎"。有一次,潘安上街,正在街上行走的所有女人猛然间都停住了脚步,整齐划一地在街道两侧排成了两列,并纷纷从篮子里拿出各色水果向潘安掷去,以表达对潘安的爱慕之情。

再回到关羽。关羽面如重枣,颔下长须,天生就有一种威严感、权威感,在夜半灯烛的光晕映照下,真如天神一般。加上此前他的英雄事迹早已印刻在胡班心中。很多容貌平常的人取得成功之后,往往会被人说上一句"见面不如闻名",但关羽不同。从人的判断本能来说,关羽的容貌、长相和他的成就高度一致,从而,"见面"和"闻名"交相辉映,叠加强化,顿时让年少淳朴的胡班惊为天人!

这是近乎神的一种形象,怎么能不让胡班佩服得五体投地呢?!王植虽是上司,但不过是庸俗人等,其影响力哪里能够和神威凛凛的关羽相提并论呢?

在胡班对关羽敬服不已后,他父亲胡华的信也发挥了重要作用。关羽神一般的形象让胡班顿然消除了伤害之心。而胡华的信则进一步促进了胡班主动去打开城门,放关羽一条生路。这是因为,在当时的年代,"天地君师亲"具有极大的权威约束力,与"亲"直接相关的"孝"是社会主流价值观之一。父亲之命,是必须遵从、决不可违背的。所以,在两个因素的叠加影响之下,胡班当即做出了那个令王植极为愤怒的决定。

心理感悟:尽管"人不可貌相",但以貌取人作为人的一种本能从未放弃过在人生舞台的纵情演出。

31

黎明前夕的放松

关羽逃出生天，急急赶路。王植眼见密谋成空，气急败坏，拍马来追。

"冲动是魔鬼"，这句话一点不假。剧烈的情绪变化会让人在瞬间失去理智！王植明明知道自己无法力敌关羽，明明知道前面已经有四条人命毁在了关羽之手，但还是敌不过愤怒情绪的瞬间推动力。

王植是愤怒的，但他不会想到，关羽比他还愤怒。

王植大喊："关羽休走，拿命来！"关羽怒喝道："混蛋，我和你无冤无仇，为什么要放火烧我？"转身迎上，手起一刀，将王植斩于马下。

关羽一路疾走，来到滑州地界。太守刘延早已闻报，慌忙带领数十随从出城迎接。当初颜良犯界，正是关羽帮了刘延一个大忙，解除了他的外患。所以，关羽对刘延是有恩义在先的。

这一路打杀而来，并不是关羽内心所愿。所以，如果能够兵不血刃过关，是关羽最希望看到的局面。生活教会了关羽如何生活。当他看到这个打过交道的老面孔的时候，关羽决定先发制人，换用另外一个办法。

关羽在马上欠身施礼，说："刘太守，别来无恙啊？"

这句话其实不是在问候，而是在提醒刘延，你可别装不认识，咱们不久前可是见过面的。

刘延也是职场老手，明知故问："关将军，你要到哪里去啊？"

关羽说："我辞别了丞相，要去寻找兄长刘备。"

刘延说："我听说刘玄德在袁绍那里安身。可是袁绍是丞相的大仇人，他怎么能够允许你去呢？"

刘延这是在表示怀疑，你说是辞别丞相，是不是私自跑出来的。如果丞相同意你去，为什么这一路上的守关之将全部被你杀了呢？

关羽也不含糊，说："我老早就和丞相约定好的，只要有了兄长的消息，一定要去找他的。"

"关三条"刘延当然是知道的，也就不再多言。但他唯恐关羽要从自己地界上过关，将来丞相怪罪下来，承担不起，所以这个老油条不等关羽发话，立即将话题转移："现在黄河渡口关隘，是夏侯惇将军的部下秦琪在把守，恐怕他不容你过关吧。"

刘延这招是职场里推卸责任的必备技能。刘延早知道，关羽如果一见面就提出要求，要自己回报他此前斩杀颜良的恩义，他是很难拒绝的。所以干脆把球踢了出去。

可是，关羽和秦琪素不相识，没有交情，他还是希望刘延能够帮他一个忙。

关羽说："刘太守，你能不能给我一艘船只，让我自己渡过黄河。"

关羽的意思是，没有曹丞相的通行文书，秦琪当然是不会放我渡河的。我也不去麻烦他了，你给我一只小船，我偷偷渡过去就算了。

但刘延怎么会惹火烧身，连忙说："船我是有的（说没有是骗不过关羽的），但是我不敢借给你啊。"

关羽问："为什么？以前我杀了颜良、文丑，也算是为你解了围。难道今天我向你借一只渡船你也不肯吗？"

互惠原理的威力是巨大的。有借有还，礼尚往来，关羽的请求是很难拒绝的。但互惠原理在刘延身上却失去了效力。

这并不是因为刘延是个厚颜无耻的人，而是因为他使用了一种特别有效的方法——装可怜！

刘延可怜巴巴地说："关将军，你的恩德我一直牢牢铭记在心头。今天不是我不帮你的忙啊。夏侯惇将军的脾气你是知道的，我要是借给你了，你看我这一把老骨头，夏侯将军一定会劈了我的。"

这一招非常管用。这并不是直接对抗互惠原理，而是通过将自己装扮成弱势群体，将对抗转移到第三方，并以第三方的管束、要求来表现自己违背互惠原理是迫不得已的。

关羽心想："你怕夏侯惇劈了你，难道就不怕我劈了你吗？"但关羽向来是吃软不吃硬的，他看刘延一把鼻涕、一把眼泪的样子，心里骂了一句"这个无用之人"，也就不再强逼他了。

关羽催动车仗，直往秦琪寨边进发。望着关羽远去的背影，刘延以手加额，庆幸自己躲过了一劫。

刘延是躲过了，但秦琪可就要倒霉了。

却说秦琪闻报关羽来到寨边，当即引军出寨，喝问道："来者何人？"神态十分傲慢。

关羽见了，眉头一皱，道："我乃汉寿亭侯关羽是也！"

请注意，关羽再次搬出了自己曾经最辉煌的头衔。对于傲慢无礼的人，高人一等的头衔往往是很起作用的。但在秦琪身上似乎却失去了效用。

秦琪仍是十分傲慢地问道："今欲何往？"

关羽强忍怒气，说："我现在要去河北，去寻找兄长刘玄德，因要渡河，特来借船。"

秦琪道："那么，可有丞相的公文啊？"

这套说辞关羽反反复复已经听了多次了，知道如果正面回答，一定没戏。因为这是一条最具潜规则效应的显规则。所以，关羽试着换了一种方式来回答："我从来都不受曹丞相管辖节制，哪里有什么公文？！"

秦琪哈哈大笑，道："我奉夏侯将军的将令，在此把守关隘，如果没有丞相公文，别说是你，就是一只鸟，也难飞过黄河！"

关羽大怒，道："你难道不知道，我这一路行来，凡是胆敢阻拦我的，都成了我的刀下之鬼了吗？"

秦琪道："你刀下只杀得无名小将，难道你还敢杀我吗？"

关羽怒道："你难道没听说过河北猛将颜良、文丑吗？难道你比他们还厉害？"

秦琪更不搭话，纵马举刀，直奔关羽。

秦琪为什么这么牛气冲天呢？有两个原因。

第一个原因，和前面几关的守将相比，秦琪的武功确实要高出一筹，所以在他眼中，那些人不过是无名鼠辈。

但这还不是最重要的原因。最重要的是第二个原因。秦琪有着很硬的后台。秦琪的舅舅是曹操帐下的名将蔡阳，秦琪自幼跟着蔡阳学武，有名师指导，武艺自然高强一些。蔡阳和曹操的嫡系亲信大将夏侯惇关系非同一般，特意把外甥秦琪托付给夏侯惇，在他帐下效力。

由于有特殊关系的照应，旁人都让他三分，这直接导致了秦琪的"自我服务偏差"比常人更加突出，更容易大幅度高估自己的能力，更不容易清醒地认识自己。

对于前面四个关卡来说，如果守将闭门不出，关羽还可以从崎岖山路上想点办法绕道慢行。但秦琪可以依赖的却是黄河天险，如果没有渡船，真是插翅难飞。只要秦琪严加防守，关羽若来冲寨，只需一阵乱箭即可射回。但秦琪已经傲慢成性，前面的五条人命对他一点警醒作用也没有，他根本不把关羽放在眼里。

但对关羽来说，秦琪也不过是小菜一碟，二马相交，只一个回合，秦琪已经人头落地。不过杀了这个人，关羽的麻烦可就大了。孔秀、韩福、孟坦、卞喜、王植，你都杀得，但偏偏这个秦琪杀不得。前面数人，基本没有什么背景，但秦琪却有很硬的背景，势必不会和关羽善罢甘休。

秦琪已死，手下军士四散奔走，关羽喝住数名，责令其赶快准备渡河船只。

关羽渡过黄河，前面已是袁绍地界，眼见这一段极其困难、凶险的旅程即将圆满结束，不由地一阵轻松。迅即又想起所过五关，所斩六将，又是一阵愧疚直涌心头："曹丞相若是知道了，必定心怀痛恨！请恕关羽无礼了。关羽并非忘恩负义之人，只是被逼无奈，恳请明察啊……"

互惠原理不会总是失灵，这六人其实并不会白死。这六条性命，日后将换回十倍乃至数十倍的生命。

关羽正行之间，忽听见一骑急急从北迎面疾驰而来，大呼道："云长少住！"

关羽定睛一看，原来是孙乾。孙乾带来了刘备的最新消息。

孙乾说："目前袁绍帐下，田丰系狱，沮授被斥，审配和郭图争权，一片乱象。刘备唯恐祸及自身，找了个借口，去汝南会合刘辟、龚都。特意派我到路上迎接云长，以免误撞到袁绍帐下。"

关羽听到兄长的确切消息，大喜过望，立即向二位嫂嫂禀告。

当下，关羽调整方向，直向汝南进发。

渡过黄河后，关羽以为自己已经渡过难关，心情放松了许多，却不知道这段艰苦跋涉的苦旅只是露出了一线曙光，还远远没有到结束的时候，前面还有更大的凶险在等着他……

心理感悟："装可怜"是反制"互惠原理"最有效的技巧。

32 领导的话也要分析执行

再说曹操，自关羽去后，心情虽然颇为复杂，但他还有一招妙棋尚未出手，他的心思都放在这预订计划的具体实施上了。

这一天，曹操根据关羽的大致行进速度，估摸着关羽快到东岭关了。当即传来一个小兵，吩咐将通关文书给关羽送去。曹操这样安排，自有其道理。传令兵单人独骑，出发虽晚，但速度很快，关羽在东岭关耽搁一两天，传令兵也就赶上了关羽。

等到关羽再向下一关进发的时候，曹操如法炮制，算计好关羽的大致到达时间，然后必定要耽搁一两天，以增加关羽的行进难度，以彰显恩惠的弥足珍贵。

关羽哪里知道曹操打的小算盘。过了黄河后，他随着孙乾，认准了刘备所在的汝南方向，急行前往。正行之间，忽听背后马蹄声急，回头一看，烟尘滚滚，却是夏侯惇率领三百多骑，疾奔而来。

关羽吩咐孙乾保护车仗继续前行，自己勒转马头，直迎夏侯惇。

关羽先发制人，说："你来赶我，是想让曹丞相背上不够大度的罪名吗？"关羽这一招是跟张辽学的，当初张辽劝降的时候，屡屡用刘备当筹码来说服自己。夏侯惇是曹操的本家兄弟，对曹操之忠心不下于关羽之于刘备。

但关羽显然没有学到家。以夏侯惇对曹操之忠，是不可能对关羽闯关杀将之事置若罔闻、放任自流的。曹操将黄河两岸的这块地盘交给了他，这是在他地盘上出的事，他必须追究到底。这才是真忠心、真负责的态度及行为。

夏侯惇睁着一只独眼，道："丞相至今尚未有明文传报，你一路上杀人闯关，又杀了我的部将秦琪，我怎能放你走路？还不快快下马受擒！"

关羽大声道："我当初降汉的时候，就说过我走的时候，是不用向丞相禀告的。一路上把守关卡的将校，无事生非，阻拦于我，逼得我大开杀戒，我又有什么办法！"

今天的夏侯惇不是和关羽来辩论的,而是来为秦琪报仇的。你想,蔡阳和他这么好的关系,把外甥托付给了他,他不但没照料好,反而被关羽斩了,你让他怎么向老朋友交代呢?

所以,夏侯惇根本不和关羽斗嘴,大喝一声:"我要为秦琪报仇!"拍马挺枪来战关羽。关羽正待举刀相迎,忽听背后一骑飞马赶到,大叫道:"不可交战,丞相有公文在此!"

原来,这是曹操派出的第一个传令兵。传令兵急急赶到东岭关,本以为马上就可以回程交差。不料一看,关羽已经斩将过关,早已远去。传令兵唯恐有失,一路赶下来,听到的都是坏消息,一直赶到黄河岸边,渡河之后,才堪堪赶上。

传令兵当即传达曹操的命令:"丞相怜爱关将军的忠义之心,唯恐路上关卡拦截,特出此文,派我传达,请放关将军过关!"

关羽心中一动,夏侯惇却不罢休,问道:"关羽在路上杀了守关之将,丞相可曾知晓?"

传令兵道:"这个丞相却不知道。"

夏侯惇道:"如果是这样,我还是得将关羽拿下,去见丞相!"

关羽大怒,说:"我要是怕你,就不是男子汉大丈夫!"拍马抡刀,直取夏侯惇。

夏侯惇挺枪相迎,两人大战二十回合,不分胜负。夏侯惇是曹营中的一流上将,但并非排名第一的猛将。曹营中和夏侯惇实力不相上下的大将其实颇有几个。他能和关羽相斗二十回合,不落下风,正好说明了关羽在没有处于"唤起"的状态时的真正实力。前面所说的颜良、文丑,如果凭借真实水平和关羽相斗,至少要在一百回合后才能分出胜负,而且,到底谁胜谁负,也还是未知之数。

两人正斗之际,又一飞骑来到,喝开二人。这是曹操派出的第二位传令使者,本是预备在洛阳用的,但关羽早已斩将过关,因此一路上追了下来。

使者传令已毕,夏侯惇还是照例问道:"关羽在路上杀了守关之将,丞相可曾知晓?"

传令兵道:"这个丞相却不知道。"

夏侯惇道:"既然如此,还是不能放他走人。"

二人继续斗战。

过不多时,曹操的第三位使者又已到了。

一路上有五个关卡，曹操是打算用足五个名额的。但是，当他派出第三个传令兵后，就不再派第四个了。因为关羽一路闯关斩将的消息不断传来。再送通关文书已经没有丝毫的实际意义了。

　　曹操精心设计的恩惠拔高计划全部泡汤，郁闷到了极点。他不怪关羽斩了他的守关大将，却对守关诸将不自量力、擅自出战极为恼火。正是这些不知好歹的家伙坏了他的大好计划，令他苦心孤诣设计出来的资源转负为正的效果变成零。

　　但曹操毕竟是曹操，他想起来镇守黄河两岸的夏侯惇。曹操想："元让跟了我这么久，必定知道我的心思，应该不会像那几个蠢材一样盲目出战吧。"曹操抱着一线希望，希望夏侯惇能够将关羽阻拦。但转念又一想，如果夏侯惇知道关羽一路斩将，以他的火暴脾气，必然要和关羽拼命！

　　如此一想，曹操不由吓出一身冷汗！两虎相斗，必有一伤。夏侯惇是自己的心腹爱将，如果不幸死在关羽刀下，那损失可就太大了。如果夏侯惇侥幸杀了关羽，那么关羽这个资源就发挥不了一点价值了。天下人肯定要把责任归到我曹操身上，说我明放暗杀。这样对我声誉极其不利。

　　曹操这一急，立即就叫来张辽，命令他火速赶往黄河渡口，不论关羽路上杀了多少人，务必不能让他杀了夏侯惇，也务必要让关羽赶快走路，以留日后相见之机。

　　夏侯惇和关羽纷斗不休，正难收场，张辽恰好赶到。

　　张辽这一次传达的命令是很彻底的，也终于为曹操挽回了一些关于关羽的资源价值。但夏侯惇始终想着蔡阳之托，觉得无法交代，依然不肯罢休。

　　张辽只好说："你且先放关将军走路，蔡将军那里我自有分说。"

　　夏侯惇这才吩咐军马撤退。

　　在这一场龙争虎斗中，最值得分析的是夏侯惇对待曹操命令的态度。

　　一般来说，对上级的命令唯命是从是一个模范下级的良好做法。但夏侯惇却不这样做。他必定要先了解了上级发出该命令时的背景情况，然后再根据这个背景情况，对上级的命令进行二次判断，绝不盲从。

　　这是非常高明的做法。因为上级和一线之间必然存在着信息不对称。当上级根据不够充分的信息做出判断下了命令后，往往这个命令会因为和一线实际情况的脱节而存在着误差，甚至错误。如果下级机械地加以执行，表面上看是对上级命令的尊重，但实际上却是对最后结果的不负责任。

　　夏侯惇每次都要问清丞相是否知道关羽杀人，是因为根据他对丞相的了解程度，这是曹操作判断的关键前提。

而且，夏侯惇尽管因关羽杀了秦琪而非常痛恨他，但他始终保持着冷静，一直坚持要把关羽生擒，送交丞相处理，而不是像五关六将那样，不管自己有多少分量，动不动就要取了关羽的首级去见曹操。

活关羽和死关羽对曹操来说，资源价值是大不一样的。如果关羽被五关六将中的任何一人生擒而归，曹操都可以大做文章；反之，如果五关六将杀了关羽，曹丞相为了平息天下物议，是很可能将杀关羽者军法处置的。

从以上两点来看，夏侯惇虽然只有一只眼，但显然看得比大多数人都清、都远，也真的没有辜负曹操对他的看重。夏侯惇是一个值得托付重任的人！

张辽这一来，过五关斩六将就结束了，前面已经是袁绍的地界了，追兵也不会再来了。关羽长吁了一口气。

这一段旅程，让关羽学会了很多东西。但他还是没有学会人生中最重要的一课，所以生活日后会继续给他上课，直到他生命终结，再也用不着学习为止。就是因为关羽对这一课的忽视，让他遭到了生命中最惨痛的失败，并最终付出了自己的生命。

在这里，再提一下五关六将。尽管他们在"自我服务偏见"的驱动下，不由自主、不自量力，也不管他们出于什么样的心态，采用什么样的手段，但他们付出了生命的代价，全都做到了忠于职守。和那些叱咤风云的大英雄相比，他们只是微不足道的小人物，也许人们今后不会再想起他们，但忠于职守的人始终值得我们钦佩。

张辽和关羽依依话别，竟是不知道说什么才好。就两个人的立场来说，这也是非常正常的一种情绪。

张辽没话找话说："云长兄，你准备去哪里呢？"

没想到这句话歪打正着。本来关羽的去向是很明确的，但由于孙乾的出现，临时改变了方向。但关羽又不能实话实说，唯恐曹操知道后会立即出兵讨伐刘备。同时，在最后离别的时候，关羽也不忍心欺骗这个老朋友。

所以，关羽说："我的兄长玄德公已经离开了袁绍，又不知下落了，我反正是找遍天下也要找到他。"

张辽一笑，其实并不相信，随口说出一句："既然玄德公不知下落，云长兄不如暂且跟我回去见丞相，等玄德公有了确切消息后，你再去找他……"话未说完，张辽自己也知道这是不可能的事情，就住口不说了。

关羽当然要说："既然已经告辞，哪里还有回去的道理呢？"内心中想："这一趟走得如此艰辛，我再也不愿重来一遍了。"

关羽和张辽挥手道别，想到从此以后他们分列两个阵营，很快就会刀兵相见，不由相对无语。

心理感悟：生活经常就同一主题给你上课，直到你再也不会或再也没机会在这一方面犯错误为止。

讨价还价的技巧

关羽继续前行。这一日，正值大雨滂沱，行装尽湿，远远望见有一座庄院，关羽立即前往借宿。

庄主名叫郭常，对关羽一行热情接待。

郭常有一子，性喜浪荡，不务正业。晚间趁关羽等不备，要偷走赤兔马，不料却被赤兔马踢倒在地。关羽听见动静，提剑去看。赤兔乃关羽心爱之马，关羽纵横天下，千里独行，全仗此马。关羽本要将其杀死，郭常赶过来苦苦哀求，关羽感郭常招待之情，拉不下面孔，只好放了郭常之子一条生路（互惠原理无处不在啊）。

天明，关羽、孙乾告别郭常上路，行至一山，忽见山上有一头领，头裹黄巾，身穿战袍，带着一百余人，冲下山来。头领身边一人，指指点点，正是郭常之子。

头领大叫道："我乃天公将军张角部下大将裴元绍是也！来者赶快留下赤兔马！"

关羽一听，不由大笑道："无知匹夫！你跟着张角为盗，可曾听说过刘、关、张兄弟三人的名字？"刘关张本是个专职扫黄灭黄的人，裴元绍今日打劫，正可谓是小偷遇到了贼祖宗！

裴元绍道："我只听说红脸长须者是关羽关云长，却从来没有见过。你到底是什么人？"

关羽今天心情不错，竟然没有挥刀直取裴元绍，而是耐心地解开须囊，放出长须，给裴元绍观看。

裴元绍一看关羽的体貌特征，当即滚鞍下马，一把揪下郭常之子，拜献于马前。

关羽细问缘由。裴元绍说："我自张角死后，无处安身，只好啸聚山林。今早这厮上山来报，说有一客人骑着一匹千里马，在他家中借宿，叫我等在此等候，强夺此马。不想却是关爷爷。您可将此人杀之，以抵其罪，不干小人的事。"

裴元绍把责任推得干干净净，但他这番话却说得关羽很开心，因为曹操埋在他心中的骄傲种子已经开始慢慢地萌芽了。

关羽依旧放了郭常之子，不加追究。这也是一致性的表现。

关羽和颜悦色地问裴元绍："我不认识你，你怎么知道我的名号？"

裴元绍道："离这二十余里，有一座卧牛山，山上有一个关西人，姓周名仓，两臂有千斤之力，勇不可当，曾在黄巾军张宝部下为将。张宝死后，他也是无处安身，只好啸聚山林。他多次向我提起将军您的盛名，只恨没有门路可以投奔！"

关羽听了，哈哈大笑，开心不已，对裴元绍说："现在我才知道，山林之中，也有信义之士啊！今后你等可以改邪归正，不要终身陷在盗贼里面啊！"

裴元绍称谢不已。两人正要话别，遥望远处烟尘滚滚，一彪人马飞速赶来。裴元绍看了一眼，说："这一定是周仓来了！"

周仓一看到关羽，立即下马拜伏于地。关羽连忙扶起，问道："壮士，你从何处认识关某来？"

周仓说："我以前跟随黄巾张宝的时候，曾识尊颜，仰慕已久，只恨自己身陷贼党，不能跟随于您啊！今日天赐良机，得以在此结识将军，周仓愿意跟随将军，就是当一个小卒，早晚执鞭随镫，死也甘心，万望将军不弃！"

关羽见周仓十分有诚意，不由心动，说："你愿意跟我，那么你手下的伴当怎么处理啊？"

周仓十分坚决地说："听凭他们自愿！愿意跟着的就带走，不愿跟着的自寻出路。"周仓随即问了一声，众人都说愿意跟随。

关羽想了想说："待我禀告二位嫂嫂，再行决定。"

想当初，廖化并非黄巾，也是真心要跟随关羽，却被关羽婉言拒绝，而周仓、裴元绍都是货真价实的真黄巾，关羽为什么却愿意收留呢？

难道关羽对黄巾盗贼的偏见已经消失或转变了吗？

内群体对外群体的偏见不可能无缘无故地消失，也不可能轻轻松松地转变。只有在外群体中的某一个个体通过言行表现出了和其所属群体明显不一样的特性，才有可能扭转别人的偏见。

在关羽对黄巾的刻板印象中，这些人都是不明礼仪、唯利是图的卑劣之徒。但裴元绍和周仓一见到关羽，立即行礼如仪，拜伏于地，言语中对他也是十分尊重，令关羽十分受用。特别是周仓，见面的第一句话就十分坚定地表达了自己的要求，哪怕是给关羽当一个随从小卒也毫无怨言。裴元绍在介绍周仓时所采用的"第三方推崇",更是极大地提升了周仓的良好形象。

关羽这一段时间,过五关斩六将,心情极度压抑,因为即便是一个无名小辈,也只是服从曹操一人,从没有人把他放在眼里,这深深地伤害了关羽的自尊心。

而裴、周的这些极显诚意的言行,和五关六将的态度形成了鲜明的对比,让关羽十分受用。同时,也促使关羽将裴元绍和周仓从黄巾盗贼这一个低劣的外群体中区隔独立出来。

关羽所说的"现在我才知道,山林之中,也有信义之士啊"就是这个意思。也就是说,关羽对黄巾的偏见依旧存在,只是他已经不再将裴、周二人视为黄巾之属了。

关羽愿意收留周仓,并询问他手下的伴当何去何从,还有一个现实的需要。单人独骑的艰辛,关羽早已尝够,眼下虽然已脱险境,但展望未来,要想和兄长刘备大展宏图,必须援用外力。这样,带上周仓、裴元绍及其手下人马,就成了一个最好的选择。

那么,关羽计议已定,为什么又提出要禀告二位嫂嫂呢?

这里面有两个原因。

第一,与刘备相见日近,如何解释自己的这一段经历,是离不开二位嫂嫂的评定说明的。"挟二嫂以保名声"能否成功的关键就在于此。此刻,孙乾恰好在场,又制造出一种他人在场的评价顾忌。所以,关羽必须表现出对二位嫂嫂的尊敬。

第二,人都有保持一致性的内在需求。前次关羽拒绝廖化,这次接受周仓,前后有矛盾之处,关羽自己也感不妥。禀告二位嫂嫂,则可以将此决定视为二位嫂嫂的意见,由此即可平息关羽自己内心的认知不协调。

关羽以为,二位嫂嫂必定同意,不过是走个形式而已,但没想到却碰了个软钉子。

二位夫人不软不硬地说了这样一番话:"二叔自离许都以来,一路独行到此,历经多少险难,从来也没有需要军马跟从。上次廖化想要跟随,也被你拒绝了。这次如果容许这一大伙为盗者跟随,恐怕惹人议论吧。不过,我二人只是女流之辈,没有见识,大主意还是二叔你自己拿吧。"

二位夫人的这番话,说得很有水平。其实,当初廖化来投,二位夫人是持肯定意见的,因为廖化所给的恩惠是直接针对这姐妹二人的。但关羽未经商量,就将其拒之门外,令二位夫人心有不满。如果关羽这次还是自作主张,二位夫人也不会来干涉。但关羽一来禀告，二位夫人就逮住这个机会委婉地表达了自己的不满。

关羽愣了一下，只好说："嫂嫂说的是。"

关羽虽然有心收留周仓，但既然二位嫂嫂表达了意见，关羽也只好从命了。

关羽对周仓说："不是我不肯收留你啊。只是二位嫂嫂不同意。这样吧，你们先在山寨中耐心等待，等我寻到兄长后，一定再来招你。"

这倒是个不错的办法。不料周仓却顿足道："我周仓不过是一个粗鲁匹夫，不幸失身为盗。今天遇见将军，可谓是重见天日。如果今天错过了，日后哪里还有门路得见！既然将军不容许我们全伙跟随，那么我就让他尽数跟随裴元绍，我就自己单身一人跟您去，不管千里万里，也不辞辛苦！"

关羽见周仓如此坚决，深受感动，只好又来禀告二位嫂嫂。

甘夫人道："如果只有一两个人跟随而去，那也没什么不可以的。"

周仓闻言，大喜过望。周仓为什么能够在这短短的瞬间，改变二位夫人的意见，征得二位夫人的同意呢？这里面蕴藏着一个重要的说服技巧。

前面我们曾经提到非常有用的"登门槛"技巧，而这里却是一个正好相反的"闭门羹"技巧。

"登门槛"是由小渐大、得寸进尺的技巧；而"闭门羹"则恰恰相反，是由大转小，虚大实小，从而得逞的技巧。

"闭门羹"技巧首先提出一个几乎一定会被拒绝的、非常大的请求——门当着你的面砰然关上。然后，在被拒绝后，再提出一个小一点的请求，门就会被打开一丝缝隙。

当然，这个"大"的要求在更多的时候只是一个幌子，请求者内心的底线实际上是那个"小"的要求。当请求者提出一个貌似很大，但肯定不会被满足的要求时，尽管是必然会被拒绝的，但拒绝的发出者也会因为这个动作而心中有所愧疚。

同时，由于"大""小"两个要求之间形成了"知觉对比"效应，这样，由于有"大"在前面做铺垫支撑，"小"则愈显其小，和先前的"大"相比，也就更显得微不足道了。这样，被请求者就不好意思再加以拒绝了。如果不是使用"闭门羹"技巧，而是直接提出"小"的要求，也是不会得到满足的。

有这样一个有意思的实验。

实验者在一所大学校园的人行道上拦住了一些行人，希望他们能够答应自己的请求，完成一个由"加利福尼亚互助保险公司"进行的关于"住宅或宿舍安全"

的调查。实验者对行人保证，这份调查只需要十五分钟就可以完成。对其中一些行人，实验者非常有礼貌地直接提出要求，希望他能够完成这份简短的调查。因为大学校园是一个节奏明快的地方，而关于保险的调查又非常枯燥，所以不出所料，只有百分之二十九的人答应了这一请求。同时，另外一些行人则被作为实施"闭门羹"技术的目标人群。对于这一部分人，实验者首先要求他们填写一份需要两小时才能完成的问卷调查。被拒绝后，实验者询问这些行人是否至少可以帮助完成一个需要十五分钟完成的答卷。结果，百分之五十三的受访者接受了这一请求。

周仓因为其坚决和诚意，无意中使用了这个技巧，终于得偿所愿。

心理感悟：给予要以小博大，索取要以大博小。

浑身有嘴也难剖白

周仓执意要跟随关羽而去，终于如愿以偿。裴元绍却是个没主见的人，初见关羽，他只是表达了仰慕之情，并没有想过投靠。现在一见周仓作了决定，也想跟着一起去。

这是一种典型的从众心理。尽管每个人都向往自由，但大多数人都缺乏独立做出判断的勇气，也害怕承担自我独立判断可能带来的不良后果。但是，一旦有其他个体，特别是在小群体内具有一定权威性的个体做出决定后，人们往往愿意跟随而行。裴元绍是如此，周仓手下的部众也是如此。

在裴元绍心目中，周仓的形象很高大，从而周仓的抉择对裴元绍也有很大的影响力。但迫于形势，周仓没法带上裴元绍。周仓说："你先在这里管好这些人马，待我和关将军有了安身之处，就立即来接你。"裴元绍只好怏怏而别。

关羽带着周仓继续上路。正行之间，遥望远处有一座山城。

关羽问询当地土人这是什么地方。土人回答道："这个地方叫作古城，几个月前有一个将军，叫作张飞，引了数十骑人马到此，赶走县官，自己在城中招兵买马、积草屯粮，聚集了四五千人，远近四处无人可敌！"

关羽闻言大喜，失散多时的兄弟竟然近在眼前！当即命令孙乾前去通报，让张飞准备迎接二位嫂嫂！

请注意：关羽是让张飞准备迎接"二嫂"，而不是"二哥"！

关羽满怀喜悦，那是因为他不知道一个极其可怕的心理学规律！在这个规律的作用下，根据张飞的暴烈性格来推断，他很可能在关羽没有任何防备的情况下，将关羽一矛刺杀！

却说张飞听了孙乾报告，一言不发，立即披挂，手持丈八蛇矛，飞身上马，带了一千人马，冲出北门而去。孙乾见了，心中暗笑："这个黑老三，大概是欢喜得紧了,连客套话也忘了说了,呵呵。"

关羽远远看见张飞疾驰而来,喜不自胜,立即把刀递给周仓保管,拍马迎将上去。关羽本来的想法是要和兄弟张飞来一个熊抱,以示庆贺。没想到黑老三圆睁环眼,倒竖胡须,一声巨吼,挺着长矛就往关羽心口死命扎来!

关羽大惊,急忙扭身躲过,差一点被张飞撅个穿心透!关羽大喝道:"三弟,你别搞错了,我可是你二哥啊!"关羽以为张飞得了失心疯了,连自己也认不出来了。

没想到张飞却暴怒道:"杀的就是你!你既然不讲义气,还有什么脸面来见我?!"

关羽道:"我哪里不讲义气了?"

张飞道:"你不顾桃园结义的义气,投降了曹操,被封为汉寿亭侯,大享荣华富贵。今天不是你死,就是我亡!"挺矛又要再扎。

关羽急忙说道:"我和你解释不清楚,你自己去问两位嫂子吧。"

现在知道"二嫂"的重要作用了。今天如果没有"二嫂"的劝解起到的一个缓冲作用,张飞正在气头上,关羽非得被当场戳死不可!

甘、糜二夫人早就听见动静,急忙在车上掀帘说道:"三叔,你为什么要这样对待二叔啊?"

张飞说:"嫂嫂莫怪,等我杀了这个负心背义的奸贼,再请嫂嫂进城。"

甘夫人急道:"二叔并不知道你们的下落,不得已才降汉不降曹的。现在知道你大哥在袁绍营中,这才不辞辛苦,千里独行,送我等到此,你不要错怪他了!"

张飞怒道:"大丈夫在世,怎么能够侍奉二主?嫂嫂,你们不要被他的花言巧语哄骗了。"

甘夫人又劝道:"三叔,当初二叔在下邳时确实是出于无奈啊!"

张飞道:"大丈夫行事,宁死也不能屈膝投降!你既然投降了曹操,今天就没有相见的余地,必然是你死我活!"

关羽憋屈已极,眼中流下两行清泪,说:"兄弟,你屈死我了……"

孙乾也来相劝,张飞只是不理,必要取关羽性命。

为什么身为这样久经考验的生死兄弟,张飞还一定对关羽不依不饶呢?

其实,这并不是张飞生性鲁莽,不讲道理,而是出于人的一种基本归因错误。

一般来说,个体的每一个行为,都可以有两种归因方式。一种是内部的原因导致的,比如个体的性格;另一种是外部的原因导致的,比如说个体所处的环境。当老师发现一名学生成绩下降的时候，他可能会将原因归结为这个学生缺乏学习动机或自身能力不足（性格归因），也可能会将原因归结为这个学生身体状况出现了问题，或者家庭出现了变故、身边的坏朋友的影响等（情境归因）。

所谓基本归因错误就是，当我们在解释他人的行为的时候，我们往往用性格归因，即将他人的行为认定为是这个人内在性格、意图等内部特点的直接反映。而当我们解释自己的行为时，却往往用情境归因。

举例来说，当别人考试没通过，我们会认为这是因为他比较蠢笨，或是不够努力（主观因素）。而当我们自己考试失败时，我们会认为题目出偏了，环境太吵了等（客观因素）。

当别人很穷时，我们认为这是因为他们很懒（主观因素）；当自己很穷时，我们认为这是因为自己没有受过良好的教育，没有显赫的家庭背景，没有遇到好的机会（客观因素）。

当别人爽约未到，我们会认为这个人品性不好，言而无信（主观因素），却不知道他可能在赴约路上遇到车祸，昏迷不醒，被送医院（客观因素）……

总之，别人的错误一定是他存心犯的，自己的错误则一定是环境造成的。所以，基本归因错误实质上也是一种偏见，是一种低估环境对他人行为的影响程度的偏见。

回到张飞的判断上来。

张飞一口认定，关羽投降曹操是因为他主观上意志薄弱、贪生怕死，经不起诱惑，这是典型的性格归因。而关羽则认为自己确实是被逼无奈、迫不得已，这是典型的情境归因。

张飞根本不考虑当时的环境是什么样的状态，他只是根据最后的行为结果来判定关羽的内心已经发生了重大变化，和自己已经不再是一条心。关羽的那些内心挣扎、煎熬则是张飞根本不会看见的。

既然关羽已经违背了桃园结义的誓言，那么疾恶如仇的张飞势必要将他杀之而后快。

不要说张飞，即使是关羽的两位嫂子，当初关羽投降之初，又何尝不是这样认为的呢？只不过当时的情境容不得她们质问关羽，而只能委婉地表达不满罢了。当关羽善意隐瞒刘备的消息，二位嫂嫂的第一反应就是让关羽割了自己的脑袋，去尽享荣华富贵，这就是非常有力的一个证明。关羽的这两位嫂子，是通过此后的一系列对关羽的观察，才最终认定他并没有变心的。但张飞显然不像这两位嫂子有那么好的耐心，来仔细询问了解当时的情况，他要立即做出决断，一刻也不能等待。

接下来的问题是：为什么关羽苦苦解释，二位嫂嫂、孙乾也在一旁帮腔，张飞却仍然听不进去呢？

这又牵涉到另外一个概念——信念固着。

罗斯和安德森在1982年的时候，曾经做过一个实验。他们首先给参加实验的被试灌输了一种错误的信念，然后要求被试解释为什么这种信念是正确的。最后，研究者告诉被试真相以便让他们彻底否定最初的那个错误的信念。尽管被试被告知，最早的那个信念是为了实验而凭空捏造出来的，但只有百分之二十五的人接受了新的正确的信念，仍然有百分之七十五的被试坚守最初的那个错误信念。

实验结果表明，一旦人们为错误的信息（或判断）建立了理论基础，那么就很难再让他们否定这个错误的信息了，这种现象就叫作信念固着。

所以，当张飞犯了大多数人都会犯的基本归因错误后，他内心的判断已经固着，任凭你们怎么劝说，都不能改变他最初的判断。

而且，当这种信念、判断在内心明确、固着后，就会影响对其他相关信息的判断，倾向于将一些模棱两可的信息理解为与固着的信念相一致的方向。

当孙乾帮腔关羽，说关羽是来寻张飞的时候，张飞并不这样想，说："哪里是来寻我的。他怎么会安如此好心，他必定是奉了曹操之命来捉我的！"

关羽借机插言分辩道："我如果要来捉你，怎么可能单人独骑来呢？必然要带大批军马前来啊！"

张飞正好看见远处烟尘滚滚、军马奔腾，用手一指，说："你还狡辩！那里不就是你带来捉我的军马吗？"不由大怒，挺起长矛，又搠向关羽。关羽急忙叫停，回头一看，果然是一彪军马来到，旗号翻飞，正是曹操阵营的军马。

关羽暗叫一声："苦也！"难道曹操放自己走，竟然是为了放长线钓大鱼，好一网打尽吗？只怕今天自己浑身是嘴，也难以向张飞解释清楚了。殊不知，来的却是关羽的救星。若不是这个救星到来，关羽今天断然过不了张飞这一关。

> **心理感悟：** 对我们来说，他人的一切理由全都是借口。

35

一个玩笑的代价

来者正是曹营猛将蔡阳！

蔡阳怎么会出现在这里呢？原来，蔡阳一听说外甥秦琪被关羽刀斩，心如刀割，立即向曹操请命要率兵擒拿关羽，报仇雪恨！曹操虽然心疼关羽杀了自己六将，但哪里肯让蔡阳去杀关羽？

在曹操的算盘上，这五将既然已经牺牲，就已经成了淹没成本，无可回追，只有让关羽好好活着，始终欠着这笔账，或可有翻本的机会。所以，曹操就派蔡阳到汝南征讨再次作乱的刘辟、龚都。

但人算不如天算，不是冤家不聚头！偏偏关羽中途转向，改道汝南寻找刘备。这样，蔡阳就和关羽在古城相遇。

蔡阳此来，关羽相当危险！

关羽的真实武功和夏侯惇在伯仲之间，而蔡阳和夏侯惇的功力不相上下。但仇恨最能激发人的斗志，蔡阳内心怀着为外甥报仇的刻骨仇恨，这种仇恨和文丑要为颜良报仇的强度是极不一样的！蔡阳对秦琪爱彻心扉，这一点从夏侯惇对关羽的苦苦相逼中也可以看出来。

而张飞早已陷入信念固着，见了蔡阳，一口咬定是曹操派来配合关羽擒拿自己的。关羽急怒交迸，说："兄弟，既然你不信我，你看我把来将斩了，以表明我的心迹！"

张飞毫不相让，提出了一个非常苛刻的条件："好！我来给你打鼓助威！我这里三通鼓罢，你就必须斩了来将！"

关羽知道自己没有讨价还价的余地，他急于证明自己的清白，自降曹以来对他的或明或暗的种种负面评价顿时喷涌而出，特别是至亲至爱的结义兄弟张飞的误解最令关羽激愤，由此，关羽迅速进入他这一生中的第三次高强度唤起！

前面说过，这种状态下的关羽是天下无敌的！从无例外。

张飞这边正在擂鼓，第一通鼓声犹未了，蔡阳已经人头落地！

关羽又拿下蔡阳部下的一个执掌令旗的小兵，供张飞取问消息！张飞问罢关羽在许昌行止，这才相信，与关羽抱头痛哭，尽释前嫌。所以，从这个角度来说，蔡阳正是关羽的救星，如果没有他的人头，张飞怎么能听信关羽的解释呢？

关羽暗自出了一身冷汗，没想到他这个兄弟竟然如此刚烈，也庆幸自己在许昌时严守克己，金银女子，毫无所取，否则今日哪里还能兄弟相认，必定是丧命古城了。

张飞拜见过二位嫂嫂，关张二人护着车仗入城。

忽报城南有数十骑来到，张飞心中疑惑，不及与关羽、二位嫂嫂叙旧，连忙出城去探看情况。

原来是糜竺、糜芳兄弟二人带了一些人马前来。故人相见，自然是欢声笑语。

糜竺细说来由："自从徐州失散，我兄弟二人逃难回乡，多方派人打听，知道云长降了曹操……"

须怪不得张飞对关羽如此苛刻、愤怒！所谓的降汉不降曹，只是关羽自己一下一厢情愿为寻求自己内心平衡而自我欺骗的一个借口罢了！在外人看来，就是曹操所说的，汉即是曹，曹即是汉，关羽的行为只能解释为降曹。

"……我们并不知道你在这里，只是遇到一伙客人，说起有个姓张的将军，如此这般模样，占据了古城，我们料想必是你，故此来投。"

张飞一听大喜，忙道："云长送二位嫂嫂今日也刚刚到此啊。"

糜竺、糜芳顿感纳闷："云长明明不是投降曹操了吗？怎么会今天送二位夫人到此呢？"但素来惧怕张飞，不敢多问，只好回头私下打听。实际上张飞虽然和关羽已经尽释前嫌，但"降曹降汉"的区别并不容易解释清楚，也只好含糊一带而过了。

剧变失散之后，又得相聚，众人都喜不自胜，杀猪宰羊，庆贺不已。

关羽却食难下咽，说："兄长未到，难以下箸啊。"孙乾道："汝南离此不远，明日我们一同去迎接玄德公。"

但是，谁也没想到，刘备此时又已经离开汝南，回到袁绍身边去了。刘备本想依靠刘辟、龚都的力量自立，脱离袁绍，但到了汝南一看，这两个人的实力太微弱了。刘备的信心大半来自他的两个万人敌兄弟。若关张在旁，刘备则雄心万丈；关张不在，仅靠刘龚二人哪里能成大事呢？一旦得罪袁绍，举兵来攻，必然是死无葬身之地。所以，刘备权衡之下，还是回到了冀州。

关羽、孙乾哪里知道，当然是扑了个空，只好怏怏回到古城。

张飞想自己前往冀州接回刘备。关羽坚决不同意，说："这一个古城，虽然不大，但也算是个安身立命的根据地，不能轻易放弃，还是我与孙乾去接兄长，你在这里坚守。"

张飞说："你不久前杀了袁绍手下大将颜良、文丑，怎么能去呢？"

关羽说："我自会见机行事，你无须担心。"

为什么关羽一定要自己前往呢？如果张飞去接刘备，并不等于是放弃古城，关羽也是可以守城的。关羽坚持这样做，自有他的道理。

张飞前番的举动，已经给关羽上了一课。不管自己怎么认为，也不管自己怎么解释，在曹营的这一段经历，尤其是帮着曹操斩杀颜良、文丑，始终是笼罩在桃园结义三兄弟心头上的阴影。虽然好不容易搞定了张飞，但刘备这一关更是逃不过的。此前，刘备的信已有深为见疑之意，虽然有陈震带了回信，但终究还是要面对面的。所以，就算冀州是龙潭虎穴，关羽也必须亲自前往，表示自己不忘旧义的诚意，必要时还得负荆请罪，以求得刘备的宽谅。

关羽、孙乾上路去会刘备。路上，关羽吩咐周仓去卧牛山会裴元绍一行，以壮大自己的人马。

到了冀州，关羽和孙乾议定，由孙乾入城去见刘备。关羽则在道旁一座村庄求宿等待。庄主与关羽同姓，名叫关定，久闻关羽大名，盛情招待关羽一行。

孙乾进了冀州，秘密来见刘备。刘备说："简雍也在此间投奔袁绍，可以请来暗中商议脱身之计。"

简雍来后，想出一个主意，说："主公，明日去见袁绍，就说去荆州联系刘表，共破曹操。主公可乘隙而去。"刘备说："那么你怎么脱身呢？"简雍微微一笑，说："主公不必为我操心，我自有办法。"

简雍此人，在刘备帐下虽然并不算太出众，但他对人心理的把握实在是胜过了袁绍帐下的诸多谋士。

我们已经多次看到袁绍的谋士如田丰、沮授等，虽计谋眼光均是一流，却因不懂说服而屡屡被袁绍斥退。但简雍给刘备出的主意必然会获得袁绍的首肯。因为袁绍目前最主要的目的就是打击曹操。只要投其所最迫切的好，必能如愿。不过，简雍将会用什么办法让自己金蝉脱壳呢？

次日，刘备入见袁绍，建议联合刘表，共击曹操。袁绍说："我早有此想法了。我以前曾派人去结好，他好像没有此意啊。"

刘备说："明公您放心，刘表是我同宗之兄，我这一去，必定马到成功。"

袁绍大喜，立即同意派刘备去联系刘表。忽然又想起一事，严肃地说："我听说你的兄弟关羽已经离开了曹操，必然是来寻你了。我想把他杀了，以报颜良、文丑之仇。"

袁绍帐下文武，听了此话，一阵激动，这才觉得心里有所平衡。刘备却是心中一凉，急道："颜良、文丑不过是两只鹿罢了，我兄弟云长可是一只老虎啊。明公您失去二鹿，却得到一虎，还是很合算的啊。用云长来攻击曹操，正好大显身手，为什么要杀他呢？"

刘备经简雍点拨，早已知道，袁绍此刻的命门就是"曹操"，只要善用"曹操"，袁绍必然会被轻松说服。

果不其然，袁绍立即放下面孔，哈哈大笑道："我实在是太喜欢关羽了，所以和你开个玩笑啊！"

唉，这样的事是能开玩笑的吗？这一个玩笑，不但会冷却手下亲近故旧的心，也必然会让新来的关羽心生戒意（如果他真的能够来投奔的话）。

刘备心理安稳了。袁绍手下的文武心理可就又失衡了。颜良、文丑是河北最勇猛的大将，这个刘备，竟然把他俩比作二鹿，那么我们是不是连猪狗也不如了？！更可气的是袁绍，为什么如此昏庸，不明是非，对刘备的鬼话言听计从，对我们的忠心劝谏却置之不理？

袁绍的谋士中不乏深谋远虑之士，有心要拆穿刘备，但已经有田丰、沮授的前车之鉴（恶性示范作用），也领教过刘备这张嘴倒转乾坤的厉害，也就隐忍不发，不再当着刘备的面强行劝谏，任由袁绍被刘备糊弄。

心理感悟：开玩笑的水平，往往代表着人际交往能力的水平。

眼泪是最好的润滑剂

袁绍的谋士不肯站出来说话,简雍就站出来说话了。

简雍对袁绍说:"主公啊,依我看来,刘备这个人流窜成性,这一走啊,肯定不会再回来了。"

简雍的这句话非常诡异。昨天他还胸有成竹地给刘备出主意,让刘备以去联络刘表为借口脱离袁绍,怎么今天反而自己跳出来揭穿刘备呢?

袁绍心想:"你原来就是跟着刘备混的,应该对刘备比较了解。"说:"那么,你说该怎么办呢?"

简雍说:"我有个办法,可以应对这件事。"

袁绍说:"说来听听。"

简雍说:"请让我跟着刘备去。一来可以促成和刘表的联合,二来可以贴身监视刘备,有什么风吹草动,我可以随时向主公汇报。"

袁绍一听,大喜,连声称好。

简雍这番话,不由地让人对他刮目相看!简雍之语实在精妙异常。

简雍的话之所以对袁绍有着如此大的说服力,是因为他站在了"相反立场"。所谓"相反立场",就是指说话者话语中所表达出来的立场和自己的利益诉求恰好相反。一般而言,每个人都会为自己的利益而坚守立场,这是很正常的。但这样的话语说服力显然就不强,因为很容易被归因为本位主义。但是,当你的话语并不是代表你自己的利益诉求时,情况就大为不同了。人们很容易认为你是客观公正,甚至是站在对方的角度,设身处地为对方考虑的。显然,这样的话语更有说服力。

就简雍而言,他是刘备的老下属。大家很容易判定他和刘备是一伙的,从而立场也是一致的。如果简雍直接提出要和刘备一起走,理由是共同去说服刘表,袁绍再笨,也会有所怀疑。但简雍一上来就先揭发刘备,等于和刘备划清了界限,站到了袁绍的立场上了。随后他又主动提出监视刘备行动的建议，更是设身处地为袁绍考虑。这样精妙的招数，袁绍不被说服才怪呢？

简雍喜滋滋地离开，去找刘备，共赴荆州。

袁绍帐下的郭图可实在忍不住了。看着刘备和简雍玩弄袁绍如同小儿，心想："我要是再不出来说几句，真让简雍以为袁绍手下无人啊。"想到这，郭图就站出来说话了："主公，我看这次刘备和简雍走了，肯定不会回来了。"

袁绍白了他一眼，心想："什么不好说，偏偏鹦鹉学舌啊。你这点水平比简雍差远了。"直接就把他给挡回去了："你不用多疑了，简雍自有主张。"

通常情况下，作为一个谋士，在主公对自己的建议不予采纳的时候，往往是要据理力争一番的。但这次郭图很识相，他不想到牢里去和田丰做伴，哼哈几声就退了下去。

却说刘备带着孙乾、简雍，急速离开，来见关羽。

兄弟相见，万语千言化成泪涌千行。一切都不需要解释，一切都不需要辩白。眼泪可以洗清所有的委屈，眼泪可以原谅所有的过错。

刘备、关羽刚刚收泪，庄主关定就领着两个儿子前来拜见。关定的次子关平喜爱习武，这次见到了大英雄关羽，早有追随之意，所以要父亲前来说项。

刘备见关平年方十八，气宇轩昂，又和关羽同姓，而关羽此时并未婚娶，膝下自然无子，于是就提议关羽收关平为义子（别忘了外表的吸引力作用）。

关定见攀上了这么一个大英雄，大喜，立即同意让关平拜关羽为义父，并称刘备为伯父。

刘备担心袁绍识破自己的金蝉脱壳之计，吩咐一行人马，立即收拾，急急赶路，直奔古城而去。

行至卧牛山，恰见周仓引数十人带伤而来，关羽急问究竟。

原来裴元绍留守卧牛山，一日见山下有一个落单而行的将军，有心抢他的战马，不料却被这个将军一枪刺死，将军反过来将山寨据为己有。周仓奉关羽之命回来招兵，看见此景，心中不服气，和那个将军斗了几阵，都败下阵来，只好带了几个铁杆的弟兄回转了来，其他弟兄慑于将军之威，都不敢跟从。

关羽大怒，拍马上前。周仓紧紧跟随，在山下喝骂。那将纵马下山，刘备一看，认识！

此人竟是赵云赵子龙。

当下双方握手言欢，只有周仓在一旁闷闷不乐，暗自悼念自己的兄弟裴元绍。

刘备细问赵云来由。赵云是河北真定（今河北正定）人，原在袁绍麾下效力，因袁绍无能，故而转投公孙瓒。袁绍攻打公孙瓒时，赵云曾与文丑大战数十回合（可见关羽斩了文丑有多幸运），救了公孙瓒一条性命。赵云早与刘关张等人结识相交。后来公孙瓒兵败，自焚身亡。袁绍又多次来请，但赵云觉得自己已经投错过一次主人，不能一错再错，就坚决拒绝了。赵云自从与刘备结识后，一直对刘备崇敬不已。而刘备也早就挖过公孙瓒的墙脚，只是当时赵云正为公孙瓒效力，公孙瓒虽然才略不够，但对赵云非常优厚，赵云不忍无故离去，刘备也就没挖成墙角。

今天刘备看到赵云孤零零一人，真是如同看见天下掉下来的一块儿大馅饼。人们往往羡慕刘备运气好，关张赵都是万人敌，别人求都求不来，刘备却得来全不费工夫，而且都对他忠心耿耿，毫不动摇。但运气好只是一方面，如果刘备没有在营造亲密关系上有一套真本领，是不可能让这些叱咤风云的好汉对他忠贞不贰的。

赵云在职业抉择上的做法非常值得推崇。以他的身手，在哪里都能混得不错。当初刘备挖公孙瓒的墙脚，赵云虽然内心倾向于刘备，却依然坚持为公孙瓒效力，直到公孙瓒无可挽回地走向败亡。赵云的反面就是吕布，同样也是一身好本领，却因为对主人的忠诚度不够，屡屡改变门庭，最终也断送了自己的性命。

职业抉择也是承诺的一种，也要遵从"承诺——一致"原理。赵云在这方面的严谨操守无可挑剔。关羽听了赵云细说往事，和自己的往事一一比照，内心也不由地涌出惭愧之情。

刘备带着关羽、赵云、周仓、孙乾、简雍等人回到古城。张飞、糜竺、糜芳迎接。刘备看看被曹操打散的旧部全部聚集，又新添了赵云、周仓、关平等人，正是苦尽甘来，风云际会，不由地心花怒放、雄心万丈！当下大宴豪饮，尽情庆贺。

众人商议前途，一致决定，弃了古城，到汝南与刘辟、龚都会合，以汝南为根据地，再图发展。刘辟、龚都见前度刘郎又重来，实力雄壮，也是欣喜不已。

再说袁绍，发现刘备果然言而无信，一去不返，觉得自己受了愚弄，不由地大怒，当即下令要起兵讨伐。郭图站了出来。

袁绍恶狠狠地看着他，心想："上次你确实是提醒过我的。不过，如果你不识相，要看我笑话，触我霉头，那我立马就拿你的人头祭旗！"

袁绍手下的谋士本来都是一个套路的。先是劝谏的话袁绍听不进，然后袁绍吃了亏，谋士就站出来说，你看你看，上次我说的话你没听吧，现在弄成这样了。最典型的代表就是田丰。

但郭图今天已经学到了关于说服的重要两招，他已经不会傻不愣登地站出来说："你看，上次我说刘备、简雍都不会回来了吧，被我说中了吧。"

郭图的老师不是别人，就是刘备和简雍。

第一招是"相反立场"。郭图本来的立场应该是用已经应验的话来驳斥袁绍不听良言，但他丝毫不提自己当初说过现已应验的话，这等于是站到了自己的相反立场上去了。果然就像简雍一样获得了袁绍的认可。

第二招是"即时需求"。袁绍的即时需求就是击败曹操。凡是有利于击败曹操的计策，他全部听从；凡是不利于击败曹操的计策，他一律否决。这是刘备百试百灵的招数。

刘备、简雍两位老师的言传身教，让善于学习的郭图迅速掌握了如何说服袁绍的方法。

郭图说："刘备算什么啊，也就那三五百兵马，根本无须多虑。曹操才是我们的劲敌，不可不除。刘表虽然占据荆州，但软弱无能，也不足为道，根本用不着和他结盟。只有江东的孙策孙伯符威镇三江，地连六郡，谋臣武士极多，我们不如和他结盟，共攻曹操。"

郭图的这一番话，真是滴水不漏。刘备不足虑，刘表很无能。这等于是把袁绍决策失误、受人愚弄的过错轻描淡写地揭过。袁绍内心的不协调感当即得到了缓解，心情大为畅快。郭图又围绕"解决曹操"这个袁绍的即时核心需求，另外给出了新的解决方案，再一次给袁绍提供了决策的机会。袁绍当然是点头不已了。

袁绍当即决定，修书一封，派陈震赶赴江东，去见孙策。陈震上次曾给关羽送过信。领导者的记性有时候并不差，上次送信是你，这次也就你去吧，下次当然还是你。

心理感悟：正面的门有时候是可以从反面进去的。

蛰伏新野

自己的好就得别人夸 / 差生考了一次好成绩 / 挚爱是人的软肋 /
夸别人就是贬自己吗 / 这个年轻人会摆谱 / 疗效是最好的广告 /
责任交给一个人担

自己的好就得别人夸

陈震送信，从来就没成功过。上次劝关羽来归，没有成功。这次与东吴结盟，也没有成功，而是带回了一个袁绍最不愿意知道的消息。

孙策暴死后，弟孙权继位。曹操封其为讨虏将军，两家结盟。袁绍大怒，当即召集五十余万兵马，往官渡进发。曹操急忙点兵迎战，但仅有七万人马。

田丰虽在狱中，但犹自上书劝谏袁绍："今宜守候，以待天时。若妄兴兵，必有大祸。"袁绍早已对其"游击论"处于"态度免疫"状态，根本不予采纳。逢纪为了争宠，又进谗言："主公兴仁义之师，田丰出不利之语。"激得袁绍大怒，要将田丰斩首。幸得众人苦劝，田丰得以在牢中再延残喘。

袁绍大军行至阳武。沮授出于职业忠诚，又拿出"游击论"来劝谏袁绍。袁绍大怒，说："田丰慢我军心，已被我囚在牢中，你又怎么还敢用这等言语来气我？"当下如法炮制，将沮授也关入大牢。

田丰、沮授始终不懂得如何说服，最后付出了自己的性命，也没有挽回袁绍的败局。这是谋士最大的失败。此后，袁绍部下许攸来降，献计烧了袁军粮草。曹操以少胜多，击溃袁绍，史称"官渡之战"。

曹操灭了袁绍后，就来对付刘备。刘备仓皇逃窜至荆州，投奔刘表。刘表遣其在新野县驻扎。

多年来流离失所、四处游荡的刘备终于有了一个短暂的安定期。自徐州兵败，兄弟失散，在古城重聚后，刘关张三兄弟的一个长期坚持下来的生活习惯——同床共眠，却因为分别日久而改变。刘备也终于能够抽出时间来多陪老婆睡睡觉。成果很快就出来了，建安十二年春，甘夫人诞下了阿斗。刘备终于有了自己的继承人，虽然到目前为止，他并没有什么家业可供继承。

这段时间，刘备对自己的状态还算满意，手下的阵容空前整齐。文有孙乾、糜竺、简雍，武有关羽、张飞、赵云。直到有一天他遇到了水镜先生司马徽。

司马徽对刘备手下人才的评价是："关、张、赵云之流，皆万人敌，惜无善用之人。若孙乾、糜竺、简雍之辈，乃白面书生，寻章摘句小儒，非经纶济世之才也。"

司马徽松形鹤骨，气宇不凡，年近半百，颜色如童，是一个隐居的世外高人。如果你还记得我们前面说过的外貌、服饰与影响力的密切关系的话，应该不难判断，司马徽这样的人所说之话的分量。

刘备深感触动，说："那么您说，我该找什么样的人来辅佐我呢？"

司马徽说："你需要的是像汉高祖的张良、萧何、韩信，汉光武帝的邓禹、吴汉、冯异这样能够成就霸业的人。"

刘备叹了口气，心想："这样的人谁不是梦寐以求的呢？"说："我一直是屈身下士恭己待人，求贤若渴，但恐怕这世上并没有这样的人物吧。"

司马徽说："你难道没有听说过孔子说的，十室之邑必有忠信，何谓无人？"

刘备恭恭敬敬地说："请长者指教。"

司马徽说："现在天下的奇才，都聚集在此地，将军不妨寻而求之。"

刘备急问姓名。司马徽说了一句："卧龙、凤雏，两人得一，可安天下！"

这句话可能是史上最具影响力的一句广告词了，只有十二个字，言简意赅，却字字千钧，而且只刊播一次，绝不重复，强力刺激了潜在顾客的购买欲望。刘备追问究竟，司马徽却再也不肯多说，不论刘备说什么，只是以"好，好"二字应对。成语"好好先生"即出于此。

司马徽的做法属于典型的第三方推崇。第三方推崇的威力我们早已了解，但司马徽的做法又为我们发展出了运用第三方推崇时的第一条戒律，那就是"适可而止"。

须知言多必失，物极必反。如果喋喋不休地进行推荐，反而令人生疑，这所谓的第三方并不客观中立，而是有着暗中利益关联。这样就会适得其反。

司马徽的"制造悬念、保留悬念"让刘备心痒难搔，反而更增加了推荐的说服力，以及说服的持久性。若非如此，刘备怎么可能忍耐心性，顶风冒雪三顾茅庐呢？

司马徽的话，在刘备心中造成了极高的心理预期，但刘备却问不出究竟，翻来覆去睡不着。第二天只好闷闷而去。

一日，刘备正在街市上骑马行走，忽然看见一人，葛巾布袍、皂绦乌履，边走边唱："天地反覆兮，火欲殂；大厦将倾兮，一木难扶。四海有贤兮，欲投明主；圣主搜贤兮，却不知吾。"唱完大笑不已。

别人以为他疯疯癫癫，刘备见了却暗暗想道："此人莫非就是水镜先生所说的卧龙、凤雏？"

刘备之所以会这么想，有两个原因：一个是源于司马徽的推荐，卧龙、凤雏四个字在刘备脑海中刻骨铭心。第二个原因则是，刘备在吸纳人才上向来运气极好，多少难得的人才都是主动、自动前来投靠的。所以，刘备的惯性思维让他觉得是卧龙、凤雏直接来向他表白来了。

刘备急忙下马，邀入县衙，问其姓名。那人自称单福。刘备略感失望，但毕竟是贤人来投，必须重视。刘备以宾客之礼待之。

自我推荐总是不及第三方推荐，单福这一招却玩出了自我推荐的新花样，变被动为主动。单福通过狂歌大笑这些异于常人的举动，将刘备的注意力吸引过来。表面看起来，这是一个巧遇，实际上却是单福的刻意安排。这样做之所以能取得成功，基于对一个心理学基本规律的反向运用。

"他人在场"对某个个体的外在言行表现的影响我们已经说过。一般来说，我们认为，当一个人在没有高度利益相关主体在场的情况下会比较坦诚地表露自己的真实想法；反之，一旦高度利益相关者在场，势必会刻意掩饰、隐瞒、改变自己的真实想法。

单福人为制造了一个没有他人在场的场景。这里面的"他人"并非泛指普通百姓，而是特指"刘备"。普通百姓在这个场景下，已经成为环境的背景，只有刘备才是目标受众。在单福的精心策划下，刘备必然以为单福是在不知道自己在场的情况下长歌狂笑，其所表达的"四海有贤兮，欲投明主；圣主搜贤兮，却不知吾"也就真实可信了。

刘备的运气实在不坏，单福确实是主动来投奔他的。那么，单福为什么要选择刘备呢？

单福曾经去投奔过刘表，但见他徒有其表，就弃之而去。单福因为明主难觅而烦恼，就去请教水镜先生司马徽。司马徽指点他明主就近在眼前。无巧不巧，这一天正是刘备留宿于水镜先生庄上的那一天。刘备因水镜先生的言语激起了很高的期望，辗转难眠，还偷听了这两人的对话。

单福也是一个杰出的人才，又正在寻找明主，司马徽和他关系不错，也给他指出了一条明路，那么，为什么当刘备第二天一早询问昨晚那人是谁的时候，司马徽却没有直接向刘备推荐呢？

这正是司马徽的高明之处，也是"第三方推荐"的第二条戒律，非常值得学习。第三方推荐之所以有效，是因为大家认为第三方是客观公正，没有利益关联的。但如果第三方频繁密集运用自己的影响力，就会影响到自己的威信。这会导致人们认为，尽管你是客观公正的，但很可能你的眼光和专业技能有问题，做不到精中选精、优中择优，最终会良莠不分，胡子眉毛一把抓。

司马徽昨天刚刚以最大的褒奖之词推荐了卧龙、凤雏。如果紧接着第二天再来推荐单福，那么还能用什么言语呢？恐怕只有说单福之才，不在卧龙、凤雏之下才能引起刘备的重视吧。但这样一来，卧龙、凤雏的价值就大打折扣了。任何事物，只要一多了，就不值钱了，这是很浅显的道理。如果司马徽强行要这样做，势必会砸了自己的牌子。刘备很容易判定此人言过其实，不可轻信。

所以，司马徽只是说"好，好"，并不密集滥用"第三方推荐"，从而让自己的个人品牌牢不可摧。

既然司马徽没有直接推荐，单福只好自我设法，策划了这一幕狂歌长笑的行为秀，以引起刘备的重视。

但是，尽管刘备是司马徽"第三方推荐"的明主。单福还是心存顾虑的。毕竟，乱世之中，明主难辨。择业又是一种职业承诺，投错了对象，转换成本是非常高的。

赵云就是一个例子。先前所选择的公孙瓒不成大器，但赵云作为一个非常注重自己职业形象的武将，也只能等到公孙瓒败亡后，经过一段时间的流落江湖才得以再投刘备。

乱世征伐，武将比谋士更稀缺，也更容易跳槽。所以，作为顶尖谋士的单福，尽管有了司马徽的推荐，但还是对素不相识的刘备不能完全信任。

心理感悟： "哭、笑、歌、叹"是成本最低的注意力策略。

差生考了一次好成绩

单福决定先摸一下刘备的底细。

那么,单福到底要试探刘备什么呢?或者说,一个什么样的刘备才是单福理想中的明主呢?

单福想起了刘备所骑的马——的卢。早已有会相马的人告诉过刘备,这匹马虽是千里之马,但却会妨害主人。

单福对刘备表达了同样的意思。刘备说:"你所说的已经应验了。上次檀溪事件,就是如此。"

单福说:"这不是妨主,而是救主。但终究还是要妨主。不过,我有一个办法可以破解。"

刘备一听,这是好事啊,说:"愿闻其详。"

单福说:"很好办。您先把这匹马找一个亲近的人来骑,待妨害死了那人,您再来骑就没事了。"

刘备一听,板起面孔,吩咐送客。单福惊问何故。

刘备说:"你初来乍到,不教我如何躬行仁义,却教我做损人利己之事。我这里用不着这样的教诲,你还是另谋高就吧。"

单福哈哈大笑,连声谢罪。对于善于使用身体语言的人来说,"笑"真是一个好工具啊。

单福解释道:"我早就听说了使君仁义之名,不敢轻信,今日特意用这句话来试探一下您啊。"

刘备一直致力于把自己打造成"仁义之主"。所以,就像"忠义"是关羽的标签一样,"仁义"实质上就是刘备的一张标签。刘备的一举一动,都要考虑是否和"仁义"的形象相符,心甘情愿地接受"标签约束"。这也是"承诺——一致"原理的隐性表现。

刘备恍然大悟，宾主握手言欢。

为什么单福试探出刘备确实是"仁义之主"，就把他当成明主了呢？

对一个领导者的评价至少可以从两个方面进行，一个是品德，一个是能力。刘备的品德好，这一点已经无可置疑了。但他的能力从最后的结果来看，显然不怎么样，多年来是屡战屡败。但从单福的角度来看，刘备能力差并不要紧，谋士的主要作用就是致力于弥补主公的能力不足。单福对自己的能力很自信。而且，谋士还需要具备说服主公的能力。如果没有说服的能力，再好的谋划也不会被采用（请参看袁绍帐下谋士的悲惨遭遇）。单福对自己的说服能力也很自信。

于是，问题就很简单了。只要刘备在品德上通过测试，就可以将其作为竭力辅佐的主公，而无须考虑刘备本人的能力如何。

单福就此投在刘备门下。刘备专门为他量身定做了一个军师的职位，放手让他掌管军政大事。

再说曹操，自击败袁绍后，常怀攻击荆州之心，令大将曹仁率领李典及降将吕旷、吕翔驻兵樊城，虎视荆襄。

刘备驻扎新野后，曹仁派二吕前来攻打。此时单福刚归刘备，执掌军权。当下单福分派兵马迎战。

单福派关羽引一军从左而出，派张飞引一军从右而出。自己随刘备、赵云居中。

二吕来犯，刘备三军齐出，将其杀了个措手不及，吕翔被张飞一矛刺杀，吕旷也死于赵云之手。曹兵大败亏输，落荒而逃。刘备大获全胜。

刘备倍感高兴，犒赏三军。这应该是他第一次在和曹操的交手中取得比较像样的胜利。单福也由此树立了自己的威信。

其实，刘备的这一次胜利，并不值得如此看重。因为这一次胜利并不能代表刘备一方在单福的调教指挥下取得了质的提升，而只不过是一次"趋均数回归"罢了。

尽管单福并非浪得虚名，但他的这一次指挥部署，并没有太高的技术含量。以前刘备自己用兵，一般也是兵分三路的，但基本上没打赢过曹操。

"趋均数回归"是一种统计学现象。以学生的考试成绩为例，由于考试分数部分地受随机影响而上下波动，所以绝大部分上一次考试得分很高的学生在下一次的考试中的分数将会下降。也就是说，第二次考试的分数是趋向（即回归）于一个平均的数值的，而不是将最高值推向更高。反过来说，在第一次考试中得分最低的学生很可能会提高成绩。如果这些得分低的学生在考试后到老师那里寻求帮助，那么，当他的第二次成绩提高后，老师和学生都倾向于将这些学生的成绩提高归功于老师的辅导。尽管有时候老师的辅导实际上并没有起到任何作用。

这是一条自然运作的铁的规律，当我们处于一个最低水平的时候，任何尝试行为看起来似乎都是有效的。因为我们必然会趋向于我们的平均水平，而不是更差。

但是，我们往往因为不了解或忽视这条统计学规律而形成心理上的错觉，并进而做出错误的判断。

现在我们回到刘备、单福的话题。

在这个事件中，曹操的屡次来犯就像是对刘备这一方进行考试。胜负表现就是刘备的考试成绩。一直以来，刘备是一个很差的学生，总是考不及格，这几乎成了一个固定的规律。所以，曹操的兵马面对刘备的时候非常有自信，因为胜利几乎是必然的一件事情。但是，自然的铁律是不可违逆的，再差的学生也会有偶或的出色表现。

刘备的这一次胜利，就是差生考出了一次好成绩。对曹操一方来说，这是一个意外，对刘备来说，这却不是一个意外。

刘备认为，是单福的出现改变了这一切。单福就像一个高明的老师，一下子改变了差生的落后面貌。刘备的这种认识，令单福在组织中的地位直线上升，威望直线上升。

但曹仁不这么归因。李典建议他赶快向曹操回报，汇集大军前来征剿。曹仁说："刘备有什么本事？守着个小小的新野，翻腾不出什么风浪，何必惊动丞相？"

曹仁再点兵马，准备踏平新野。在他眼里，刘备这个差生绝无可能考出好成绩，一定是二吕轻敌所致。曹仁率兵前来，布下八门金锁阵，直逼刘备。

如果单福是浪得虚名之辈，那么曹仁这次出的题目就会让他露馅。上一次"趋均数回归"的胜利尽管不是单福之功，但带给单福的好处是巨大的。关、张、赵等人对他深为信服，这就给他施展真才实学提供了可能。否则，以单福新来之身，不知根底的关、张、赵怎么可能对他心服口服，令行禁止呢？

单福指挥得当，诸将信服，三军用命，很快击溃了曹仁自鸣得意的八门金锁阵，并顺势攻下曹仁的据点樊城。

樊城县令刘泌也是汉室宗室，见刘备进城，欣喜出迎，设宴在家款待刘备。

席间，刘泌的外甥寇封侍立在旁。刘备见他长得一表人才，容貌英俊、声音清亮，"外表吸引力定律"再度发挥效力，不由地十分喜欢，起了收其为义子之心。

刘泌见说，大喜过望，当即令寇封改名刘封，拜刘备为父，拜关羽、张飞为叔。

关羽却拉下面孔，对刘备说："兄长既然已经有了亲生儿子，何必再收一个干儿子呢？日后一定会有祸乱。"关羽的意思是，你不要看我收了个干儿子，你也来凑热闹。我连老婆都没有，收个干儿子是不要紧的。阿斗已经出生，还在襁褓之中。你现在收了个年长成熟的干儿子，等到你选继承人的时候，虽说干儿子一般没有继承权，但那时刘封势力已成，恐怕阿斗就很难斗得过他了。

关羽这么说是有道理的。他每天都在看《春秋》，一本《春秋》里到处是继承人争权夺位的血腥厮杀。关羽直言不讳地提醒兄长，也是出于一片赤诚。但没想到刘备根本没把他的意见当回事。

刘备说："你不用担心，我待他如子，他必然待我如父。又会作什么乱呢？"

平心而论关羽的意见是正确的。将来的问题不是刘备和刘封之间的关系，而是阿斗和刘封之间的关系。但老大毕竟是刘备，关羽也只能听他的。

关羽很不开心，因为他的自尊心第一次受到了刘备的伤害。他隐隐觉得，兄弟重逢之后，自己在刘备心目中的地位已经不像以前那样重要了。虽然关羽的这种感觉还不是很明显，但一颗不良对比的种子已经悄悄开始发芽。

除了关羽，还有一个不开心的人。这就是刘封。刘封本来挺开心的，突然从天上掉下来一个天下闻名的义父，但关羽的这番话，却深深刺痛了他的心。刘封当然不敢表示什么，但一颗仇恨的种子也在他心中悄悄埋下。

仇恨和恩惠在某种程度上是一样的，在适当的时候，一定会加以回报的。

回头再说曹操，他无法接受一个差生在一夜之间完成了从草鸡到凤凰的蜕变这个事实，他决定要一探究竟。

心理感悟：当我们为发现了生活的新规律而自鸣得意的时候，规律早已在暗中露出嘲讽之笑。

挚爱是人的软肋

曹操追查单福来历。程昱站出来揭穿真相。单福乃颍川徐庶徐元直之化名。徐庶原好击剑，因替人报仇被擒，脱身后易名单福，发愤向学，终成奇才。

曹操问："徐庶之才和你比如何？"程昱很诚实，说："我顶多只有他的十分之一二。"

第三方推崇！

曹操不由扼腕长叹：刘备到底有什么魅力呢，为什么贤人猛将尽归于刘备？

程昱说："丞相无须叹息，你要是想让徐庶为你效力，倒也不是难事。"

曹操眼睛一亮，随即又变得黯淡。刘备用过的人他是领教过的。关羽的苦头他已经吃够了，他花了那么多力气，关羽最后还是对刘备忠贞不贰。

程昱继续说："徐庶事母至孝。只要派人将徐母赚至许都，徐庶必然星夜来归。"除特别自恋的人外，每个人在这世上都有一个至爱之人，且愿意为这个至爱之人付出一切，甚至是自己的生命。这个"爱"，并非专指爱情，也包括亲情、友情。对关羽来说，这个人就是刘备。对徐庶来说，这个人就是母亲。

曹操大喜，当下派人依法行事。但徐母到许都后，却痛骂曹操，盛赞刘备，不肯写信召回儿子。

曹操大怒，要将徐母斩杀，又是程昱劝住。此后程昱骗得徐母笔迹，假托徐母名义，给徐庶写了一封劝归信。当局者迷，徐庶思母心切，竟然没有看穿这个圈套。看罢来信，徐庶泪如泉涌，来见刘备。

徐庶告诉刘备自己易名的真相，诉说母亲被曹操所困的苦衷。徐庶提出，暂且告退，日后再会。

刘备的眼泪立刻就下来了。想我刘备，真是命苦啊！多年来颠沛流离，屡战屡败，终于天可怜见，得到了徐庶，可以扬眉吐气地直面曹贼了。没想到好日子刚过了没几天，曹操又出损招，抄了徐庶的后路，等于是绝了刘备的生路。

想是这么想，但话不能这么说。别忘了刘备苦苦维持的"标签约束"。

刘备哭着说："母子之道不可违。你今天千万别以刘备为念，赶快去见母亲大人吧。"

徐庶深为感动，立即就要出发。刘备挽留道："刘备福浅，不能久留先生。先生千万再留一宿，来日再去。"徐庶已是归心似箭，刘备既然同意他离去，为什么还要留他一宿呢？

因为有些非常重要的问题，刘备还没想清楚该怎么办？徐庶一去，刘备如断臂膀。但刘备毕竟孤穷惯了，徐庶在此日子也不长，尚未形成严重的依赖。但关键是，徐庶不是去别的地方，而是去他最可怕的竞争对手——曹操那里。

据关羽介绍，曹操的糖衣炮弹是非常可怕的。如果徐庶为曹操效力，那等于如虎添翼。加上徐庶已经摸清了刘备家底，如果反戈一击，刘备势必死无葬身之地。

所以，刘备必须在徐庶离开之前想好应对之策。

刘备叫来自己的老班底孙乾、简雍、糜竺等人。虽然他们的智谋水平差了点，但也只能依靠这些人了。

孙乾说："主公，你可要清楚，徐庶可是天下奇才啊。如果曹操对其委以重任，来攻我等，我们哪里还有活路啊。万望主公死命挽留徐庶，坚决不能放他走。如果曹操见徐庶久久不来，必然将其母斩杀。徐母一死，徐庶必然对曹操恨之入骨，必然要为母报仇，也就会死心塌地为你效力了。"

刘备面无表情，不置可否。

"承诺——一致"原理！他先前已经答应徐庶了，不好意思出尔反尔的。

孙乾等人继续劝谏。刘备叹了一口气，说："不能这样做。使人杀其母，吾独用其子，乃不仁也。留之不使去，以绝母子之道，乃不义也。吾宁死而不为不仁不义之事也。"（标签约束。）

刘备的这一番气魄心胸，也是人所不及的，值得钦佩。

刘备见他们也想不了什么好主意，挥退诸人，请徐庶过来，饮酒到半夜。

徐庶说："我今天听说老母被囚，即使是金波玉液，也难以下咽啊。"

刘备说："我听说先生要走，如失左右手，即使是龙肝凤髓，也没有滋味啊。"

两人相对而泣，毫无睡意，坐而待旦。

次日，长亭话别，依依不舍。刘备终于把想了一宿的话说了出来。

刘备说："只恨刘备福分浅薄,不能与先生长守,听从你的教诲。希望先生能好好侍奉新主,以全孝道。"

刘备的这一番话,乃是对互惠原理最精妙地运用!属于无中生有、绝地反击的技巧。徐庶既去,刘备对其也就没有了任何约束力。而且,徐庶为新主效力也是题中应有之义。刘备本不可能以此为基对徐庶施加任何恩惠。而且,离别之际,这其中的尴尬纠葛是双方都应该尽量避免的话题。但刘备通过宽容的祝福的形式表达出来,就显得他是没有一丝一毫为自己着想的,而是全心全意站在对方立场上来衡量得失利弊的。人非草木,怎能不为此感动?这也就成了一个无中生有但却巨大无比的恩惠。如果徐庶不是因为对至爱之母实在无法割舍,这一番话就得让他放弃离开,就此留下。

这一幕,在恋人分手的时候也经常看见。依然深爱对方的那一个,往往会强忍痛苦,为对方的离去祝福。表面是祝福,实际上是在挽留。从心理学的角度来说,现实中应该有这样挽留成功的例子吧。

刘备心中的这一份痛,又有谁能够理解呢?政治家不是没有感情的人,他们只是可以把感情和事业割裂开来的人。刘备以情为重,以德服人,知道没法留住徐庶的人,但他为了自己的事业,必须留住徐庶的心。

徐庶听了这番话,泪水如线长流,说:"徐庶才微智浅,却蒙使君信任重用。今天不幸半道而别,实在是因为母亲之故。我到了曹营之后,无论曹操怎样对我,我终身不设一谋!"

这是徐庶的承诺。这是徐庶在互惠原理作用下的承诺。徐庶后来用他最坚定的意志,在最险恶的环境下,毫无瑕疵地兑现了这一个承诺!由此也有了"徐庶进曹营——一语不发"这句歇后语。世界上有一些东西,不是靠物质就能诱惑的。刘备明白这一点,不知道曹操会不会明白这一点?

刘备长叹一声说:"先生去后,刘备也不做他想了,还是远遁避世,了此残生算了。"

徐庶急忙道:"徐庶本想和使君共谋王霸雄图,奈何老母被困。纵使身留在此,方寸已乱,也无济于事了。使君千万不可灰心,来日方长,可再寻贤才辅佐,必然成就大业。"

刘备说:"像先生这样的奇才,哪里还能找得到呢?"

徐庶转而勉励关、张、赵等人:"希望诸位好好侍奉使君,必能图个名垂竹帛，功留青史。千万别像我这样有始无终啊！"

众人皆泪洒如雨，不忍道别。

天下没有不散的宴席，千里送君，终须一别。刘备却是送了一程，又送一程。

刘备泪如雨下，拉住徐庶的手，只是不肯放开，连声说："先生此去，刘备奈何？"刘备多数的哭是半真半假的，但这一次，却是真的动了感情。这一刻，男人的眼泪价值千金。徐庶也是强忍泪眼，强自转身而去。

刘备立马于林畔，看着徐庶纵马而去，不由地放声大哭。孙乾等人相劝道："主公，不要如此伤感，保重身体要紧！"刘备讷讷地说："列位，元直，他竟去了。"

这一刻，和曹操目送关羽离去的内心伤感，又是何等相似啊！

刘备目送徐庶离去，直到他的背影被远处一片大树林挡住，再也看不见。刘备以鞭指着这片树林说："我恨不得将这片树林全部砍了。"

孙乾等人不知道他为什么会对这片树林有意见，询问缘故。刘备说："你们不知道啊，就是这片树林，挡住了元直的身影啊！"

刘备望着天际，久久不肯转身离去。

正望之间，眼前似乎再度出现了徐庶的身影。刘备以为自己出现了幻觉，定睛一看，却真的是徐庶拍马往回疾驰而来。

眼泪是最容易创造奇迹的武器。这一瞬间，刘备以为奇迹真的发生了，徐庶回来了！

刘备急忙纵马上前，迎了过去，说："元直，你难道不走了？"

徐庶不是不走了。而是刘备的施惠策略起了重要作用，令徐庶深感无以为报，于是就想了一个回报的办法。

徐庶说："我担心母亲安危，心乱如麻，竟然忘了一件大事，没有告诉主公。"

刘备问："是什么大事，让先生如此挂怀，竟然去而复返？"

于是徐庶说出了一个即将震惊三国的名字。

就是这个人的出现，将会改变刘备的命运，也将会改变关羽的命运。

心理感悟：太容易得到的东西，是不会太珍惜的。太珍惜的东西，却太容易失去。

夸别人就是贬自己吗

对人好，是有回报的。徐庶回来并不是打消去意了，而是向刘备推荐了一个人，以填补自己离去的空缺，也回报刘备的知遇之恩。

徐庶说的这个人正是水镜先生司马徽所推荐的卧龙。上次司马徽只说了个卧龙名号，没说具体姓名，给刘备留下了一个悬念。徐庶成了揭开谜底的人。

这个人复姓诸葛，名亮，字孔明，号称卧龙先生。此刻正在附近的南阳隆中耕读隐居。

刘备请徐庶帮忙请他来相见。徐庶说："这个人和我可不一样。使君你一定要亲自前往延请，不可让他登门造访。如果你能得到他，就好比是周文王得到了姜太公，汉高祖得到了张良。这个人每每自比管仲、乐毅，以我看来，管仲、乐毅也比不上他。"

司马徽和徐庶的溢美之词让刘备感到有些晕乎。刘备问："那么，这个人和你相比，怎么样呢？"

徐庶说："我哪里能和他相提并论啊！那就像是乌鸦和凤凰比，驽马和麒麟相比啊。这个人可以说是天下第一人啊！"

刘备闻言大喜，再和徐庶告别，就没有刚才那种痛彻肺腑的感觉了。这种瞬间调节自我情绪的能力，是一个人能否取得大成功的重要因素。如果长久地陷入某种负面的情绪而不能自拔，为负面情绪所控制，是不能够因应形势的变化而保持清醒，把握良机的。袁绍在这方面就比刘备差远了。曾经有一次，他有一个非常好的足以打败曹操的机会，却因为他最宠爱的小儿子得了急病，而令他感到毫无生趣，更不用说分心谋划军国大事了。最终，这个大好良机就被白白浪费了。

再说徐庶风尘仆仆赶到许都，拜见母亲，却被母亲劈头一顿痛骂。徐庶伏于地上，不敢仰视。徐母自转入后堂。少时，从人来报，徐母已经自缢身亡。徐庶慌入解救,但为时已晚,徐母气息已绝。徐庶哭绝于地。

这一种伤痛,是流泪也无法挽回的。母亲已死,徐庶万念俱灰。一个人,失去了至爱之人,如果不能找到替代对象,余生必然是如同行尸走肉般度过。但至爱之人又怎么能轻易找到替代人选?徐庶恨极曹操,果然信守前诺,终身不设一谋。后来蒙凤雏先生庞统赐教,从曹营脱身。一代奇才,就此不知所终。

这边刘备正在着手准备礼物,要到隆中去见诸葛亮。忽报有一先生,峨冠博带,道貌非常,登门来访。刘备脱口而出:"必是孔明来访也!"

刘备想孔明真是想疯了,大喜请入,一看却是水镜先生司马徽。

司马徽是前来拜访徐庶的。上次他推荐徐庶投奔刘备,现在过来看看徐庶的近况如何。

刘备将前后情形一说,司马徽顿足长叹道:"徐母休矣!"

刘备惊问其故。

司马徽说:"这是曹操的奸计啊!我早就听说徐母的贤名了。她虽然被曹操所擒,但必定不肯写信唤回儿子。所以,这封信一定是假信。如果徐庶不去,曹操为了制衡,徐母还能保命。徐庶一去,徐母羞愤难当,必然自尽。"

刘备大感懊悔,为什么自己就不能看出这一点,从而说服徐庶留下来呢?

司马徽的结论虽然是正确的,推理却是错误的。徐母的死,并不是因为儿子做了糊涂事。徐母知道,如果自己活着,儿子势必受制于曹操,只能为曹操效力,这样就会玷辱大节。只有自己死了,儿子没有了牵挂,才能不受约束,脱身而去,保全气节。所以,徐母是想以自己的死,换来儿子的生。这种伟大的母爱,从来就没有稀缺过。但即便是高人如司马徽之流,都不能真正理解母爱的伟大,更何况一般的凡夫俗子呢?

好在徐庶推荐了替代者诸葛亮,而且据他所言,诸葛亮之才胜他百倍。但刘备还是比较清醒的,并不全信徐庶之言。因为这种为了弥补自己的愧疚之情而对替代者大加溢美的现象也是屡见不鲜的。

正好司马徽来访,刘备再次询问详情。

司马徽就讲了诸葛亮的一件轶事。

诸葛亮和崔州平、石广元、孟公威、徐元直等几个人是好朋友,经常在一起研讨学问。有一次,孔明抱膝长吟,指着崔石孟徐四个好朋友说:"你们四个人凭着自己的才学,如果入仕,可以当到刺史、郡守的职位。"

这四个人就问了："那么，你的志向是成为什么呢？"

孔明笑而不答。

刘备听得一头雾水。关羽在旁听了，微感不快。志大才疏的人比比皆是，这个孔明如此狂妄，也许只是浪得虚名，并没有什么真才实学吧。

司马徽继续推崇诸葛亮，说："孔明居于隆中，喜欢吟诵《梁父吟》，每每把自己比作管仲、乐毅，他的才能真是不可估量的啊。"

司马徽的话别人可能听不太懂，关羽却是能听懂的。毕竟他天天看《春秋》，学问是有长进的。

梁父是泰山下一座小山的名字。《梁父吟》则是汉乐府的一种。《梁父吟》的全文是这样的：

步出齐东门，遥望荡阴里。里中有三坟，累累正相似。问是谁家墓，田疆古冶子。

力能排南山，文能绝地纪。一朝被谗言，二桃杀三士。谁能为此谋，国相齐晏子。

《梁父吟》的内容是说春秋时齐国相国晏子利用二桃，挑拨公孙接、田开疆、古冶子三个勇士争功内斗而死。晏子之所以这样做，是因为这三个人武艺高强，傲气凌人，不服管理。历来都是将"二桃杀三士"作为晏子计谋出众的一个绝佳例子的。但《梁父吟》却站在同情"三士"的角度，对晏子提出了委婉的批评。

诗以言志。诸葛亮好为《梁父吟》，实际上是觉得晏子在管理能力上大有欠缺，不能很好地驾驭有个性的人才，只能一杀了之。这样做，尽管眼前安耽了，耳根清净了，但国家也丧失了作战勇猛的将领。诸葛亮认为这样做是得不偿失，也是无能的表现。其隐含的意思就是，如果是我来担任晏子的职位，一定能够比他做得更好、更出色。

《梁父吟》背后的意思比较隐晦，关羽只是隐隐懂得，却不会想到这一首《梁父吟》在日后竟然会和自己有这么大的瓜葛纠结。关羽此刻只是觉得诸葛亮的口气实在太大了，竟然不把身为千古名相的晏子放在眼里。

而诸葛亮每每自比管仲、乐毅，更是加深了关羽对诸葛亮"胡吹一气、妖言惑众"的不良印象。

关羽忍不住站出来说话了："管仲、乐毅二人，都是春秋名人。管仲辅佐齐桓公，一匡天下，九合诸侯，成就了春秋第一霸的伟业。乐毅则凭借一己之力，攻下了齐国七十余城,挽燕国于既倒。这两个人都成就了惊天动地的伟业,诸葛亮凭什么能跟他们相提并论呢?"

司马徽看了看关羽,微微一笑,没有直接反驳他的话:"诸葛亮哪里是和他们相提并论。应该说,管仲、乐毅哪里比得上他啊?"

关羽更加不悦。司马徽却自顾说下去:"我看哪,也只有两个人可以和他相比啊。"

关羽追问道:"是哪两个人?"

司马徽说:"也只有打造周朝八百年江山的姜子牙和兴旺汉朝四百年江山的张良能和他相比啊!"

其实,关羽并不是第一次听到这番话,先前徐庶推荐诸葛亮的时候也说过类似的话。但出于当时的特殊情境,关羽也没有多少反应。这次再从司马徽的嘴中说出来,关羽觉得分外刺耳。

关将军心中骄傲的种子已经慢慢生发成长了。如果决策者是关羽的话,司马徽的这番话就恰好起了反作用。但决策者不是关羽,而是刘备。

刘备已经反复听到第三方对诸葛亮的高度推崇了。

第一次,仙风道骨的司马徽通过一句"卧龙、凤雏两人,得一可安天下"点到为止的推荐让刘备心理形成了强烈的预期。刘备孜孜不倦数十年,熬到青丝变了白发,不就是为了安天下吗?当这一种预期有望成为现实的时候,刘备能不心潮涌动吗?

第二次,徐庶用自己的行动证明了得力谋士之于战胜曹操的重要性和必要性。离去之前,徐庶又推荐了胜过自己百倍的诸葛亮。徐庶能够战胜曹兵,胜他百倍的诸葛亮当然更加能战而胜之。这是一个简单的对比推理。

第三次,司马徽亲临指导。这一次却再也不遮遮掩掩,而是高度评价了诸葛亮,和前一次的推崇形成了叠加效应。

强烈的动机必然产生强大的动力,刘备把延请诸葛亮作为当前最紧急、最重要的一件大事。只是他没想到,要见诸葛亮一面会是何等地困难!

而关羽的心情则比较复杂。一方面,他也非常希望能够有比徐庶更强的人来辅佐大哥;另一方面,他又本能地对这个别人口中所谓的"不世出的高人"心怀反感。这是因为骄傲的人,自我划分的内群体的范围是非常小的,小到只能容纳他自己一个人。任何在此范围之外的人,当然是具备一定特长的高人,都会被骄傲者视为外群体而加以不符合基本事实的歧视。

只是，却没有一个人考虑一下另一个重要的问题：司马徽和徐庶事先并未合谋商议，为什么他们推荐诸葛亮的言辞竟然会严丝合缝，惊人地一致呢？

心理感悟：我们往往把对别人的赞赏和褒奖看作是对自己的贬低和惩罚。

41

这个年轻人会摆谱

司马徽和徐庶的这套说辞不是他们自己凭空想出来的。世界上没有两个人的思想会完全雷同，尤其是对有思想或自认为有思想的人来说，更加不会允许这种情况出现。

这一切都来自诸葛亮对自己准确的包装定位，不厌其烦的重复宣导以及潜移默化的暗示诱导。这件事情做得非常成功，久而久之，和诸葛亮密切交往的人就形成了条件反射，只要一提到"诸葛亮、孔明、卧龙"这几个关键词，那一套说辞就自动自发地从脑海中蹦出来了。

司马徽、徐庶是这样，崔州平、孟公威、石广元等也是这样。

众口铄金，众口也能炼金。当这么多个有分量的朋友众口一词地为你做宣传、做推广的时候，想不成名人都难。

从这个角度来说，诸葛亮也可以算是自我营销的绝顶高手了。

不管怎么说，诸葛亮是个超级贤能之士已经成为刘备脑海中刻板印象了，刘备恨不得立即见到他。于是，刘关张兄弟三人踏上了寻访诸葛亮的行程。

刘备等寻访至隆中卧龙岗，来到诸葛亮庄前下马。刘备轻叩柴门。

一个小书童出来应门。刘备说："汉左将军、宜城亭侯、领豫州牧、皇叔刘备，特来拜见先生。"

刘备自以为说话很得体了，这么一个地位尊贵的人亲自上门来拜见先生，应该是够礼数的了吧。前面说过，头衔在社会交往中的作用是非常大的，可以有效提升自己的地位和权威感，也便于对方快速地进行识别。

刘备的这一大串头衔，大部分早已徒具虚名了，现在充其量是刘表手下的一个新野县令罢了。但他依然一字不落、不厌其烦地将自己曾经拥有的头衔全部报出，可见尽管刘备如今地位卑微，但内心中还是充满着对过去美好时光的深深眷恋。

不过，诸葛亮的书童的水平也不低。一句话说出来，差点没把刘备撅了个跟斗。

书童说："不好意思，我记不得这许多名字。"

现实中，也有很多人的名片上印着黑压压的一大批头衔，其心理和刘备有类似之处。只是没有这样一个小书童童言无忌，一语刺破罢了。

刘备脸上一红，立即被打回原形。是啊，尽管有这么多头衔，但没有一个是有实在内容的。而且，今天是上门求贤来了，又不是来显摆头衔来了。刘备删繁就简，从一个极端走到了另一个极端，说了最精练的六个字："新野刘备来访。"

和简单的人说话，没必要太复杂，否则，就背离了沟通的基本目的了。刘备适时做了调整，接下来和书童的对话就非常顺畅了。

书童说："不好意思，先生没在家，今早出门了。"

刘备问："到哪里去了？"

书童说："不知到哪里去了，先生向来踪迹不定。"

刘备问："什么时候回来？"

书童说："说不准。也许三五日，也许十数天。"

刘备心中一阵惆怅，还在恋恋不舍间，旁边的张老三就有点不耐烦了。他本来就对诸葛亮没感觉，只是出于兄弟之情，不得不陪同刘备前来。张飞说："既然没在，我们不回去还待着干吗？"关羽也帮腔张飞说："是啊，大哥，我们还是先回去吧。回头派个人打听，啥时候诸葛亮回家来了，我们再过来也不迟嘛。"

刘备无奈，同关张二人怏怏而归。

时光荏苒，转眼已是隆冬。刘备派人打听到诸葛先生已在庄上，立即叫上二位兄弟，准备前往。

张飞心里老大不情愿，说："诸葛亮不过是一个村夫罢了。大哥何必一去再去？派个人把他叫来不就行了。"

刘备斥骂道："你从来不读书，根本不知道道理，孔明是个大贤人，怎么能招之即来，挥之即去呢？"关羽本想帮腔，但一想，自己和张飞比，算是读书的，也就不好意思顶撞刘备了。

三人上路。这一天天气严寒，彤云密布，朔风凛凛，不一会儿，竟然下起雪来。刘关张三人顶风冒雪前行。张飞又发起了牢骚："天寒地冻，连打仗都要停战，干吗跑这么远来见这么个没用之人？！"

刘备叹了一口气，说："兄弟，你不知道，天气恶劣，正好可以体现我的诚意啊。如果你怕冷，就先回去吧。我自己一个人去。"

张飞见刘备这样说，有些不好意思了，说："我死都不怕，怎么会怕冷呢？我只是担心哥哥空劳费神啊。"

张飞的担心果然成了现实。刘备来到诸葛亮门前，一打听，诸葛先生确实是在的，不过是诸葛小先生——诸葛亮的弟弟诸葛均。

刘备问："令兄又到哪里去了？"

诸葛均说："前两天刚刚和崔州平出去闲游去了。"

刘备问："到哪里闲游去了？"

诸葛均说："或驾小舟游于江湖之中，或访僧道于山岭之上，或寻朋友于村僻之侧，或乐琴棋于洞府之内，往来莫测，不知去向。"

刘备听得心灰意冷，张飞又不耐烦了，催着赶快回去。关羽虽不明言，心中也已经极其不耐烦。刘备只好留下书信一封，怏怏而归。

回到新野，转眼新年已过，新春已到。刘备又动了寻访诸葛亮的念头。这一次，他不再盲目前往了，而是请算卦先生占卜，择了一个吉日，斋戒三日，沐浴更衣，再行前往。

当一个人，在面对不确定的未来的时候，往往会选择神秘力量的指引。刘备在寻访诸葛亮一事上已经投入了很大的心力了，为了维护自己内心的一致性，他已经欲罢不能，势必还将投入更大的心力。

当刘备将这件事情神圣化后，关羽、张飞这两个兄弟可就不干了，挺身拦住了刘备，说："兄长，你以皇叔之尊，已经两次亲自前往探访了。这样的礼遇已经很过分了。我想诸葛亮必然是徒有虚名，其实并无真才实学，所以，故弄玄虚，避而不见。兄长，你就不要苦苦坚持了。"

事实上，刘备帐下还真没有一个人是刘备花费这许多心力才招致而来的。

在关张眼里，刘备的行为纯粹是走火入魔、执迷不悟。关张两人的话说得已经很重了，要不是他们敬重刘备是大哥，更难听的话早就脱口而出了。

刘备看了关羽一眼，说："兄弟，你是读过《春秋》的，难道不知道齐桓公为了见东郭的一个农民，去了五次才见到？齐桓公身为一方诸侯，为了见一个普通农民，都能去五次，我为了见到大贤诸葛亮，难道就不应该吗？"

关羽脸上一红，当然这红是看不出的，心想："大哥平时也就编编草鞋、帽子，很少看书，怎么对《春秋》这么熟悉呢？"说："哦，兄长原来是效仿周文王见姜太公啊。"

关羽这句话其实是含有讽刺成分的。

张飞在一边又嚷嚷开了:"大哥,你搞错了吧。我们兄弟三人纵横天下,阅人无数,何必要把这个山野村夫当成大贤人呢?这次不须劳动兄长大驾了。如果他再不来,我就一条麻绳把他缚来见你!"

刘备怒斥道:"一派胡言!难道你没听说过周文王身为西伯,当时三分天下已经有其二,仍然去渭水边拜谒姜太公?姜太公根本不理不顾周文王,周文王就在他身后侍立,一直到太阳下山也不挪动一步。姜太公这才和周文王说话,周朝这才有了八百年的江山。周文王如此敬贤,我怎能不学?你如此无礼,这次你就不用去了,我自己和云长去走一遭。"

张飞见刘备动怒,只好说:"哥哥既去,兄弟怎能落后?"

刘备说:"你如果去,就不能失礼。"张飞领诺。

三人来到卧龙岗,恰见诸葛均飘然而来。刘备慌忙施礼问讯。诸葛均说:"将军这次来得巧了,家兄昨晚刚刚回家。"刘备大喜,直奔诸葛门前。

书童开门,刘备求见。书童却说:"先生睡早觉还没有起床呢。"刘备急忙道:"不要惊醒先生,我等在此等候。"刘备吩咐关张在门外等候,自己站在阶下侍立。

这每一分钟的等待,刘备都是美滋滋的。因为有周文王的榜样示范,刘备甚至觉得自己等得越久,自己日后的江山越会运祚绵长。

但关羽、张飞可不这么想。两人等了良久,不见动静,进来看刘备,却见刘备还是静立等候。张飞大怒:"这厮如此无礼!故意装睡不起,待俺到门后去放一把火,看他起还是不起?"

关羽虽然深恨诸葛亮装腔作势、故弄玄虚,但毕竟比张飞深沉,急忙劝住张飞不可造次。

却说刘备一直等候,只见诸葛亮高卧床上,突然翻个了身,看看将起,又朝里壁睡去。书童正要叫醒,刘备急忙叫停,兀自等候。

刘备又站了两个时辰,毕竟是五十开外的人了,浑身倦困,强行支撑!正咬牙切齿间,孔明忽然醒了,醒了也不起床,先是吟了一首诗:

"大梦谁先觉?平生我自知,草堂春睡足,窗外日迟迟。"

书童急报,孔明忙道:"哎呀,为什么不早点通报啊?"当即入内洗漱更衣后，出外相见。

刘备这才看到孔明真面目。只见他身长八尺，面如冠玉，头戴纶巾，身披鹤氅，飘飘然有神仙之慨，不由折服下拜。（屡试不爽的外表吸引力法则再度现身。）

刘备、诸葛亮的这一番相见，史称"隆中对"。刘备折节下问，孔明侃侃而谈，龙虎风云际会，成就三分天下。

刘备唤入关张相见。关羽一见孔明，心中的不悦更为加深。

很多人没有注意到诸葛亮和刘关张相见时的年龄因素。刘备深受光晕效应影响，只看到了诸葛亮的优点，但关羽却一直保持怀疑。这个时候，诸葛亮只有二十七岁，而刘备、关羽等人都已经五十开外了。以当时的婚嫁之早，如果刘、关、张等人早些成家立业，儿子也该有诸葛亮这么大了。关羽、张飞都是纵横了大半生的豪杰之士，乍一见了这么个乳臭未干的毛头小伙子，怎么能够心服口服呢？

三顾茅庐，当然是诸葛亮自高身价之策。他之所以这么做，当然有他的考虑，但这一番做作，却让关羽深感不满。

诸葛亮和关羽本质上都是傲气十足的人物。只是诸葛亮的骄傲隐于内，关羽的骄傲显于外。但无论内隐还是外显，骄傲者都能敏锐地感觉出他人的骄傲。而骄傲者之间是水火不容，极难志同道合的。

三顾茅庐，就此成为历史上最为著名的佳话之一，为刘备发家、三分天下奠定了基础，但也因此埋下了关羽和诸葛亮不和的种子，最终为蜀汉的未来发展埋下了隐患。这后面一点，几乎没有人关注过。

心理感悟：骄傲会产生同性相斥的磁场。

疗效是最好的广告

诸葛亮之所以要设计"三顾茅庐",是出于建立威信的需要。尽管他的广告做得好,有很多有分量的第三者为他推广,但他的能力毕竟还是停留在口头传播上的,他此前并没有具体可见的实际业绩可供支撑。以这样的身份去统帅一帮老江湖,是很难言出法随、令行禁止的。如果部属对自己不服气,等着看笑话,那么天大的能耐也施展不开,最后的结局必然是"如期实现"不服气者的低评价、低预期。

所以,诸葛亮必须增加刘备得到自己的难度。一般来说,越是不容易得到的东西,越是会被珍惜的。刘备付出了这么多的心力,终于得到了诸葛亮,当然会他对加倍信任重用。诸葛亮只有借助刘备的权威和支持,迅速建立起自己的威信,才有可能在刘备营中立足,进而施展抱负。

从另外一个角度来说,这也可以算是诸葛亮对刘备的一种考验甄别,以降低自己择业的风险。如果刘备只是附庸风雅,实际并不尊重谋士,那么诸葛亮稍加为难,刘备就会知难而退。这样的主公也就不值得投靠了。

诸葛亮出山,随刘备来到新野,就任军师。他见刘备部众只有数千人,就主动提出招募民兵,加以演练。

刘备自从得到诸葛亮,对他非常尊敬,以师礼待之。为了让诸葛亮对自己死心塌地,刘备又拿出了自己的独门绝技——食则同桌,寝则同床。前面我们已经说过,刘备这一招对于营建亲密关系的有效性。诸葛亮当然也不能"幸免",两人自然是情好日密。

刘备和诸葛亮是好了,关羽可就不舒服了。食则同桌,寝则同床,本来是关羽、张飞的专利。自从徐州失散之后,这套做法自动作废了。没想到诸葛亮一来,刘备把这套做法又拿了出来。

关羽越来越觉得自己在刘备心目中的地位大大下降了。关羽在曹营的时候,曹操奉其为旗下第一人,而当他千辛万苦地回到刘备身边,却发现自己的地位直线下降了。两相比较,关羽的内心是非常失落、痛苦的。但是,不管怎么说,他和刘备几十年的感情还是很深厚的,关羽再有意见,也不能冲着刘备去。现在,诸葛亮出现了,而且种种迹象表明,正是他取代了自己原本不可替代的地位,关羽的外群体偏见发作,自然而然就会迁怒于他,从而就把矛头对准了诸葛亮。

关羽对诸葛亮的成见就此产生,经久不散。诸葛亮是多么聪明敏锐的人,关羽的微妙情绪他立即就心知肚明。刘备阵营中的第一谋士和第一武将之间的芥蒂,对这个组织来说,是一种致命的伤害。如果两人能够在共同利益的基础上,互相理解,互相妥协,那么改善双方的对立关系也不是不可能的事。

但问题是,这两个人都是非常骄傲的人,谁也不肯先低头。关羽就等着看孔明的笑话。而孔明呢,则又太过自信,他自信能够利用智谋,把握主动,处理好双方的关系(这似乎有点盲目乐观的味道)。

既然有意见,关羽就会表达出来。他不止一次在刘备面前说:"孔明不过是个毛头小子,有什么才学?兄长你对他尊敬过头了!又没有看见过他做出什么真实效验!"

刘备有一个优点是非常值得学习的。他善于倾听,纳谏如流,但一旦他自己认准的事情,无论别人怎样反对、贬损,他都不会改变自己的立场。

所以,刘备说:"我得到了孔明,如鱼得水,你们就别再多说了。"

关羽只好讪讪而退,心中更是增加了对诸葛亮的反感。

再说曹操,自从得了徐庶,以为刘备再也折腾不出什么花样了。没想到,刘备又得了诸葛亮,操兵演练。曹操最放心不下的只有刘备一人,刘备的一举一动,都会牵动他的注意力。

曹操当即派夏侯惇率兵十万,杀奔新野。

关羽、张飞首先得到了讯报。张飞对关羽挤眉弄眼道:"机会来了。这次就等着看诸葛亮的好戏了。"

刘备闻讯,召集关张商议应对之策。张飞说:"大哥,你不用惊慌,只需派'水'去,就万事大吉了。"

刘备一愣,一时没反应过来张飞说的是什么意思。一寻思,才知道自己说过"如鱼得水"的话。这'水'自然指的是诸葛亮。

刘备早就知道两位兄弟对诸葛亮有意见,借这个机会赶紧劝诫了一番:"出谋划策要靠孔明,上阵杀敌还是要靠两位兄弟的啊!"

刘备请诸葛亮前来议事，说："夏侯惇领兵十万，前来攻打，请军师出谋划策。"

没想到诸葛亮说出一番话，差点没让刘备晕倒在地。

诸葛亮说："不好意思，我没有办法。"

刘备心想："你这不是坑我吗？我好不容易请你出了山，又强压着两位兄弟的反对意见。你这样说，不是太掉链子了吗？"

但诸葛亮的第二句话立即让刘备缓了过来。诸葛亮说："不是我没有本事，只是担心你的两位兄弟不服气。如果要我来行兵布阵，就必须给我剑印，违令者不管是谁，斩立决！"

刘备、关羽、张飞都没想到诸葛亮会当众说出这样的话来。

只要你能克敌制胜，刘备什么东西都愿意给你。但关羽、张飞却是心中一凛，本来是想出工不出力，一心看落花流"水"的。但如果孔明剑印在手，军法无情，就容不得半点马虎了。

如果诸葛亮不使出这一招，恐怕他在刘备营中的职业生涯就要提前结束了。

刘备立即将剑印交给诸葛亮。诸葛亮开始了他平生的第一次布阵行兵。

这一次夏侯惇来势凶猛，领兵十万，但刘备只有数千人马。敌我力量对比悬殊，但事关诸葛亮威信的建立，他只能胜利，不能失败！

孔明派关羽、张飞各带一千五百人马，在博望坡左右两侧埋伏，只待南面火起，就出来厮杀。又派关平、刘封领五百人马，准备好引火之物，专门放火。再派赵云居中迎敌，许败不许胜，诱敌进入包围圈。

分派已定，张飞心想："大哥把你捧到天上，敌兵一来，我们大家都被你派了任务，怎么就没你自己什么事呢？"冲着诸葛亮直愣愣地就问道："我们都出去迎战，那你干什么呢？"

诸葛亮微微一笑，说："我独自镇守县城。"

张飞哈哈大笑，说："你倒挺滑头的。我们都在前面卖力厮杀，你却一个人躲在家里享受。这是什么道理？"

没什么道理。孔明知道，这个时候，自己的威信还没有建立起来，是不可能和他们讲道理的。于是，指了指剑印，淡淡地说了一句："剑印在此！违令者必斩！"诸葛亮的意思很明白，没什么好说的，你就得听我的。

作为一个刚刚上任的领导者，第一次和下属的心理交锋是很重要的。这样的机会有且只有一次，根本不存在后续弥补改进的可能。如果诸葛亮一开始就硬气不起来,那么以后也就没机会硬气起来了。尽管他自身现在还不具备硬气起来的条件,但他利用组织中已经物化的权威(剑印)和刘备的支持赢得了第一次交锋,从而把自己牢牢地稳固在了领导者和指挥者的位置上。

刘备一看要起内讧,连忙出来打圆场:"兄弟,难道你没听说过'运筹帷幄之中,决胜千里之外'吗?兄弟不可违令啊!"

张飞冷笑一声而去,自去和关羽嘀咕:"咱们暂且按照他的部署行事,看看到底有没有效,再来找他算账不迟。"

尽管关羽、张飞及其他人对诸葛亮都不服气,但这一次如果不是诸葛亮在用兵,恐怕刘备要全军覆没,就此灭绝了。以几千兵马,怎么能够抗衡夏侯惇的十万大军呢?

刘备一贯是个差生,虽然有时偶或会有"趋均数回归",但也要建立在对手人马数量较少并且轻敌的前提之下。

现在双方的资源差异如此之大,仅凭刘备阵营的自身实力,是根本没有胜算的。但好在诸葛亮也是一个资源配置大师,是和曹操同样别具特色的资源配置大师。

曹操擅长的是对人的资源配置,而诸葛亮擅长的是对物的资源配置。

人不够,物来凑。这物就是"火"。一"火"胜万兵,目下秋高气爽,正是放火杀人的大好时机。

夏侯惇果然中计,被赵云引入埋伏圈,关平、刘封改行放火,关羽、张飞冲出厮杀,曹兵被火烧得鬼哭狼嚎,死伤不计其数,惨败而归。

诸葛亮大胜收兵。这一仗真是打得刘备心花怒放,直夸自己看人之准!

对诸葛亮来说,这一仗的重要性也是不言而喻的。广告做得再好,最终还是要看疗效的。刘备阵营从来没有见过这样神奇用兵,巧借火势,以少胜多的战例。诸葛亮用他神奇的表演快速建立起了自己的威信,也奠定了他此后神化自己权威的基础。

关张二人对此的反应并不一致。张飞是个直性子,经此一仗,对孔明心服口服,从此服服帖帖,再无异议。但关羽毕竟城府深沉,虽也对孔明有几分佩服,但心中仍存芥蒂,只是嘴上不再多说。

心理感悟:树立权威的第一次机会同时也是最后一次机会。

责任交给一个人担

曹操得知夏侯惇的败讯，极为震惊。此前徐庶击败曹仁，攻占樊城时，双方力量对比并不太悬殊，属于情有可原。但这次夏侯惇之败，却毫无道理。

曹操打听明白，徐庶虽然已经归顺，但刘备帐中又新来了一个诸葛军师。正是此人神奇用兵，击败了夏侯惇。曹操决定，立即对刘备下手，以防其坐大，当下亲自出征，起兵五十万，兵分五队，直逼新野。

其间刘表病死，幼子刘琮继位，长子刘琦避祸远走江夏。曹操大军来袭，刘琮立即将荆襄九郡拱手献于曹操。

新野乃弹丸之地，诸葛亮即使有通天之能，也无法保全，但为了确保自己初步建立起来的威信不致迅速丧失，诸葛亮还是使出火烧新野、决水白河之计，妙用"火""水"两种资源，弥补兵力不足，再次以少胜多，将曹兵第一队曹仁杀得大败。

刘备也因此获得短暂的喘息时间。但刘备不肯放弃"仁义"的标签约束，不忍独自逃生，带了新野百姓，撤向樊城。然樊城亦不可守，只得又带了新野樊城两城十数万百姓，撤向江夏。一路上挈妇将雏，行动缓慢，转眼间就被曹操的骑兵赶上，伤亡惨重，血流成河，哀声遍野。

这一次负责保护刘备家小的任务落到了赵云头上。

这是一项极有难度的任务。此前张飞承担过这一任务，刘备家小为吕布所擒；关羽承担过这一任务，为曹操所擒。而赵云此次任务还因为增加了继承人阿斗而更显沉重。所以，尽管赵云是一个具有高度责任感的人，但也并不代表赵云能完成他的任务。

刘备全军在长坂坡被曹兵铁骑冲散。赵云来回冲杀，既寻不见刘备，也丢失了刘备家小。

赵云心想:"主人家眷二十余口,至亲三口——甘、糜二主母、小主人阿斗,都吩咐在我身上。今日军中失散,有何面目去见主人?不如决一死战,以报答平日知遇之恩!"

在如此惨烈的境况下,赵云有这种想法已经非常难得了。

赵云拨转马头,不再逃窜,直往曹兵人多处杀去。正行之间,看见一人侧卧草间,近前一看,竟是简雍。赵云急问:"看见主母了吗?"

简雍说:"我和你在同一处被曹兵驱散,我看见二位主母弃了车仗,抱着阿斗,走路而逃,我被曹兵刺伤,落在此处,实在不知主母去向。"

赵云斩杀曹兵,抢了一马,叫简雍自行逃回,说:"我就是上天入地,也要救回主母。如果寻不见,就死在沙场了。"说完直奔长坂坡杀去。

忽听路边一人大叫"赵将军"数声,赵云过来一看,原是刘备帐下小兵。赵云便问主母消息,小兵说:"刚才夫人披头散发,光着脚丫,跟着一伙百姓往南面去了。"

小兵的这句话,如同漫长暗夜露出的一丝曙光。赵云顾不得救济小兵,拍马直往南赶去。

只见一伙百姓,男女混杂,结伴而走。赵云大叫:"可曾看见甘夫人?"甘夫人恰在其中,听见赵云叫声,急忙答应,放声大哭。

赵云滚鞍下马,插枪在地,连连请罪。甘夫人虽在,但糜夫人和阿斗却不知去向。此时,正好一彪曹兵押解糜竺经过。赵云挺枪上马,刺杀曹将,夺了二马,让甘夫人和糜竺骑着,赵云护送回走,送至长坂坡处。张飞正在此断后把守。

赵云与张飞简短述过缘由。张飞道:"子龙,我的另一位嫂子和侄子阿斗还是要着落在你身上!"

赵云大叫一声:"救主去也!"拨马再冲长坂坡。一路上来回冲杀,但逢百姓,便问糜夫人消息,如是不知冲杀了多少回。

忽有一个百姓,指前而说:"夫人抱着孩儿,左腿中了一枪,走不动路,只在前面墙缺内坐着。"

赵云大喜,急忙来寻。只见一户人家,被火烧坏矮墙。糜夫人抱着三岁阿斗,正坐地痛哭。

赵云慌忙下马入见。糜夫人一见赵云,立即不哭了,说:"妾身得见将军,这孩子就有命了。望赵将军可怜他父亲飘零半世,只有这点骨肉。将军一定要护持此子,教他得见父面。我也就死而无憾了。"

赵云道："夫人受难，是我的罪过。请夫人上马，赵云步行护送，必当死战，以保平安。"

糜夫人说："不能这样，将军如果舍弃此马，这个孩子也就没命了。我已经身负重伤，死了又有什么可惜的呢？请将军速抱此子，不要管我了。"

赵云哪里肯听，只是请夫人赶快上马。糜夫人不听，将阿斗放于路上，自投枯井而死。

这个饱经忧患的女人，自跟了刘备，从未享受过一日的平安快乐。尽管刘备一直没有把她当回事，但在生死关头，她还是舍弃了自己一线生的希望，把机会留给了刘备的继承人，为刘备做出了最后一点贡献。

这是一个伟大的女人，值得钦佩。

赵云无奈，唯恐曹兵毁尸，推倒土墙，掩上枯井，然后解开胸前勒甲绦，放下护心镜，将阿斗放入，又再扎牢，随即上马，一路拼杀，四方寻路，冲破重围，前后枪刺剑砍，共斩杀曹营兵将五十多人，终于将阿斗平安救回到刘备身边。

赵云完成了一项不可能完成的任务，也凭借此役名扬天下，无怪乎刘备后来会说"子龙一身是胆"。那么，他为什么能做到这一点呢？是什么样的心理机制，让赵云具备了如此充足的心理能量，在长坂坡杀进杀出，毫无惧色呢？

这实际上是一个责任明确与激发的问题。我们往往感叹这世界上真正有责任感，能够不畏艰险勇敢承担的人少之又少，却不知道，问题并不仅仅出在他人身上。

在我们的群体生活中，存在着一种"社会懈怠"的现象。

在大家为了一个共同目标而努力的过程中，如果每一个个体的努力无法被单独评价衡量的话，就会出现"搭便车"的现象。每个人都寄希望于别人的更多付出，而自己只需装装样子，坐享其成就可以了。

拉坦·威廉姆斯和哈金斯等人研究发现，六个人一起尽全力叫喊或鼓掌所发出的喧闹声还没有一个人单独所发出的喧闹声的三倍响。

这就是社会懈怠。也就是说，当某一件事人人有责，等于说人人无责。

在赵云这件事情上，责任始终是明确的，保护主母和小主人的平安就是赵云的责任，没有任何可以推卸的他人。这是一个极其重要的前提。

这样的责任分工，在一般的情况下是适用的，但在长坂坡这样的特殊情况下，还是不够的。

赵云并不怕死。在那样艰险绝难的境况下，赵云做出赴死的决定要比求活容易得多。曹军铁蹄肆虐，赵云无法完成保护任务，并不是无能的表现，按照他最初的想法，对救回主母和小主人也没有抱太大的希望，他已经为自己以战死沙场、回报刘备的知遇之恩做好了思想准备。赵云若死，也不会有人对他做出任何负面的评价。但是，他要想找到并救回已经被冲散的主母和小主人，难度可就大多了。

那么，是什么激发赵云放弃赴死，必要求生以救回主母和小主人呢？

是他一路上所受到的明确指引。从路边的小兵，到守桥的张飞，都一再明确地向他发出了救回主母和阿斗的信号！尤其是糜夫人自行投井赴死前所交托的一番话，更是明确无误地指示赵云一定要将阿斗活着送回刘备身边！

绝对不要小看了这些有着明确指向的示意！一个人只有被推到绝对无可退让的悬崖边上才会最大限度地激发出责任感和斗志！

心理学权威罗伯特·西奥迪尼教授曾经遇到过一次严重的车祸。西奥迪尼脑后流血，摇摇晃晃想要站起来。另一位司机则趴在方向盘上，不省人事。很多车从旁边慢慢地开过去，司机们目瞪口呆地看着他们，却没有人主动停下来提供帮助。西奥迪尼立即发出了明确的指令。他首先指着一辆车的司机喊道："叫警察！"又对另外两辆车的司机说："把车开过来，我们需要帮助。"这些司机在得到明确的指示后，尽管从法律上来说，他们并没有提供帮助的义务，但他们立即行动，没有丝毫的延误，从而为事故的处理抢回了足够的时间。（记住，这也是你遭遇紧急状况时的保命的第一法宝！）

当责任主体和责任内容不确定的时候，任何一个人都做不到竭尽全力。在紧急状况下，只有多次明确责任主体，重复责任内容，才可能激发出责任者的潜能，以充足的心理能量去迎接最不可思议的挑战。

赵云的这一次成功救主，当然也有侥幸的成分。如果不是曹操怜惜其才，想要收归己用，吩咐手下只准活捉，不准施放冷箭，十个赵云恐怕也早已死在长坂坡了。但尽管如此，赵云的这一番作为，也是惊天动地的。如果没有责任感的高度激发，是绝对不可能达成这一壮举的。

心理感悟："责任"若无"明确"伴行，必将一事无成。

经历是一种财富 / 琢磨人才能琢磨成事 / 伟大就是不被失败打倒 /
为了忠义的背叛 / 魔术师最怕背后的人 / 不存款到哪里去取钱 /
我会成为你希望的样子 / 权威属于一把手

经历是一种财富

曹操痛快淋漓地击溃刘备，并挟攻克荆襄九郡之威，挥师南指，想要一举征服东吴，统一中国。

东吴孙权，继位不久，毫无战争经验，一时慌了手脚。手下文武，分成战和两派，争执不下，孙权浑没主意。

刘备军师诸葛亮趁机赶赴东吴，以三寸不烂之舌说动孙权，刘孙联手抗曹。诸葛亮也暂留东吴，协助周瑜出谋划策。

诸葛亮多次贡献奇谋，引起了周瑜的嫉妒之心。

妒忌就是对他人的先天条件及后天成就与自我进行对比后产生的一种认知不协调。那么，妒忌到底是怎么产生的呢？

妒忌的万恶之源在于"自我服务偏见"。

前面已经说过，"自我服务偏见"的具体表现是"人人高于平均水平"，这是就整体而言的。对某一个特定的个体来说，"人人高于平均水平"就是"自己高于平均水平"了。

个体之间也是存在优劣差异的，对某些明显表现出比较优势的个体来说，"自己高于平均水平"就会非常自然地演化为"老子天下第一"。活在这种美好幻觉之中，心情当然是非常爽快的。

但是，突然有一天，情况发生了变化，种种迹象表明，竟然还有别的个体强过自己，老子不再是天下第一了，这是非常沉重的一个打击，就会造成内心的认知不协调。这时，第一感觉就是用"不相信"来调节内心的不平衡，但"不相信"的有效期很短暂，如果其他优秀个体继续保持良好的表现，就只能"不得不相信"。

而这种"不得不相信"是非常痛苦的，如果不加以协调，就无法达致内心的平衡。从而，"基本归因错误"就登场了。

就是通过把其他个体的优异表现归结于身世显赫、容貌出众、运气奇佳等外部不可控因素，而把自己的成就归结为自身努力、自我奋斗以取得平衡感。

但如果这一招还不能解决问题，内心的心理机制就会出现两极分化。

一种是将其他个体神化，通过将其排除出"人类"的范畴，和自己区别开来。人怎么能跟神相提并论呢？这样一想，也就心安理得地接受别人比自己优秀的现实了。

另外一种则是妒忌。妒忌就是要通过种种贬损手段来弱化、否定其他个体的优秀表现，来达致自己内心的平衡。妒忌到极点，甚至会以消灭其他个体的物理性存在为手段来满足自己。这是通过将对手排除出"活人"的行列来和自己区别开来。死人和活人还有什么可比性呢？

崇拜和妒忌就是同一棵树上的两个枝丫。面对同一个足智多谋的诸葛亮，鲁肃表现出了崇拜，周瑜表现出了妒忌。

崇拜往往是两个个体相差实在太远造成的，而妒忌则是在两个个体差距不是很大的情况下产生的。

周瑜容貌英俊、少年得志、武略出众，且又精通音乐，的确也是一个很难得的奇才。但是，当他看到诸葛亮比他年轻，另有一种帅气，更要命的是在智谋上也颇胜一筹，这就使得周瑜选择走向妒忌，而不是像鲁肃那样走向崇拜。

妒忌就像一颗恶毒的种子，往往会结出令人匪夷所思的恶毒百倍千倍的果实。一个雄才大略、足智多谋的人当然是善于给他人制造妒忌的，但如果其不能很好地消除妒忌、应对妒忌，那么他必定会死于妒忌。

了解了这些，让人不由地对孔明的安危深感担忧。

再说刘备思念孔明，更担心他看到东吴孙权的实力而转换门庭，不肯再辅助自己。因此遣糜竺，带上礼物，前往探问孔明消息。

糜竺以友军犒劳慰问的名义来见周瑜。寒暄完毕，糜竺提出要与孔明相见，周瑜以军务繁忙为由婉言谢绝。糜竺不甘心，再次提出要求。这却给周瑜提供了一个打击孔明的大好机会。

周瑜提出，自己本来应该回访刘备以表谢意，但现在大敌当前，军情紧急，片刻不能轻离前线，只好请刘备前来相聚一番，到时再请诸葛亮一并会面。

按照互惠原理，刘备派遣使者前来慰问，周瑜应该礼尚往来，进行回访。而且，刘备的地位与周瑜的上司孙权相当，高过周瑜，周瑜就不能再派使者回访，只能亲自回访，才算得上是符合礼数。但周瑜竟然提出再请刘备亲自前来会晤，一般而言，是不符合情理的。但在这个特殊的时候，周瑜巧借形势，倒也合情合理，无可指摘。

周瑜的这一招，叫作"找借口"，是反制"互惠原理"的另一种好方法。

前面刘延在面对关羽的时候，用过"装可怜"的办法。"装可怜"是在找不到其他有力的借口时，只好把自己打扮成弱势群体，以反制"互惠原理"的一种做法。

但周瑜此刻正好有着非常好的借口（或理由）——大敌当前，军情紧急，不可擅离，来为自己提供支撑。孙刘既然联手，那么共同目标就是一致的。当前要务就是抗击曹操，以此为出发点，提出的一切要求都是合理的。

糜竺答应回报刘备。

鲁肃看不懂周瑜要做什么，就出来发问："你把刘备请来干什么？"

周瑜本来的想法是"釜底抽薪"，杀了刘备，让孔明无主可投。但这种阴暗心理如果不糊上一层光明正大的包装，是难以见天日的。所以周瑜说："刘备也是一个枭雄，如果不早点除去，将来必定会成为东吴的大患。我这可不是出于私心，实在是为了国家着想啊。"

当前正是刘孙双方开展战略合作的紧要关头，刘备作为一方的首脑，周瑜作为另一方的主将，本来应该是同心协力，一致抗曹的，周瑜为什么会说出这番不识大体、不合形势的话来呢？

这次合作，明面上是孙刘两大集团联合，实际上却是一个人和一个集团的联合。这个人就是诸葛亮，这个集团就是东吴。刘备本就只有数千人马，又刚刚被曹操击溃，蜗居江夏，即使加上刘琦的人马，也不过数万，而且处于观望状态，根本不具备和孙权谈合作的基本前提。刘备这边出力的只有跨江而来的诸葛亮一人。周瑜并非智障，这其中的轻重缓急看得很清楚。杀了刘备，对所谓的"孙刘联合抗曹"基本没什么影响，或者说影响不会太大。

但对诸葛亮来说，情况就不妙了。他足智多谋，周瑜要害他，一时半会儿也得不了手。周瑜把刘备请来，予以加害，就容易多了。一旦刘备被杀，诸葛亮的境地就非常尴尬。再好的谋士也是需要有一个明主平台的。

所以，周瑜明着是要杀刘备，暗里却是要害诸葛亮。

鲁肃是个忠厚之人，所以对周瑜的做法进行了劝阻。鲁肃又是个软弱之人，所以对周瑜的做法也劝阻不了。

周瑜和部下约定，伏下五十名刀斧手，刘备一至，只等他掷杯为号，就出来将刘备斩为肉酱。

刘备听了糜竺汇报，当即吩咐收拾快船，立即赴会。刘备一穷二白，得了诸葛亮，如获至宝，唯恐他立场不坚，见了家底殷实的孙大户"弃暗投明"，也唯恐孙权一旦了解孔明的高能，就着意拉拢，挖了自己的墙脚。此刻诸葛亮之兄诸葛瑾正在孙权手下效力，兄弟之情也是孙权可利用的手段。种种因素，让刘备寝食难安，恨不得立即见到诸葛亮，将其带回身边。

关羽却劝谏说："大哥，你不可轻易前往。听说周瑜是个足智多谋之士，这次聚会孔明也没有信息传来，恐怕其中有诈啊！"

经历是一种非常有用的资源。关羽过五关的时候，就差点吃了卞喜的苦头，所以他第一反应就是"其中有诈"。但刘备根本没考虑到周瑜可能包藏祸心，去意甚坚。

经历也会带给人信心。关羽说："既然兄长一定要去，那么我陪你去。"

经过卞喜"调教"，关羽掌握了赴"恶宴"的应对技巧。其关键就是控制住"宴主"，只要不让"宴主"脱身，必保平安。

张飞也要同去，刘备说："你和子龙守家，我只和云长去便可。"

当下，关羽扮成刘备的贴身亲随，另带随从二十余人，飞舟赴会。

周瑜大喜，心想刘备这次可入我圈套了。宾主把酒言欢，酒酣面热之际，周瑜站起身来，正待掷下酒杯，猛然瞥见刘备身后站着一个红脸大汉，面目威严、眼光炯炯，全神戒备，不由一愣，急问刘备道："这是何人？"

刘备呵呵一笑，说："这是我二弟关羽关云长啊。"

周瑜大惊："莫非是斩颜良、诛文丑的关羽？"

刘备道："正是，正是。"

周瑜顿时惊出一身冷汗，暗叫幸运，亏了刚才没有把酒杯掷下地去。当时信息的传播手段远没有现代发达，关羽的威名虽已经渐渐传开，但亲眼见过他的人毕竟是少数。而周瑜也万万没有想到，关羽侍兄竟然会如此之尊重。作为刘备旗下首席大将，既然出席这样的宴会，必然也是座上之宾，哪里会想到关羽竟然不吃不喝，心甘情愿地给刘备当一个亲随小卒呢？

周瑜看形势算是快的。今日之会，如果他真的掷杯为号，即便刘备被杀，以关羽之神威，他自己也难逃关羽之手。这样的形势就成了两败俱伤，而这显然是违背东吴和孙权的根本利益的。权衡得失，周瑜立即改变了主意。

可见，权威的光环作用是无处不在的。

宾主再度把盏，宴会的气氛回归正常。刘备想请诸葛亮相见，周瑜却推说诸葛亮另有要事在身，只待破曹之后再会。

刘备心中怏怏不乐、忐忑不安。关羽则恐迟则有变，目示刘备离开。

刘备来到船边，没想到孔明早已候在此处。刘备大喜，急问归期。孔明说："十一月二十甲子日必然回归，可教赵云驾小舟于南岸边等候，切记勿误。"

刘备得了准信，安心离开。

此后，诸葛亮和周瑜连施妙计，巧借东风，火烧赤壁，将曹操的百万大军烧得鬼哭狼嚎，一败涂地。

周瑜见孔明功成，更加嫉妒，唯恐日后难以控制，欲加杀害，却哪料诸葛亮早已想好脱身之策，顺利且及时地回到刘备营中，点兵遣将，要趁曹操兵败之际，抢在东吴之前下手，为刘备赢取安身立命之地。

心理感悟：重要的不是停止制造妒忌，而是如何妙对妒忌。

45

琢磨人才能琢磨成事

刘备早已将兵马船只准备停当，总共也只有几千人马，就等孔明调遣。

诸葛亮先派赵云带领三千人马，在乌林小路上，拣树木芦苇茂密处埋伏。诸葛亮算定，四更后曹操必从这条小路逃命，吩咐赵云等曹兵通过一半时，就放火杀掳。

诸葛亮再派张飞带领三千人马，截断夷陵一路，在葫芦谷口埋伏，也是等曹操到来时，放火、杀人、抢东西。

诸葛亮再令糜竺、糜芳、刘封三人各驾船只，绕江而行，专门负责抢夺船只、器械。

诸葛亮还令刘琦镇守江夏，无须出击，只需坐地擒拿逃兵即可。

分派已定，诸葛亮哈哈一笑，对刘备说："主公，你只需在樊城屯兵，凭高而望，坐观好戏即可。"

关羽在帐下一侧，看见诸葛亮浑若无人般地把自己给忘了，不由地怒气横生！关羽在刘备手下一直排名第一，每次行军布阵，向来都是第一个被委以重任的。孔明如此做法，对他的自尊心是一个非常大的挑战。关羽日趋孤傲，即使心中生气，一般情况下也不会像街头无赖般跳出闹事。但这次的战役实在是非同小可。关羽绝不能眼见着张飞、赵云，乃至糜竺、刘封之流建功立业，自己却只能袖手旁观。

关羽怒气冲冲地站了出来，高声质问道："关羽自从跟随兄长南征北战，许多年来，从不曾落后他人，今日遭逢大敌，军师为什么不肯委用，是何道理？"

关羽其实也知道，诸葛亮对自己的不服气心知肚明。这样质问实际上是指责他有公报私仇的嫌疑。

没想到，诸葛亮微微一笑，非常客气地说："云长，你可别见怪啊。我本来是要烦劳你把守一个最紧要的关隘的，可是想来想去，觉得你可能不太方便，只好不派你去了。"

关羽说："有什么不方便的？你说出来听听。"

诸葛亮说："以前你在曹操那里的时候，他待你非常优厚，你离开的时候，也发誓说过要报答他的。今天曹操兵败，必然从华容道经过，如果我派你去把守，你抹不开面子，肯定要放他过去。因此，不敢派你去啊。"

真是哪壶不开提哪壶！关羽最不愿意听到别人提他在曹营中的这段尴尬经历。但既然孔明提到了这件事，关羽就不得不为自己辩白了，否则后患无穷。

关羽立刻高声道："军师，你也太多心了。当初曹操确实对我不错，但我已经斩颜良、诛文丑，解了白马之围，也算是报答他了。现在是两不相欠。今日如果撞见，我怎么会放他走路？！"

诸葛亮说："那你如果放他走了，又怎么办呢？"

关羽怒气上涌，说："我愿军法从事，输了这颗项上人头！"

诸葛亮慢悠悠地说："既然这样，那口说无凭，可得立下军令状！"

关羽二话不说，立即写好军令状。写完后，关羽越想越气，心想来而不往非礼也，反戈一击，对诸葛亮说："要是曹操不从华容道逃命，又怎么说？"

诸葛亮哈哈一笑道："那我也与你立下军令状，如果我算计不准，曹操不走华容道，那我的人头就归你了。"

当下，关羽带着关平、周仓及五百校刀手，去华容道埋伏。

诸葛亮为什么要如此对待关羽呢？

诸葛亮初来乍到刘备营中，虽然刘备对他奉若上宾，但以关张为首的众多部属是不见兔子不撒鹰的，必定要看他的真实效用才能服气的。经过博望坡、新野两把大火，张飞等人已经服气。但分量最重的关羽，因为看不惯孔明"故弄玄虚"的这一套，始终是冷眼旁观，心有不服。

所以，诸葛亮就把收服关羽之心作为当前的一项极其重要的工作。

诸葛亮的算计是天下无双的，他的算计是建立在对整体形势、地理位置以及曹操心理的综合分析基础上的，所以，曹操必然从此而过。

孔明认为，如果关羽真的在华容道擒了曹操，那么，事事如自己所料，关羽再骄傲，也应该对自己心服口服，不再抵触了。这是软征服。

如果关羽也如自己所料，抹不开曹操昔日的恩惠，真的放了曹操，那么，自己有他的军令状在手，生杀予夺，全由己定，也不由他不服。这是硬征服。

无论软硬，孔明都是胜券在握。

也许，有人会说，军令状不是儿戏。如果立了军令状而不执行，就是言而无信，必然造成恶性的示范作用，以后就做不到军令如山、纪律严明了。关羽擒了曹操还好说，如果关羽放了曹操，那么杀还是不杀呢？

刘备就看到这一点了。诸葛亮和关羽之间不和谐，是他最头疼的事情。他们之中任何一人因军令状丢了脑袋，都是他不能承受的损失。

刘备对自己的兄弟非常了解，认为他私自放了曹操的可能性非常大。于是非常紧张地问诸葛亮。没想到诸葛亮哈哈一笑，道："亮夜观天象，曹操还不该丧命于此，所以，故意让关羽去镇守华容道，把这天大的人情送给云长，以成全他的义气。"

刘备一听，这才放下心来。既然诸葛亮这么说，那么到时候也不会真的砍关羽的头，我只要示意手下文武多给关羽求情就可以了。

其实，诸葛亮说的这番话多半是糊弄刘备的。尽管神秘力量的作用不可无视，但诸葛亮有没有夜观天象，天象有没有告诉他曹操命不该绝，我们还真的无法肯定。

诸葛亮之所以派关羽去放了曹操，是因为在他的战略规划中，曹操目前还不能死。这是一个非常重要的前提。

对诸葛亮来说，曹操的生死并不该由关羽的个人恩怨来决定，而是要从是否有利于刘备集团的发展壮大来决定。如果曹操的死，对刘备集团更有利，那么他就得死。只要换张飞、赵云任何一个去镇守华容道就能够实现这一点。但从目前的情势来看，让曹操活着，显然对刘备更加有利。

曹操失败后，孙权一方的气势大盛。如果曹操死了，他所占据的北方必然四分五裂，陷入混乱。这个时候，如果孙权乘着气势，跨江追击，很有可能一鼓作气平定北方，从而基本一统天下。此时的刘备，却是一穷二白。从刚刚诸葛亮的派兵就可以看出来，加起来也就六千多人。这点兵力，趁着兵荒马乱，抢抢近在眼前的荆襄九郡还是有可能的，但是根本无法和实力雄厚、经营多年的孙权去逐鹿天下。很可能孙权顺势一挥，就将刘备也消灭了。

但是，如果放曹操一条生路，那么北方依然会掌控在曹操手里。曹操虽败，败而不僵，仍然有足够的实力和孙权抗衡。这才是对刘备最有利的局面。曹孙相争，刘备才可以找到生存、发展的缝隙，才有可能徐图未来。

所以，这才是诸葛亮派关羽去放生曹操的真实意图所在。

曹操一辈子都在把别人当资源算计，但没想到自己的生死却被诸葛亮当成了资源算计。

诸葛亮托言天象，实际上也是为后面不杀关羽埋下了一个伏笔。

那么，既然诸葛亮已经决定了不能让曹操死，为什么不干脆直接对关羽明言，我送给你一个大人情，你到华容道，如此这般把曹操放了呢？如果孔明这样做了，等于是给了关羽一个大恩惠。以关羽知恩图报的性格，说不定两个人的关系就此春意融融了呢。但诸葛亮为什么不这样做，反而要大费周折，让双方都写下没有退路的军令状，这不是拿别人的脑袋和自己的威信开玩笑吗？

诸葛亮这样做，是出自他的自信，或者说过度自信。

还记得他出山前最爱吟的《梁父吟》吗？

步出齐东门，遥望荡阴里。里中有三坟，累累正相似。问是谁家墓，田疆古冶子。

力能排南山，文能绝地纪。一朝被谗言，二桃杀三士。谁能为此谋，国相齐晏子。

诸葛亮觉得晏子用"二桃激杀三士"是最愚蠢的办法。杀人立威是最简单的办法，也是最粗暴的办法。有个性、有主见的勇士都杀光了，不听话、不服气的人自然就没有了。但是，当国家需要勇士征伐四方的时候，也就无人可用了，这等于是自毁长城。而他自信自己完全可以做到"激而不杀"，既无须伤害勇士的性命，又可以收服勇士之心，让勇士为自己所用。

诸葛亮所用的办法就是"激将法"。

刘备总共就这么点家底，尽管关羽傲气凌人，不太听话，但诸葛亮还是不想杀他的。事实上，有刘备在，也是杀不了的。诸葛亮这么聪明的人，不会看不到这一点。但也正因为如此，诸葛亮必须要用"杀"来达到"不杀"的目的。

关羽的后台这么硬，本人的脾气又这么臭，如果不是通过"激将法"把他置于非杀不可的境地，又怎么能让他认输服气呢？

心理感悟：激将失当，就成激僵。

伟大就是不被失败打倒

那么，为什么诸葛亮料定关羽会不顾军令状的存在而斗胆放了曹操呢？

这是源自诸葛亮对人性的深刻理解。从这个角度来看，诸葛亮无愧于一个杰出的心理学家，尽管他也会无可避免地受到心理学规律的约束而犯错误。

2005年，有一个国家不顾美国当局的强烈谴责，以压倒性的优势匿名投票通过了一个人加入了本国国籍。

这个人就是国际象棋的前世界冠军，同时也是美国的逃犯——鲍比·菲舍尔。菲舍尔因为公开表态支持"9·11"事件的劫机犯而被美国当局列为逃犯。

那么，这个敢冒美国之大不韪，顶风作案，为菲舍尔提供庇护的国家到底是哪一个国家呢？

很多人都会猜测是伊朗、叙利亚或朝鲜。但以上三个国家都和这件事情没有关系。

这个国家是一直与美国保持着亲密友好关系的盟国——冰岛。

冰岛为什么会这样做呢？

这还要从三十多年前的一场国际象棋比赛说起。当时是1972年，菲舍尔将作为挑战者在这场比赛中迎战苏联的国际象棋大师鲍里斯·斯帕斯基。当时正处于冷战的巅峰时期，这场比赛也因为参赛双方的国家正好来自两大政治阵营而备受瞩目，被称为世纪之战。

但是，菲舍尔却没有参加这次在冰岛举行的比赛的开幕式。相反，他提出了诸多要求，比如禁止电视转播、百分之三十的广告费归自己等诸多要求。人们开始怀疑这场比赛是否能够如期举行。

最后，在比赛奖金翻倍以及美国国务卿基辛格的劝说下，菲舍尔终于飞赴冰岛参加了比赛。

因为比赛本身的重要性以及过程的曲折性，世界各大媒体连篇累牍地对此进行了报道。原本默默无闻的小国家冰岛也因此声名远扬、广为人知。

冰岛人将其归功于菲舍尔，甚至认为是他"让冰岛在世界地图上占有了一席之地"。冰岛人对此念念不忘，以至于在三十年后，当菲舍尔落难的时候，毫不犹豫地伸出了庇护之手。一位冰岛外交部的工作人员表示："三十年前菲舍尔对这里做出的杰出贡献，我们至今仍铭刻在心。"而英国广播公司则分析说，冰岛之所以冒着得罪美国的危险也要收留菲舍尔，是因为冰岛人民"十分迫切地希望，能够用提供庇护的方式来回报菲舍尔先生"。

冰岛人之所以如此知恩图报，和个体差异的关系非常大。冰岛是一个非常小的国家，总人口还不到三十万（大致相当于中国的一个四五线城市）。而且，冰岛由于地理位置的原因，遍地是火山、冰河，地形与气候都是世界上最恶劣的，但冰岛人却非常乐观地形成了"我们取得的一切成就都来自自然的恩惠"这样一种观念。这样一个小国家，如果没有菲舍尔事件，确实不会为人所知。所以，这件事情本身的恩惠确实比较大，加上冰岛人的感恩心态胜过常人，所以菲舍尔在三十年后竟然还能品尝到回报的甜蜜。由此也可见互惠原理之效用绵长。

恩惠的保质期（有效期）是一个非常有意思的话题。曹操对关羽所施恩惠的新鲜度显然正当其时。但关羽早已宣扬，已经用颜良、文丑的脑袋回报了。华容道上到底会出现什么样的情况，我们还得拭目以待。

再说曹操，被火烧得大败，带着一帮谋士武将，纵马加鞭，狼狈逃窜。

逃至五更天，曹操回望火光渐远，心中略微安定，问道："这是哪里？"随行的荆州降将回答说："这是乌林之西，宜都之北。"

曹操见树木丛杂、山川险峻，不由地放声长笑。

诸将不解，八十多万兵马，被烧个精光，竟然还能笑出来，丞相是不是受了刺激，精神有些失常了？

这么想的人智商怎样不知道，但情商一定没有曹操高。

大家一定还没忘记曹氏资源配置的第三条法则吧。这就是最典型的转负为正！

刚刚经历的这次惨败，死了的人暂且不说，对幸免于难的人来说，自信心肯定受到了沉重的打击，心理上也会蒙上失败的阴影。如果不迅即扭转这种局面，今后的队伍肯定不好带，战斗力也会大幅下降。

行为改变态度！

曹操作为统帅，尽管他也很伤心，也很绝望，但他不能表现出伤心，也不能表现出绝望，他必须从逆境中快速寻找到快乐的种子，让自己的乐观迅即感染到所有的幸存者。

"哭、笑、歌、叹"是成本最低的注意力策略。在这个时候，"哭、歌、叹"显然不合时宜，只有笑，只有长笑，只有大笑，才能让自己真的抛开沮丧，抛开绝望，才能表现出革命的大乐观主义。所以，曹操放声长笑。

很多人把这一段当成三国中最大的笑话来看待，平心而论，这真不是一件可笑的事情，试问天下又有几人能够做到呢？

曹操一发笑，诸将必然要问缘由。

曹操笑道："我不笑别人，单笑周瑜无谋，诸葛亮少智。如果是我用兵，在这里预先埋下一支军马，我等就插翅难逃了。哈哈哈！"

曹操的笑，明着是嘲讽对手，实则是将自己目前的糟糕境况与可能的更糟境况作对比，以获得庆幸、知足、积极、乐观等正面的知觉和态度。

即使在最惨烈的失败面前，也要在谋略上貌视敌人，这正是曹操的伟大之处！

曹操的"知觉对比策略"差一点就成功了，可惜他遇到的是不世出的对手——诸葛亮！

笑声未了，两边鼓响，烟火冲天而起，惊得曹操几乎落马。只见半山腰里一彪人马杀出，众军士大叫："常山赵子龙在此守候曹丞相多时了！"

徐晃、张郃拼死迎上，敌住赵云，曹操率众冒火突烟，逃窜而去。赵云厮杀一阵，只顾夺掳旗帜马匹，并不追赶。

曹操逃出生天，天色已经微明，黑云犹自笼罩。过不多时，骤雨猛降，曹操一众衣甲尽湿。直到两个时辰后，方才雨止风息。曹操问部下到了何处，部下答是夷陵葫芦谷口。曹操吩咐部下停下休息，寻找干处埋锅造饭，割马肉烧吃。

曹操坐于树下，吃得饱了，仰面又是一阵长笑。

诸人惊问其故："丞相，刚刚你笑周瑜、诸葛亮，结果笑出了赵云，折损了许多人马。为什么到这里还要大笑？"

说这句话的人真应该拖下去打五十大板！赵云哪里是曹操笑出来的，他早已埋伏，曹操不笑也是要出来的。

曹操笑道："我还是要笑诸葛亮和周瑜，虽然有将才，但智谋还是不够啊。如果是我用兵，就在这个葫芦谷口，也埋伏一支军马，我等哪里还有逃生之机呢？哈哈哈！"

笑声未了，四下里烟火弥漫，张飞横枪立马，大喝道："燕人张翼德在此，曹贼快快下马投降！"

曹操吓得心胆俱寒，急忙上马逃窜。很多谋士、战将连马都来不及骑，就开始逃命。唯独许褚骑了一匹无鞍马，来战张飞。张辽、徐晃两将，也纵马迎上，死死敌住。

曹操再次逃出，张飞追兵渐远，曹操回顾众将，大多身上带伤，个个垂头丧气，心想："士气如此低落，接下来还得找个合适的地方，再笑上一笑啊。"

正行之间，前面出现了两条路，一大一小。知晓地形的军士说两条路都通往南郡。大路稍平，却远五十里，小路经过华容道，却近五十里。

曹操使人上山远望探看，只见小路上隐约有烽烟冒起，大路上毫无动静。

曹操决定，走华容道小路。诸将也都是行军的大行家，劝道："烽烟起处，必有伏兵。丞相为什么要走这条路呢？"

曹操说："你们难道没听说过兵法有云'虚则实之，实则虚之'吗？诸葛亮故意派几个小卒，于山间偏僻处烧烟，令我等不敢从这条山路通过，却伏兵于大路两侧。我已料定，故而选择华容道。"

众人见曹操大败之下，依然沉着冷静，分析得头头是道，不由心悦诚服，说："丞相妙策，人所不及啊。"心里却想："丞相，不论走哪条路，求求你，千万别笑了。"

真是一种莫名其妙的关联。

这实际上是诸葛亮和曹操之间的博弈，不过曹操只算到了第二步，而诸葛亮算到第三步。诸葛亮高出一等。

曹操引军走进华容道，真是人饥马乏、焦头烂额。其时正值严冬，这份痛苦真是难以用言语描述。

正行之间，曹操在马上再次放声大笑。

众将虽然不愿再见他发笑，但仍是照例要问缘故。

曹操笑道："我还是笑诸葛亮、周瑜无能，如果在这里伏下一支军马，我们都得束手就擒！"

笑声未落，一声炮响，两边五百校刀手一字摆开，当中关羽关云长手提青龙刀，跨着赤兔马，拦住去路。

曹操众人见了，惊慌失措，面面相觑，吓得说不出话来。

这有两个原因，一来曹营众将对关羽威名特别敏感；二来连闯数关，确实已经是筋疲力尽，毫无斗志了。

只有曹操，鼓起勇气说："既然到了此处，我们只能决一死战了！"

曹操为什么会这样说呢？他明明对关羽有恩，关羽也当面说过要誓死以报的。为什么曹操不利用互惠原理让关羽放自己一马呢？

这就是曹操的自尊心在起作用了。在关羽面前，曹操一直是以优势心理出现的。也正是在优势心理的作用下，曹操才会表现出宽容、大度。但今天风水轮流转，轮到曹操低头示弱，他的内心当然是极不协调的。你可以哀求一贯在你之上的人，你也可以哀求素昧平生的人，但你就是无法放下架子来哀求曾经不如你的人。并非只有曹操如此，这是人类的通病。

但曹操手下众将已经斗志涣散，无法一战了。程昱见状不妙，连忙出来劝解曹操。他深知这个时候，大家的命比曹操的面子更重要，说："关羽素来傲上而不忍下，欺强而不凌弱。丞相你有旧恩于他，你亲自和他谈谈，一定能够逃脱此难！"

程昱的意思很明白，大家都知道你拉不下求人的脸，但大家伙的性命全都在你的面子上了。这个时候，你也没有别的选择了。

要说曹操还真是个人物，在一瞬间，他就已经调整好了心态，纵马向前，对关羽欠身施礼。

心理感悟： 如果你无法准确把握哭笑的时机，那么就逆向使用，然后再为其找到一个理由。

为了忠义的背叛

曹操对关羽说："将军别来无恙？"

关羽欠身还礼道："关羽奉军师将令，在这里等候丞相多时了。"

话说的都是文绉绉的，其实杀机暗藏。

曹操说："我兵败赤壁，到此已经走投无路了，还望将军以昔日之言为重啊。"

曹操的意思是提醒关羽，别忘了以前我给你的恩惠，也别忘了你自己说过一定要誓死报答我的话啊。

没想到关羽一句话就把曹操挡回去了，说："以前我虽然蒙受您的大恩，但也曾经解了白马之围作为回报了。今天我奉军令，在此把守，怎么敢以私忘公呢？"

这就是诸葛亮要关羽立下的军令状起作用了。

曹操一听，心里那个懊恼啊！这红脸竟然翻脸不认人了。曹操非常后悔自己没有把关羽写给自己的辞别信带在身边，信上面白纸黑字写得清清楚楚："尚有余恩未报，候他日以死答之，乃羽之志也。"灞陵桥桥边我亲自为你送别，你红嘴白牙亲口说的"我久感丞相的大恩，曾经立的一点小功劳也是不足为报。他日相逢，一定另有酬报"，我也记得清清楚楚。这些话语，明明都是发生在白马之围后面的。你怎么能用"解了白马之围"就一笔勾销了呢？

那么为什么会出现曹操牢牢记得自己曾经施予的恩惠，而关羽却似乎不怎么把他的恩惠当回事呢？或者说，为什么同是曹操的恩惠，几年前的关羽感激涕零，现在的关羽却置若罔闻，感觉上大相径庭了呢？难道互惠原理失灵了吗？

恩惠的确是有时效的。这种时效也因为个体差异和情势限制有很大关系。随着时间的流逝，往往是施惠者越来越觉得自己的恩惠对受惠者摆脱当时困境的重要性越来越大，而受惠者的反应则恰好相反。

佛朗西斯·弗林曾经对美国的一个航空公司客服部的工作人员进行了调查。客服部实行的是倒班制，这种制度需要员工之间的相互配合和帮助。研究人员把客服部人员分成两组，一组员工对自己为同事提供的帮助进行评价，另一组则要对他们自己得到的帮助进行评价。每组人员都要说明提供或接受帮助的时间和帮助的价值评估。

结果表明，刚刚接受过同事帮助的员工认为这个忙帮得非常好，应该好好回报。但帮助的时间过去得越久，"好"的程度就越浅。而提供帮助的员工则认为，时间过得越久，自己对别人的人情就越大。

今天关羽和曹操就遇到了这种情况。更为关键的是，曹操并不知道关羽也有不得已的苦衷。关羽受了诸葛亮的激将法，尽管他是一个很讲义气的人，但为了赌口气，不输给诸葛亮，他肯定要摆脱诸葛亮给他设计好的"放曹"安排。

如果曹操按照上面所想的反驳关羽，就会陷入了说服的中心路径的误区，今天也就无法脱身了。因为关羽完全可以通过"找借口"来抵制曹操的反诘。不是我不想回报你，可是我奉了将令，立下了军令状，只能公事公办啊。

曹操显然是个聪明人，他没有这样做。他觉得自己曾经施予的恩惠绝不是关羽靠"解白马之围"所能偿还的，但他知道，这个时候不可强辩，在人屋檐下，必须要低头。他决定按照关羽的逻辑演进。既然你老是拿"白马之围"说事，那咱们就来说说这后面的事。你过五关的时候，曾经伤了我六条人命，我也没有丝毫责怪于你，还是派张辽去通知夏侯惇放了你。要不然，你就是浑身是铁，也只有二十多个随从，能够平安从夏侯惇手下安然脱身吗？

想是这么想，说出来的话却轻柔得多。

曹操说："云长，你还记得五关六将吗？"请注意，这是一种非常有用的微妙的提醒，效果远远胜过直截了当的表白。

关羽不由心里咯噔了一下。这六条人命确实是一笔沉重的心理负担。曹操当时如果加以痛责，可能也就没什么了，但偏偏曹操当时毫无责怪之语……

曹操看见关羽的微妙变化，立即接上一句："大丈夫以信义为重。将军熟读《春秋》，岂不知庾公之斯追子濯孺子之事乎？"

春秋时期，郑国派子濯孺子侵犯卫国，兵败撤退。卫国派庾公之斯追击他。子濯孺子说："今天我的病发作了，不能拿弓，我是必死无疑了。"就问他的驾车人："追我的人是谁？"驾车的说："是庾公之斯。"子濯孺子说："我能活了！"驾车的人说："庾公之斯是卫国善于射箭的人，您怎么反而说'我能活了'

呢？"子濯孺子说："庾公之斯是跟尹公之他学的射箭，尹公之他是跟我学的射箭。尹公之他是正派人，他看中的弟子一定也是正派的。"庾公之斯追到跟前，说："先生为什么不拿弓？"子濯孺子说："今天我的病发作了，无法拿弓。"庾公之斯说："我向尹公之他学射箭，尹公之他是向您学的射箭，我不忍心用您传授的技术反过来伤害您。虽然这么说，可是今天这事，是国君交付的事，我不敢不办。"说完便抽出箭来，在车轮上使劲地敲，敲掉箭头，射了四箭之后返身回去了。

和关羽打交道，把《春秋》读得熟一点，确实是大有好处的。曹操引用的这个例子，正戳到关羽的要害上了。

这也是一种微妙而含蓄的激将法，要激得关羽按照《春秋》上的道义行事，否则就不能称为有信有义的大丈夫。

关羽本来在重情义、讲信用上就远超常人，曹操的这一番话确实让他无法拒绝。关羽微微叹了一口气，将马头勒回，吩咐众军将路让开。

关羽的意思是只放曹操一个人走路。但曹操手下诸将见机极快，趁着关羽掉转马头之际，一窝蜂跟着曹操都冲过去了。逃命的时候，最能发掘人的潜能了。

关羽回过身来，大喝一声，正要阻止，后面张辽飞马逃至，这也算是个有交情的故友了。关羽见了，恻隐之心再生起，长叹一声，回头掩面，尽皆放了。

关羽这一辈子所为，基本没有离开"忠义"二字。但和别人不同的是，他做了"不忠不义"之事，最终却成了"大忠大义"之士。

土山被围，降了曹操，是对刘备的不忠不义。但他后来在曹营中洁身自好，分毫不取，反而令人刮目相看，心生佩服。

后来，他毅然挂印封金，辞别曹操，是对曹操恩义的辜负，却是对刘备忠心的体现，是谓"不义而忠"。其中"不义"是手段，而"忠"是目的。

今天他放了曹操走路，是对刘备的不忠，却又是回报曹操的义，是谓"不忠而义"。其中"不忠"是手段，而"义"是目的。

一般人放弃"忠义"，选择"不忠不义"，是为了获得更大的私利，比如吕布就是这样。而关羽的"不忠"与"不义"，不但不会给自己带来任何好处，而且必须放弃已经到手的荣华富贵，甚至要付出生命的代价。这样的"不忠不义"甚至比一般意义上的"忠义"更加难能可贵！

所以，人们忘掉了关羽的"不忠""不义"的因，记下了他的"忠""义"的果，由此关羽也成了"忠义"的化身。

曹操恰如诸葛亮所料，被自己放走了。但差还得交，关羽怀着沉重的心情，回来交令。

此时，刘备的各路人马，收获丰厚，均喜气洋洋回来报功。只有关羽，空空两手，垂头丧气地来见诸葛亮。

人报关羽已到，诸葛亮立即出帐远迎，恭喜道："祝贺将军立下不世之奇功，与普天下除了一个大害，亮特来迎接将军，为将军贺喜！"

关羽却默然不作声。

诸葛亮道："莫非将军嫌我等没有早点出来迎接吗？"回头呵斥手下："你们怎么不早点来报呢？！"

关羽不得不开口说："关羽特来请死！"

诸葛亮故意道："莫非曹操没有从华容道上经过？"

关羽说："曹操的确是从华容道而来，但是关羽无能，被他逃走了。"

关羽这句话说得也很巧妙，将态度问题转化为了能力问题。曹操是来了，可是我无能，没有将他抓住，这你不能怪我吧。实际上哪里是这样，曹操兵困马乏，毫无斗志，如果不是你开恩放过，一个也逃不走的。

诸葛亮怎么会被他蒙蔽？追问道："那么，可曾抓住了什么大将？"

关羽说："没有。"

"那么，可曾抓住了什么小兵？"

"没有。"

能力再差，也不可能一无所获。所以，只能是态度问题。诸葛亮哈哈一笑道："那么，一定是云长看在往日情分上，放了曹操一条生路。"

关羽默然不语。

诸葛亮说："军法难以容情，既然你前面立下了军令状，今日只能依法从事，来人，将关羽推出斩首，以正军法！"

心理感悟：施惠是一种投资，但只有善于投资的人，才能让恩惠像酿酒一样，在经过充分发酵后，散发出香醇迷人的回报。

魔术师最怕背后的人

刘备正心花怒放，欢庆抗曹斗争取得有史以来最大的胜利之际，忽见关羽被推出帐外要斩首，顿时傻了眼！

生死关头，不同个体的表现也有所不同。就拿刘关张兄弟来打个比方，就是截然不同的三种类型。如果是刘备遇到这种情况，一定会千方百计地为自己求免，无论是痛哭流涕，还是巧舌如簧。如果是张飞，就会大笑一声，说："军师，俺老张服你了，这颗人头就交给你了。"慷慨从容赴死。关羽是个非常爱惜生命的人，他不想像张飞那样痛快而死，他也不想像刘备那样为自己辩解。出于他孤傲的性格，他只会沉默不语。

但沉默不语是救不了自己的性命的。

刘备一看诸葛亮动真格的了，哪里还坐得住，立即说："军师，你不是说过曹操不死，实乃天意使然，你可不能治关羽的罪啊。你不是说要成全关羽的忠义之名吗？"

刘备也是慌不择言，把诸葛亮私下和他说的话都抖出来了。

但这样的话是上不了台面的，因为这和诸葛亮要收服关羽的初衷恰恰相反。如果一切都是天意，如果一切都是命运，那么关羽只是在依照天意行事，何罪之有？诸葛亮如果认同这样的说法，就等于是搬起石头砸了自己的脚。

所以，诸葛亮面沉似水，坚持要斩关羽，以示军法威严，更示自己的命令威严。

刘备多么会看风使舵随机应变啊。他立即知道自己说错了，马上改由"说服的外周途径"进行说服。

刘备说："军师啊，我们兄弟三人结义之时，曾经发誓同生共死。今日关羽犯法，有军令状在，罪该斩首。但是，却和我们此前的誓言相违背啊。请军师网开一面，以后让关羽将功赎罪吧。"

刘备的这番话乍听上去很没道理。兄弟之情是私，擅自放曹是公。从组织管理的角度来说，决不能以私废公。否则，大家都这么玩，组织的威信就会荡然无存，也就不能成为组织了。

但是，我们别忘了，中国人始终生活在"情理法"的纠葛之中。而且"情"始终是排位第一的老大。刘备的这番话，就占了一个"情"字。

如果诸葛亮斩了关羽，刘备为了遵守誓言，就得陪关羽去死。如果这样，老大都死了，大家还玩什么呢，赶快散伙吧。这是其一。

其二，刘备求情，并没有坚持"天意说"，而是立即转而定位在"有罪说"。这等于是正面承认诸葛亮的管理尊严，这是很重要的一点。如果刘备强逼诸葛亮放了关羽，那么诸葛亮从此就会颜面扫地、威信无存，诸葛亮势必一走了之，即便厚颜留下，也无法令行禁止，指挥裕如了。

其三，刘备提供了替代办法。为关羽求情，并不是就这样算了，他的罪状依然记录在案，只是缓期执行，这期间，他必须好好表现，戴罪立功。而这期间，必然是要遵从诸葛亮的指挥和安排的。

刘备的说服合情合理不合法，但正好迎合了诸葛亮的需求。

以刘备为首的众人苦苦哀求是不可或缺的环节。只有这个环节施行衬托充分到位了，那么，即使不杀关羽，也能达到昭示"诸葛亮的军法绝非儿戏"的目的。

目的既然达到了，关羽就可以活命了。

诸葛亮对自己的谋划非常满意，认为自己高出晏子不止一筹。勇士仍在，从此心服口服。

但诸葛亮显然对自己太过自信了。

经此一役，关羽本来对诸葛亮已经有所服气。但是，当他听说诸葛亮此前宣扬的"天意说"，不由得十分懊恼，原本对诸葛亮的"不杀之恩"有所触动的心灵，再次遭受了重创！

关羽觉得，一切都在诸葛亮的算计之中。自己非常严肃地立下军令状，在捉放曹之际的天人交战，内心的苦苦煎熬，在诸葛亮的"天意说"面前都变得非常可笑。自己就像一个懵懂小儿，被诸葛亮戏耍于股掌之上。这是生性孤傲的关羽绝对不能接受的。

由此，关羽将对诸葛亮的反感深深地印刻在心中。

真是过犹不及！

诸葛亮的确够聪明，但他不应该过分地显露出来。

既然你已经料定一切，安排好一切，既然一切都在按照你的剧本逐幕上演，那么，你就做一个沉默的导演吧，让每一个演员觉得自己生活在现实中，绝对不要戳破背后的内幕。别忘了，这揭开内幕并不是仅仅显示了你的高明，还会带来严重的副作用——伤害那些曾经倾情演出的演员！

每个人都是有自尊心的。哪怕是最低贱的人，仍然在心灵中拥有自己的尊严，更何况是曾经风光荣耀、自视甚高的关羽呢？

刘备集团中最可怕的隐患就在这最令人激动的巨大胜利之际埋下伏笔。

再说孔明，当下又连施妙计，趁着曹操大败之际，赶在东吴前头，不费吹灰之力，袭取了南郡、荆州、襄阳等地。

周瑜闻报，愤怒已极。

此次抗曹，正面战场都是东吴和曹操在直接对抗，刘备几乎未出一兵一卒，但胜利果实却几乎全部被刘备抢摘，你说周瑜能不生气，能不恼火吗？

周瑜当即要起兵与刘备争雄，夺回本该属于东吴的城池。鲁肃劝阻说："刘备向来是个讲'仁义'的人，这次做了不仁不义之事，待我前去，以理说之。如果说不通，再动兵不迟。"

鲁肃真是可爱，他实是个口拙嘴笨的人，不知道为什么对自己的口才如此自信。要知道，他将要面对的刘备向来口舌伶俐，人所不及。更何况刘备的背后还有一个能言善辩的诸葛亮呢！

鲁肃来见刘备，双方分宾主落座，诸葛亮在侧相陪。

鲁肃说："前者曹操率百万之众，名义上是下江南，实际是来擒拿皇叔您的。现在江东废了钱粮，折了人马，死伤不计其数，这才击退曹兵，救了皇叔。所有荆襄九郡，应该归于东吴才对。现在皇叔用了诡计，夺占了荆州、襄阳、南郡，这是什么道理？还请皇叔指教。"

鲁肃这段话说对了一半，说错了一半。对的是前半段，错的是后半段。前半段他是对互惠原理的一种应用。我东吴可是帮了你刘备的大忙啊。这是给你的一个恩惠。接下来，就该你回报东吴了。这个意思是不错的，但后半段不该这么说。按照逻辑，应该更巧妙地给刘备扣上一个"讲仁义"的高帽子（标签约束），然后说："荆襄九郡都应该归于东吴，谢谢你帮我们袭取了荆州、襄阳，咱们接下来是不是办一下交接手续啊？"而不该直指其非，指责刘备。

鲁肃忘了给刘备扣帽子，诸葛亮反过来立即给鲁肃扣了个帽子，说："子敬，你可是个高明之士啊，怎么说出这么糊涂的话来啊？"

鲁肃纳闷了，我哪里高明了，又哪里糊涂了呢？

诸葛亮说："荆襄九郡，本来就不是东吴的地盘，是刘表的地盘。刘表虽死，儿子刘琦还在，我主公刘备，又是刘表之弟，刘琦之叔。以叔辅侄，去了荆州，有何不可？"

诸葛亮这段话，实际上故意遗漏了一个重要事实。荆襄本来是刘表的地盘没错，但刘表的合法继承人刘琮已经将其献给了曹操。所有权已经转移了，刘琦并没有合法的继承权。而目前曹操被所谓的孙刘联军击败（其实都是孙权的军队出力），地盘就该由孙刘分赃才对。而其实刘备对击败曹操的贡献极小，故而鲁肃先前提出的主张是比较合理的。

但鲁肃显然被诸葛亮这番话迷惑了，进入了他的话语轨道，说："如果刘琦公子占了荆州，那么也是合情合理的。只是刘琦公子不是在江夏吗？又不在这里。"

鲁肃真是个老实人，想到什么就说什么。这正是谈判的大忌啊！

诸葛亮早就给你准备好了，说："公子就在这里，你若要见，请出来就是了。"吩咐左右请刘琦出来见鲁肃。

刘琦从屏风后面由两个从者搀扶走出，头裹白巾，病容满面，对鲁肃说："病躯不能施礼，请勿见怪。"说完，立即退了回去。

鲁肃吃了一惊，心中盘算，看刘琦这样子，像是酒色过度，必然是命不长久，心中顿时有了计议，说："公子若在，自无话说。公子若是不在了，又该当如何呢？"

诸葛亮说："公子在一日，守一日。如果公子不在了，那就另说。"

鲁肃说："可不能另说，公子如果不在了，荆州须得还给我东吴。"

诸葛亮说："好，就依你所言！"

鲁肃自以为得计，其实却是上了孔明大当。他回去一报给周瑜，周瑜立即说："刘琦正青春年少，如何就会死？"

鲁肃说："我看刘琦过于酒色，病入膏肓，现今面色羸瘦，气喘呕血，不过半年，其人必死。那时再去讨要荆州，刘备就没有借口了。"

刘琦正当年少，平素也没有听说过有沉湎酒色的恶习，几天前还曾受孔明之令，镇守江夏，擒拿逃兵，怎么好端端地就病成了这样？

这自然是出自诸葛亮的安排。若非如此，鲁肃又怎能上当？

这是一个明显不合理的谈判结果，但因为鲁肃预期中的对不合理结果的忍受期不会太长而得以成交。如果刘琦活蹦乱跳地出现在鲁肃面前，鲁肃必定会再想他策纠缠。

而对诸葛亮来说，目前最宝贵的是时间，他没有时间来处理与鲁肃（东吴）的纠纷，而必须用缓兵之计安抚好东吴，然后利用这宝贵的时间来继续攻城略地。

心理感悟： 假戏必要真做才能达到目的。

49

不存款到哪里去取钱

孔明留关羽守荆州,自己和刘备率领张飞、赵云乘势攻下了零陵郡。随即又分遣赵云、张飞各自攻下了桂阳郡和武陵郡。

刘备将好消息飞马快报给关羽,本是想让兄弟开心一下的。没想到,关羽得知张赵各立大功的消息,心情顿时低落下来。

关羽并不是嫉妒这两位兄弟立功,而是他想到了另一种可能。他觉得诸葛亮很可能是故意在"雪藏"他,以挫他的锐气。大将始终是要靠战功说话的,此前的威名再显赫,如果没有新的战功,影响力势必会下降,就会逐渐淡出舞台。而防守一个城池始终是很难看出功劳的。

所以,关羽立即给刘备写了一封信,说:"我听说长沙还没有攻取,如果大哥你还念着兄弟之情,就让我来立这件功劳吧。"

关羽的话怎么听怎么别扭!当然,看上去他是对刘备有意见,实质上还是对诸葛亮有意见。这正表明了关羽内心已经被偏见深深地主宰了。荆州是刘备集团目前最重要的,也是唯一的立身之本,诸葛亮将荆州交给关羽防守,其实是把最重要的任务交托给了他,绝不是有意雪藏他。

刘备觉得兄弟立功心切,总是好的,当即同意,派张飞星夜赶去接替关羽镇守荆州,让关羽腾出身来攻取长沙。

孔明对"激将法"有着一种近乎偏执的爱好。这次赵云、张飞就是在他的激将之下,各率三千军马攻克两郡的。

关羽来见刘备、诸葛亮。

诸葛亮再次故伎重施,对关羽进行激将。

激将法是对"自我服务偏差"和"他人评价顾忌"的综合运用。大多数人在"自我服务偏差"的作用下,认为自己高于平均水平。内心骄傲且曾经有过超人表现的人更是如此。同时，这样的人对他人的评价非常在意，唯恐被别人轻视、小看。所以，激将法的实质就是利用故意宣示的"看不起"的态度来激发个体的斗志，促使他倾尽全力去达成"让人看得起"的业绩。

这种方法是激励的一种妙法，但任何方法都有适用范围上的局限性，并不是万能灵丹。心境平和、态度谦逊的人就根本无须使用激将法，也能尽力将上级交办的任务完成，比如赵云。而像关羽这样内心孤傲的人，其实是不能用激将法的。激将法的外在形式是用"看不起"来展现的，但孤傲的人往往会将这种故意的"看不起"视为真正的"看不起"，从而在心中留下很深的芥蒂。

但孔明还是对关羽再次用出来激将法："云长，这次张飞和赵云夺了两郡，可都是只带了三千兵马啊。我听说长沙太守韩玄也没什么了不起的。只是他手下有一员大将，叫作黄忠，和你一样，使大刀，虽然已经快六十岁了，须发皆白，却有万夫不当之勇，是湘南将佐的领袖人物啊。你可不要轻敌，还是多带点人马去吧。"

这一番话，阴阴阳阳，孔明自以为高明，关羽听了却十分刺耳。这样的话最伤自尊了，关羽的性格决定了他永远在嘴上是不会服软的。关羽说："军师为什么要长他人的威风，灭自己的锐气呢？黄忠不过是一个老兵罢了，有什么了不起的！我根本不需要三千军马，我只要带着我自己的五百校刀手，就一定能斩了黄忠、韩玄，取回长沙！"

刘备一看关羽和孔明较劲上了，非常担心兄弟负气而去，会吃大亏，便一个劲儿地苦劝关羽多带些兵马。孔明只在一旁微笑，关羽当然是死活不听，怎么也不肯在孔明面前示弱，带了自己亲随的五百校刀手，往长沙进发。

孔明对刘备说："云长平生傲上而不忍下，这次看轻黄忠，恐怕有失，主公还是赶快带着兵马，随后接应吧。"

事情本来就是诸葛亮挑起来的。如果他不是那么爱用激将法，关羽哪里会负气只带本部的五百人马前去呢？他和黄忠本来素不相识，又怎么会无缘无故轻视人家呢？

那诸葛亮为什么要说这番话呢？

这正是诸葛亮的高明或者说狡猾之处。这句话预埋了一个伏笔，以便日后撇清责任。关羽就是真的有什么闪失，也和他没关系了。

关羽这一去，风险还真是挺大的。因为他的对手黄忠真的是一个非常厉害的人。

一说起三国武将，大家一般都认为是吕布的武功最高。因为刘关张"三英战吕布"都没拿下他。但这种看法其实是错误的。三国中武功最高的武将不是吕布，而是黄忠！你想想，黄忠六十岁的时候，关羽和他大战一百回合，还不分胜负。后来黄忠七十岁左右了，还屡立战功，所向披靡。如果是黄忠正当盛年的时候，恐怕三个吕布也赢不了他。

却说长沙太守韩玄，听说关羽来攻，立即召集众将商议。

黄忠立即给他吃了一颗定心丸，说："你不用担忧，凭我手中这把刀、这张弓，一千个来，一千个死。"

韩玄先遣杨龄出战，被关羽一个回合就斩于马下。

黄忠大怒，亲自出马。关黄交手，大战一百回合，不分胜负。关羽这才去了轻视之心，暗暗对黄忠心生佩服。双方鸣金收兵，约定明日再战。

关羽心中寻思："老将黄忠果然名不虚传，看来明天得用拖刀计才能赢他。"

次日再战，两人又斗了五六十个回合，仍然是不分胜负，关羽拨马便走，只待黄忠赶来，就用拖刀计斩他。忽听脑后一声响，急回头看，只见黄忠马失前蹄，摔倒在地。

要说关羽的运气真是好到了极点！关羽急回马，双手举刀，想了一下，却没有砍下去，大喝一声："我且饶了你的性命，快快换马再来厮杀！"

是谁救了黄忠的命？

是诸葛亮！

诸葛亮的一番激将之语，将黄忠描绘成有万夫不当之勇，是湘南将佐的领袖人物。关羽受激之后，必要真刀实枪，光明正大，战而胜之，方能显示自己唯我独尊、天下无敌。如果趁人落马之机，将其斩杀，那就胜之不武、脸上无光了。

另外，黄忠的年龄和外貌也起了一定作用。早已说过，关羽是个高傲之人，所以他的外群体偏见特别严重。几乎除他自己以外的人，他都将他们划归为不同的外群体而加以轻视。比如黄忠，就被他划入老弱病残的群体之内。而对这样的弱势外群体下手，似乎有失他的体面。

所以，综合以上两个因素，关羽没有下手，而是放了黄忠一条生路。所谓"放他一马"一典，似乎应出于此。

黄忠急忙拽起坐骑，飞身上马，奔入城中。

韩玄惊问缘故，黄忠说："这匹马好久没上阵了，所以一时失了前蹄。"但是黄忠没有解释关羽为什么把他放了，因为他自己也很纳闷。

韩玄心中生疑，说："你的箭术不是百发百中的吗？你怎么不射他？"

韩玄如果懂得互惠原理，就不会这样说了，而应是赶紧闭门防守，再不出战。谅关羽区区五百人马，怎么攻城？

黄忠身为湘南将佐领袖，也不能不顾名声。关羽先饶了他的性命，如果第二天暗箭将其射杀，黄忠的声誉就会大受影响。但上司的命令也不能不听，只好先应承下来，心中却暗自嘀咕："难得关羽如此讲义气，我本来难逃一死，他不忍杀我，明天我怎么能忍心杀他呢？"

黄忠一夜踌躇难眠，可见互惠原理影响之大、之深，即便是敌对双方也难超越。由此亦可见，互惠原理如使用得当，足可以化敌为友。

次日，关羽焦躁搦战，黄忠再度披挂出阵。两人大战三十余合，还是不分胜负。黄忠想起韩玄苛令，转身诈败，关羽随后追来。黄忠引弓虚拽，只听弦响，不见箭影。关羽急闪，却是虚惊一场。如是两番，关羽只道黄忠不会射箭，放心追来。

将近吊桥，黄忠再度转身，弦响箭出，正中关羽头盔上红缨根处，恰恰将红缨射落。关羽大惊，急退回营，这才知道黄忠箭术神奇，不忍伤己，乃是为了报昨日不杀之恩。

恩惠就像银行存款一般，必须未雨绸缪，早做准备。当你有能力施惠的时候，一定要尽早施予。否则，临时抱佛脚，是没有存款可供支取的。

黄忠的这三箭二虚一实，是经过一夜苦思想出来的。如何回报他人的恩惠，也是一个难题。必须要做得巧妙，对方才能领悟、领情。设若黄忠第一箭就射落关羽红缨，关羽虽惊，但后面又该如何射箭呢？再射不中，关羽就会以为黄忠射术不过如此，前面一箭乃是凑巧而已。如再射得手，则无法显示黄忠知恩图报的心理。

所以，必定要二虚一实，射落红缨这才既显黄忠手段，又报关羽之恩。

黄忠的计划是先把欠关羽的人情还清，没有心理负债之后，轻装上阵，次日再用箭射杀关羽。

但是韩玄不懂互惠原理，联系这两天来关黄二人，你不杀我，我不杀你，十分不解，以为黄忠必是通敌无疑，当即下令将黄忠推出斩首！

韩玄此举，真是帮了关羽大忙。本来关羽夸下海口，却连续三天战黄忠不下，后面刘备、孔明即将赶到，关羽势必要大失颜面。但韩玄要自毁长城，却激怒了手下一员大将！

此人姓魏名延，面如重枣、目若朗星、气宇轩昂，和关羽长得非常相似。

魏延负气，将韩玄一刀斩杀，救了黄忠，却将城池献于关羽。

关羽凭空得了这件大功，自此对魏延欣赏不已（互惠原理和相似性共同起了作用），当即飞报刘备。

刘备、诸葛亮赶至长沙。黄忠闭门不出。刘备亲自登门，好言相请，黄忠这才出降，并请求刘备厚葬韩玄，此后才为刘备尽忠效力。

黄忠不忘旧主的行为也让他的投降行为显得非常高大。忠诚并不简单等于从一而终，如果处置得当，完全可以做到从二而忠、从三而忠。这种对自己职业忠诚度的维护值得现实中每个跳槽择业的人深思。

关羽满心欢喜，将魏延引进，大加赞赏。刘备十分高兴，正待褒奖，诸葛亮却突然变了脸色，勃然大怒道："来人，与我将这个不义之徒推出去斩了！"

心理感悟：施惠有如播种，早种才能早收。

我会成为你希望的样子

诸葛亮的这番举动，没有人能看懂。除了他自己！

关羽、魏延两个红面孔，面面相觑，呆立无语。这哥儿俩，一个以为献城有功，一个以为引荐有功，本以为必受重赏，没想到孔明却要将魏延推出斩首。

这个时候，刘备站出来说话了。很多人以为刘备软弱，其实他只是假装软弱。在关键时刻，他是毫不迟疑且十分强硬的。此时，也只有刘备可以阻止诸葛亮。虽然刘备对诸葛亮信任有加，也已经将剑印全盘交付，但这份家业始终是刘备的。

刘备急忙说："军师，魏延献城有功，你为什么要杀他呢？"

诸葛亮一本正经地说："食其禄而杀其主，是不忠也。居其土而献其地，是不义也。所以我要杀他。"

刘备心想："这是什么狗屁理由！如果都像你这样，诛降杀顺，树立了坏榜样，那谁还愿意投靠我啊？再说了，前几天张飞夺取武陵郡一战中，武陵郡从事巩志也是杀了自己的旧主金旋开城献地，也没见你说过什么不忠不义的话嘛。后来我任命巩志代金旋为武陵太守，你也没什么意见。怎么今天到魏延这就变样了？"

刘备正想以此说事，孔明已经觉察到自己的理由立不住脚了，立即抢过话头说："我看此人脑后生有反骨，久后必反，所以今天先把他杀了，以绝后患。"

孔明真是慌不择言！世界上任何奖励惩罚，都是针对已经发生的行为及其造成的后果而言的，从来没有人针对尚未发生的事情进行奖惩。这样的说辞显然更站不住脚。

诸葛亮这番话一说，魏延今天肯定是杀不掉了。刘备毕竟不是袁绍，他也是个英明之主，对形势的判断、把握非常准确，他这个时候表现出了他的英雄气质，坚决不同意诸葛亮的理由，坚持不让杀魏延。诸葛亮也由此明白，只要刘备在，老大始终是他，而不会是自己。上次有充足的理由但不能杀关羽，这次没有充足的理由不能杀魏延。说明刘备始终是把杀人权掌控在自己手里的。

尽管魏延可以保住性命，但诸葛亮为了维护自己颜面而随口抛出的"反骨论"，是一种通过非常直接、强烈、负面的心理暗示表达的"自我实现预言"。

"自我实现预言"是罗伯特·莫顿提出的。他认为"起初，自我实现预言是指对情况的错误定义引发了一种新的行为，这种新行为使得最初的错误概念变为了真实的。"简言之，自我实现预言是错误的概念，但它们是那种最终被证明是正确的错误概念。

以诸葛亮目前在刘备阵容中的威信，绝大多数人对他是深信不疑的。他此前借东风时，在七星台上，身穿道袍，手舞长剑的一番表演，已经几乎将自己神化了。所以，他这番话一说，绝大多数人就此对魏延留下了深刻的"脑有反骨，久后必反"的第一印象（首因效应）。从此，在今后的交往中，在不知不觉中就会把这种印象投射到魏延身上。

这种投射的作用是非常强大的，有这样一个故事：

有一个人丢了一把斧子，他以为是邻居家的儿子偷去了。于是，他处处注意邻居之子的一言一行、一举一动，觉得他走路的样子像是偷斧子的；看他的脸色、表情，也像是偷斧子的；听他言谈话语，更像是偷斧子的。后来，丢斧子的这个人找到了斧子，原来是前几天他上山砍柴时，一时疏忽失落在山谷里了。他找到斧子以后，又碰到了邻居家的儿子，再留心看看他，就觉得他那走路的样子不像是偷斧子的；看他的脸色、表情，也不像是偷斧子的；听他的言谈话语，更不像是偷斧子的了。

而对魏延来说，这种暗示也直接作用于他的心灵。此后的每一次午夜梦回，魏延都会忍不住摸摸自己脑后，看是否真有反骨，自己是不是要造反了。数十年累积下来，这种暗示就会逐渐成为他内心的一个坚定信念。

而另一个故事则更加邪门：

有一个死刑犯，当他被绑起来，蒙上眼睛后，有人在他旁边对他说，你要接受的刑罚是缺血死亡，然后用叶子在他的手腕上轻轻划了一下，当然，这不可能造成任何伤口。这个犯人的手腕旁边，放着一个容器，水滴答滴答地往容器里滴进去。不久后，这个犯人果然死掉了，解剖他的尸体，果然就是缺血而死的，但事实上他并没有流出过一滴血。原因就是他在别人的心理暗示下，以为自己的动脉已被割开，那水滴声就是自己血滴下的声音，在这样的自我暗示下，他竟然真的死了，并且表现出缺血的症状。

诸葛亮死后，魏延确实反了，但这并不是魏延的错，这笔账始终要记在诸葛亮的头上。

这不由地让人想起了歌德的名言："按照人们应该成为的样子去对待他们，并且你要帮助他们变成他们能够成为的样子。"就魏延而言，诸葛亮成功地做到了。

刘备不准杀魏延，诸葛亮只有在交代了一番场面话让自己不至于内心太过失调后，放了魏延。魏延、关羽心中不平，齐齐退下。诸葛亮不能对刘备有意见，但这种微妙的不满可以转移给关羽，特别是魏延。这也预示，只要孔明掌权，魏延就不会有太好过的日子了。

那么，诸葛亮为什么要杀魏延呢？是不是有滥用职权、滥施淫威之嫌呢？

很多人以为，诸葛亮因为魏延和关羽在容貌、性格上有诸多相似之处，这才把对关羽的不满迁怒于魏延。这个结论有一定的道理，但前提却不是因为这两个人的相似。

其实，诸葛亮并不是真的想杀魏延。我们只要看看他给魏延的那番"不忠不义"的评语就可以体会到他为什么要这样做了。

诸葛亮始终想收服关羽，但关羽始终不肯就范。诸葛亮激关羽取长沙，本是做好了看他笑话的准备的，他急着催刘备前去支援，就是想让关羽当众难堪。但令他没有想到的是，关羽的运气实在是好，攻城虽然不克，却有魏延主动杀主献城，白捡了一件大功劳。

诸葛亮要想贬低关羽的功劳，就只能从魏延下手。只有将魏延的行为评判为"不忠不义"之举，那么建立在"不忠不义"基础上的关羽的这一场胜利也就不那么光彩了。而且，关羽向来是自诩"忠义"的，用"不忠不义"则最能打击他的气焰。

但诸葛亮这样做并没有收到预期的效果。关羽和魏延退下后，对诸葛亮的不满溢于胸腔。这并不是诸葛亮愿意看见的局面。尽管他精通天文地理，但在对人的心理把握上，还做不到十全十美。

多次挫折让诸葛亮认识到，对关羽这样心高气傲的人，一味激将，并没有多大效用，反倒起了反作用。孔明默默地在心里决定，今后要有所改进。但关羽对诸葛亮一直以来对自己的打压已经成见颇深，很难改观了。

这真是一件令人遗憾的事情。两个人都对刘备忠心耿耿，都想紧密团结在刘备周围，做出一番轰轰烈烈的功绩，却因为各自的性格冲突和相互间的关系处置不当而形成了一个死结。这对他们本人、对刘备、对整个刘备集团都是一个巨大的伤害。

刘备攻取这四郡后，荆襄九郡大半已经入手，自此钱粮广盛、兵强马壮。刘备和诸葛亮自驻荆州。忽一日，有人来报，镇守襄阳的公子刘琦病亡。

刘备问："谁可以去守襄阳？"诸葛亮说："非云长不可。"

诸葛亮这一次没有再用一向偏爱的激将法，即刻派关羽去襄阳镇守。

刘备想起了此前和鲁肃之间的约定，不由担心地问："今日刘琦已死，东吴必来讨还荆州，该如何应答呢？"

三国中，刘琦之死其实是一个谜。一个正当盛年、身强力壮的年轻人，即便是沉迷于酒色，也不该这么快就病死。而且，就算是刘琦真的是因为沉迷于酒色而死的，那么他好端端地为什么要沉迷于酒色呢？因为没有更多的证据，我们只能存疑于此，不再妄测。也许，当一个人对另外一个人而言，已经没有资源价值的时候，他在这个世界上是否存在已经不再重要了。

荆州，刘备当然是不想还的，但他又担心与自己一贯营建的名声相悖。但诸葛亮却没有他的这种历史形成的心理负担。诸葛亮有个习惯，借东西从来是不还的，无论是前面的草船借箭、借东风，还是这次的借荆州。

诸葛亮说："主公放心，如果东吴有人来，我自有话对答。"

过不数日，东吴鲁肃果然前来。

鲁肃是个老实人，根本不懂说服谈判之道，单刀直入地对刘备说："上次皇叔曾经说过，公子刘琦若在，荆州暂时居住。现今公子已经去世，请问何时交割啊？"

刘备讷讷无言，诸葛亮抢过话头，一番长篇大论滚滚而出，从刘备的出身、刘备和刘表的关系到自己赤壁借东风之功，雄辩而霸道地证明了刘备占据荆州的合法性。

鲁肃是东吴口才较差的人，而诸葛亮此前舌战群儒，以一人之力，击败了东吴所有最顶尖的能言善辩之士。鲁肃怎么可能在口头上取胜呢？

但鲁肃背后有周瑜的军令催逼，如果不能取回荆州，也很难交差。鲁肃此刻就像所有不懂谈判技巧的人一样，只能苦苦哀求了。当你采用哀求的办法索要本该属于你的东西的时候，结果是可想而知的。

鲁肃说："我若讨不还荆州，回去就死无葬身之地了。"

刘备本就受"标签约束"，诸葛亮也是内心有虚，毕竟赤壁这一场胜利，正面战场全部是东吴之力，如果强行驳了鲁肃，于形象确实不佳。而且，此刻刘备刚刚立足，也不是和东吴开战的好时机。所以，诸葛亮再施缓兵之计。

双方约定，等刘备攻取了西川，有了安身之地，再将荆州归还。吃一堑，长一智，鲁肃老实却并不笨，而且非常善于学习。在和周瑜、诸葛亮等杰出之士的交往中，他也学到了很多东西，这也是他日后能够接替周瑜担任东吴都督之职的原因。

鲁肃提出，口说无凭，立据为证。双方当即签署好文书，各自画押。

鲁肃料定有文书在手，不容刘备抵赖，喜滋滋地回去报信，却根本没想到，书面文字的约束力量虽然强大，但如果缺少某个要素的话，这份文书根本就是废纸一张！

> **心理感悟**：很多人之所以变成了你面前的这个样子，是因为你想让他们成为这个样子。

51

权威属于一把手

鲁肃回到东吴，向周瑜汇报。周瑜一听，连文书都不看，摇头叹息道："子敬，你上了诸葛亮的当了。我好几次要杀掉他，你都加以劝阻，你看看，现在就吃他苦头了。"

鲁肃一头雾水，根本听不懂周瑜在说什么。

周瑜说："他说等到取了西川再还荆州，也没说什么时候去取西川。假如他十年不取西川或取不得西川，那就十年不还。这等文书，只不过是废纸一张！你拿了这份文书回来，吴侯一旦发怒，别说是你，连你的九族都没法保全了！"

没有设定期限的契约，就没有任何约束力。承诺既然先天不足，后天必然无法一致。

鲁肃听了，心里一阵发凉："好你个诸葛亮，竟然如此欺负老实人！"呆立半晌，竟然落下泪来。啜嚅道："我想刘玄德素有仁义之名，恐怕不会辜负我吧。"

周瑜叹道："刘备乃是天下枭雄，诸葛亮是奸猾之徒，只有你是个诚实笃厚之人啊。"

鲁肃顿时六神无主，木木地说："如果这样，我该怎么办呢？"

周瑜心想：当年你对我是有恩的，在我兵困马乏的时候曾经接济过我军粮三千斛。今天我不回报你这个恩情，也说不过去。便说："你先在这里多待几天，先不要去回报吴侯，待我想想可有办法救你。"（施惠如同成名，一定要趁早啊！）

鲁肃别无他法，只好坐立不安地苦等周瑜想办法。

不几日，细作来报说，荆州城内扬起布幡做法事，军士全部挂孝，原来是甘夫人没了。

周瑜一听大喜，叫来鲁肃，说："我有办法救你了。讨回荆州易如反掌！"

原来周瑜动起了吴侯之妹的主意。孙权有一个妹妹，性格刚勇，侍婢数百人，素常带刀，房中军器列布，连平常男子也不如她。周瑜说："待我写封书信，敬呈吴侯，然后教人去荆州保媒，说服刘备前来入赘。等把他骗到南徐，不但老婆得不着，还把他关进牢里。什么时候荆州交割给我方，什么时候放他回去。你看可好？"

这条计虽不光明正大，但鲁肃为保命，也顾不得许多了。况且确实是刘备、诸葛亮欺诈在前。可见互惠原理不仅仅适用于积极的一面，也适用于消极的一面，所谓一报还一报是也。

周瑜计策虽妙，但孔明早已料及，一一安排停当，吩咐赵云随身保护。首先取得孙权之母和二乔之父的好感，再营建好与孙夫人的亲密关系，加上赵云勇武，刘备竟然白赚一个夫人，安然回到荆州。由此亦成就了一个典故"周郎妙计安天下，赔了夫人又折兵"。

周瑜急怒攻心，箭疮复发，竟然一命呜呼。孙权、刘备自此结下瓜葛，此后忽战忽和，再无宁日。

再说刘备，又新得了庞统。卧龙、凤雏，同归帐下，不由志得意满、雄心万丈，决定谋图刘璋的西川之地。

刘备自带庞统、黄忠、魏延等人入川，却将荆州交由诸葛亮、关羽、张飞、赵云等镇守。此时的荆州，乃是刘备的安身立命之基，所以，他只带了三分之一的力量踏上征服西川的征程，留下来三分之二的力量守护荆州。

孙权闻知，心有所动，想趁刘备远离之际，夺回荆州。正要起兵，却被母亲吴国太劈头一顿臭骂。吴夫人怒道："我一辈子就生了这么一个女儿，你们一进攻荆州，不就要了我女儿的性命了吗？！"

政治家是可以将情感和事业绝缘、分离的人。所以孙权可以不顾兄妹之情，但吴夫人却割舍不了母女之情。

孙权不敢违逆母亲的话，又不想放过这么好的机会，正在左右为难之际，张昭给他出了一个主意。

张昭说："事情很简单，只要派一个人，带领五百军兵，扮作商人，潜到荆州。给夫人一封密信，就说国太病危，准备嘱托后事，让夫人星夜回还。刘备恰有一子，一并带回东吴。到时就让刘备拿荆州来换儿子阿斗，不由他不换！"

孙权拊掌大笑，直夸此计甚妙。当下吩咐猛士周善依计行事。

唉，无论是尊荣夫人，还是黄口小儿，在人生的棋盘上，不知不觉就成了别人的棋子。

周善来到荆州，面见孙夫人，呈上密信。孙夫人看了信，痛哭不已。周善借机拜诉道："夫人必须抓紧，国太已经病危，晚了可能就见不到最后一面了。我已备好船只，夫人赶紧带着阿斗上路吧。"

此时刘备远在西川，荆州交由诸葛亮等把守，但偏偏诸葛亮去了南郡未回。孙夫人知道不可擅自离开，就说："我得先派人告知一下诸葛军师。"

周善心想："我奉命来取你，就是要趁刘备、诸葛亮不在。要是诸葛亮知道了，一眼识破，哪里还能把阿斗诈去东吴呢？"连忙说："如果军师说，得先报知刘皇叔，才能动身，岂不是误了大事？"

情理法的纠葛是生活中最常见的博弈。对中国人来说，情总是排在第一位的。周善虽是一个猛莽之人，但也懂得"以情动人"是说服的最佳手段。孙夫人虽然知道自己私自回家于理于法不妥，但终究抵抗不过母女之情的力量，当即同意带着阿斗，私自回家，以见母亲最后一面。

孙夫人乘舟欲行。

如果孙夫人就此顺流而下，不但刘备的基业毁于一旦，诸葛亮的英名也将荡然无存！

幸好赵云巡哨回来，得知消息，急急赶上，大叫："且休开船，待我与夫人饯行。"

赵云的这个说法，深有妙处。他虽知事情紧急，却仍好整以暇，提出一个"为夫人饯行"的理由，这等于是表明自己并无恶意，绝不阻拦，实乃缓兵之计，以免对方狗急跳墙。所以说，赵云确实是个智勇双全之人。

但周善心虚，唯恐赵云发现阿斗被拐，急令开船。一时风顺水急，船行甚速。

赵云急急在岸边追赶，叫道："我任从夫人去，只有一句话禀告！"

赵云要说的这句话就是：留下阿斗，任你自去。

在这个世界上，和阿斗感情最深的除了他的母亲，就是赵云了。赵云当年在长坂坡上千军万马中救出了这个孩子，同生共死的经历让他对这个孩子充满了挚爱之情。所以，他绝不容任何人伤害到这个孩子。今日情势虽险虽难，但怎么也险难不过长坂坡。周善如果知道这个道理，也就不会强行开船了。

赵云在岸边抢过一艘渔船，唤人急划追逐。周善吩咐放箭，赵云舞起枪花，哪里能伤他分毫。堪堪赶上，赵云跳上船头，大喝一声，神威凛凛，吴兵尽皆惊倒退后。

赵云赶入舱中，见孙夫人抱着阿斗在怀中，正待说话，孙夫人喝道："赵云何故无理？！"

孙夫人是个颇有豪气的女子，她自知今日做了错事，但在下属面前如何肯承认，只有强硬到底，故而先发制人。

赵云本是个服从性最强的人，在面对上司上级的时候，最是服帖。但今天赵云却形同两人，大声说："主母为什么不报知军师，就擅自离开？"

孙夫人素来知道赵云个性，以为用权威完全可以压住他，根本没想到他竟然敢顶嘴，怒道："我母亲病危，我怎么来得及告知军师？"

赵云说："主母探母，乃人之常情，但为什么带上小主人同去？"

孙夫人说："阿斗就是我儿子，留在荆州无人看护啊！"孙夫人这话有点强词夺理，阿斗已经七岁，足可自理。况且当年刘备到江东成亲，小住半年，阿斗也自有人照看。

赵云的语气开始不中听起来："主母，您这句话就错了。主公这辈子就这么点骨肉。小将当年在长坂坡百万军中将他救出，今天你偷偷抱走，是什么道理？"

孙夫人气急，使出女人常用的撒泼手段，怒道："你不过是刘备帐下一个武夫，有什么资格来管我的家事？"

孙夫人这招是充分运用自身地位上的威势来强行压制对方的猛招。一般来说，下属听了，没有敢继续顶抗的。但孙夫人忘了刘备曾经说过的一句名言。赵云可是记得的。

刘备的话是这样的："兄弟如手足，妻子如衣服，衣服破时，尚有更换，使手足若废，安能再续乎？"

关键时刻，赵云想起了这句话，平添了许多勇气。你再厉害、再霸道，在刘备眼中，也只不过是件衣服罢了。

赵云继续顽抗，坚定地说："夫人要去，我管不了，但您必须留下小主人。"

孙夫人简直不敢相信，平素温文尔雅、彬彬有礼的赵子龙竟然如此难缠，气急败坏之下，使出了最后的撒手锏："你半路擅自闯进船中，是不是想要造反啊？"

这等于直接宣判了赵云的死罪，但赵云竟然说："我即便万死，也不能放任小主人去！"

孙夫人喝令侍婢上前揪拿赵云。孙夫人的侍婢可不是柔弱女子，都是练过武的。但练过武也对付不了赵云，赵云轻轻就将侍婢推倒，一把从孙夫人怀中抢过阿斗！

但此时船顺水流，飞速疾行，赵云孤身一人，已无退路。正在孤掌难鸣之际，张飞已经驾船赶来，跳上船只，一剑就砍杀了周善。

孙夫人大惊，道："三叔，为何如此无礼？"孙夫人虽然喜好舞枪弄棒，但毕竟从未经战阵，一见杀人，顿时慌了手脚，欲待投江自尽。

张飞、赵云也不敢再逼，只好放了孙夫人自回东吴；张赵二人，带了阿斗，回转荆州。孙夫人自回东吴后，得知母亲安好，就此长留母亲身边，与刘备诀别，终身再未回荆州。这个女人一生的幸福就这样被兄长的政治诉求所葬送。

孙夫人确是赵云的主母，拥有地位上的权威，而赵云也是个极具服从性的人。那为什么这次权威失灵了呢？

一般来说，权威有两种，一种是本体权威，一种是伴生权威。无论哪种权威，都只有在合法的前提下才真正有效。而伴生权威只有在不影响主体权威的利益时才是合法有效的。孙夫人的权威来自刘备，但她私自带走阿斗的行为完全背离了刘备的根本利益。当赵云很清醒地看到这一点后，无论孙夫人怎样威逼恐吓，都不能发挥权威的威力了。

诸葛亮闻报后，惊出了一身冷汗，连称幸运。如果阿斗被东吴劫持，那么他就真的百死莫赎了。

最危险的地方往往是最安全的，最重视的地方往往是最薄弱的。刘备集团上下，没有一个人不重视荆州，但实际上荆州的防守却存在着巨大的漏洞。一个小小的周善，竟然可以来去如风。这一次幸亏赵云警惕性高，才没有闯下大祸。但诸葛亮在惊出一身冷汗之后，却没有任何改进措施，甚至在将荆州全盘交托给关羽镇守的时候，也没有提醒这一点。后来，吕蒙故伎重施，令会水者扮作商人，白衣渡江，轻松袭取了荆州。

荆州之失，从这一天就开始了……

心理感悟：在服从权威之前，先检验一下权威的合法性。

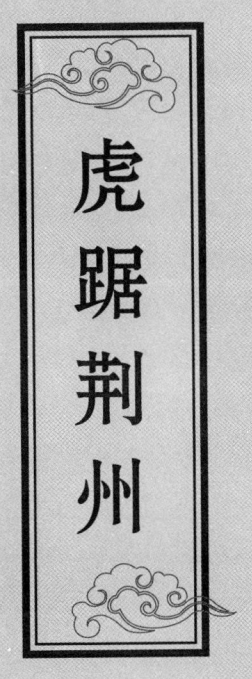

捧了一个易碎的花瓶 / 转变有时是愚蠢的 / 迁怒是人的劣根性 /
兔子急了也咬人 / 好运是不能透支的 / 名声是一把双刃剑 /
总有一只倒霉的猫

捧了一个易碎的花瓶

刘备进攻西川，受阻于西川名将张任，副军师庞统在落凤坡被张任乱箭射杀。刘备困于涪城，急派关平前往荆州求救，让诸葛亮速来支援。

刘备之所以没有立即退回荆州，是出于"追加投资"的心理。他已经在这件事情上投入了很多资源、心力，甚至牺牲了庞统的性命（巨大的沉没成本），他寄希望于投入新的资源拿下西川，实现"翻本"。

诸葛亮宣示了刘备的意见后，表明自己将立即成行。关羽站出来说话了："军师，你若去了，谁来把守荆州？荆州乃是重地，干系非轻！"

关羽的看法非常有道理。从目前的情况来看，能否攻下西川，还具有很大的不确定性。从而，荆州能否守住对整个刘备集团的重要性可想而知。

当然，关羽也清楚，镇守荆州，任重而道远，也是一种莫大的荣耀。从他的内心来说，他认为自己是最佳人选，是非常希望承担这一重任的。但他素来高傲，不肯开口，唯恐再遭孔明激将之辱。要是再被孔明揶揄几句"荆州实乃重地，将军你能行吗"之类的话，关羽说不定真要和他翻脸。

刘备只是指明让诸葛亮火速入川，却没有指定将荆州防守交给谁，这就给了诸葛亮一个安排调度的机会。那么，诸葛亮应该选择谁来接替自己镇守荆襄九郡呢？

很多人也像关羽自己那样认为，关羽是理所当然的不二人选。但实际上，关羽并不是唯一的人选，诸葛亮至少还有另外两个选择：张飞或赵云。

张飞性格粗中有细，并非只是鲁莽之徒；赵云更是心思缜密、智勇双全。而且，从对对手的威慑力来看，张飞当阳桥上喝退曹操百万雄师，赵云在长坂坡上七进七出，都已经威名赫赫。

再说，关、张、赵三人此前也都没有作为主将独自镇守一方的经历和经验。在这个方面，三位选手都是相当的，没有任何一人有突出优势。

诸葛亮没有丝毫犹豫，选择了关羽。

诸葛亮说："主公教我自己量才委用。虽然如此，但主公教关平送信前来，他的意思已经很明白了，就是要云长当此重任啊！云长啊，荆州这个地方，北当曹操，东敌孙权，实是非同小可。云长你可要念着桃园结义之情，尽心竭力，好生镇守啊！"

诸葛亮这一次竟然没有用他惯常的"激将法"，关羽颇有点意外。而且这一番话，明显抬举了关羽在刘备心中的地位，更兼着重提及桃园结义，非常对关羽的胃口，关羽当然是不假思索，慷慨激昂地大声应诺。

诸葛亮为什么这次没有使用激将法呢？有两个原因。

第一，刘备不在。激将不当，即成激僵。以前诸葛亮敢放心大胆地使用激将法，是因为有刘备在，随时可以起到缓冲、调解的作用，不至于让双方都下不了台。一旦刘备不在，关张之流真的耍起性子来，还真没有人可以制得住。诸葛一生唯谨慎，他是不会轻易冒险激进的。

第二，是诸葛亮自己的转变。这个转变不是指对所有的人，而是专指关羽而言。其实，现在诸葛亮已经不怎么诵咏《梁父吟》了，他对晏子也终于有一些更深的了解了。现实和想象是有距离的，世上总会有一些桀骜不驯之徒，是很难收服的，晏子也许真是万不得已才杀了三个猛士，但关羽又是杀不掉的。所以，在残酷的现实面前，诸葛亮也不得不对自己的用人方略进行调整。

诸葛亮至少有三个选择，那他为什么要选择关羽呢？这也有两个原因。

首先还是出于他和关羽之间的不一致。每个人都希望和自己比较一致的人共事（内群体的划分），这种一致性包括价值观念、个性、喜好等诸多方面。从内心深处来说，诸葛亮因为一直无法收服关羽，深感苦恼，对关羽比较排斥。而关羽又是个难得的人才，杀之可惜，实际上也杀不掉。那么，当有机会摆脱关羽的时候，诸葛亮还是乐意选择的。眼不见，心不烦嘛。这是其一。

其二，孔明此去西川，实际上是"卧龙""凤雏"之间的一场大较量。"卧龙""凤雏"齐名天下，得一即可安天下，但到底谁更胜一筹，却无定论。两人同归刘备帐下，虽然惺惺相惜，但相互间的竞争较量却也是人之常情。此前庞统随刘备入川后，孔明曾占了一卦，认为庞统有风险，建议按兵不动。庞统却以为是诸葛亮嫉妒自己将立大功，不顾劝阻，强行进军，最终死于落凤坡。庞统没办成的事情，轮到孔明上场，孔明也就只能成功，不能失败了。所以，孔明必须带上足够的得力人手，以助自己成功。张飞、赵云明显比关羽容易驾驭得多，所以，孔明就选择了关羽留守荆州。

而孔明为了争胜，在荆州留守力量的配置上，也做出了自利性的选择。刘备入川，武将也只带了黄忠、魏延等非主流（只占三分之一弱的力量），关张赵等绝对主力尽数留下。但孔明走的时候，却又带走了三分之二（张飞、赵云），只留下了三分之一（关羽）。也就是说，西川未克，荆州的重要性没有发生任何变化，但防守力量却大为削弱。虽然对力量资源的调配要符合当时的战略需求，但这样大幅削减荆州的防守力量，一旦曹操或孙权抓住机会，攻破荆州，刘备必将腹背受敌，后果不堪设想。

实际上，比较稳妥的方式应该是留下张飞、赵云中的一人，配合关羽镇守荆州。这两人中任何一人留下，都不会和关羽形成内斗内耗，而且有互为呼应之作用。若真如此，也就不会有后来的关羽兵败，痛失荆州了。

但做出自利性的选择，也是人之常情，是可以理解的。诸葛亮不是神，当然也无法摆脱。而细究他的这番话，还有一个非常奇怪的地方。

刘备对荆州留守将领并未给出明示，而是要诸葛亮量才委用，但诸葛亮却一定要将任用关羽描述成刘备的暗示。这是为什么呢？

这也可以用自利性来解释。荆州的重要性不言而喻，如果所托有误，决策者的责任就非常大了。诸葛亮也知道自己带走张、赵是对防守力量的严重削弱，所以更加不敢承担责任，只有伪称是刘备的暗示，才可以为自己未来的洗清责任做好准备。总之，不管如何，镇守荆州的重任就落在了关将军身上了。关羽当然义不容辞。

孔明设宴，交割剑印。关羽伸手来接，孔明举着关防大印，却不交给，说："这干系从此就全落到将军身上了！"

关羽热血沸腾，大声道："大丈夫既领重任，除死方休！"

诸葛亮一听到这个"死"字，心中一凉，顿时有了一种不祥的预感，直觉告诉他，必须更换人选，但计议已定，哪里还能临时更改呢？

诸葛亮只能问道："如果曹操率兵来攻，该当如何？"

关羽心想："那有什么！"遂淡淡地说："以力拒之！"

诸葛亮又问："如果曹操、孙权一起来攻，该当如何？"

关羽想也不想，说："分兵拒之。"

诸葛亮叹了一口气，说："如果将军这样做的话，荆州就危险了。"

关羽心想，水来土掩，兵来将挡，乃是兵家常事。难道曹孙来攻，就不能反击吗？当下惊问其故。

诸葛亮说："我有八个字，荆州的安危就系在这八个字上。将军你可一定要牢记在心啊。"关羽有些不悦，心想："你举着大印，说个不停，真是啰唆。我又不是三岁小儿，身经百战这么多年，又怕过谁来？"但毕竟剑印尚未交割，还得打起精神来，听孔明详说。

诸葛亮说："这八个字就是'北拒曹操，东和孙权'，将军一定要牢记啊！"

关羽说："军师之言，必当铭记肺腑。"话是这样说，关羽自己内心原本的想法在没有强烈的相反力量的推动下，是不可能仅仅靠孔明口头简单表达的"八字方针"所改变的。可以说，这八个字是守防荆州的战略方针，但诸葛亮显然没有说服关羽。诸葛亮在荆州守将的人选问题上，实在是犯下了严重错误的！

他不应该在草率决定人选之后，再来考核这个人选对荆州防守的战略认识是否正确。这就像把一个人招聘进了公司，再来看他的价值观是否一致，能力是否胜任。实际上，如果仅仅是立足于防守，留下赵云镇守应该是最佳选择。赵云在对外扩张进攻上，可能威势不如关羽，但以赵云性格之精细稳当以及对战略部署的忠实执行，必能将荆州守得稳如磐石。况且，一旦真的出现了比较好的战略进攻良机，诸葛亮可以起大队人马，另行谋划安排，不一定需要赵云单独承担起攻击任务的。

而孔明还忘了提醒关羽，东吴周善假扮商人，差点将阿斗劫走。荆州是商贾云集之地，商人往来较多，如果不对此加以严防，势必埋下隐患。后来关羽正是被吕蒙派人，假扮商贾，白衣渡江，袭取了荆州。

但事已至此，剑印不交也不可能了。诸葛亮只能将剑印交于关羽，留下文官马良、伊籍、向朗、糜竺，武将糜芳、廖化、关平、周仓辅佐关羽，镇守荆州。（廖化此前已经慕名来投，虽然廖化曾经救下的两位夫人都已经作古，但关羽并未忘了旧恩，将其留在麾下任用。）

诸葛亮与关羽就此告别。

谁也不会想到，这竟是两人的最后一面，这一别，即是永别。

心理感悟：人只有处在相同的困境危局，才能真正理解别人的不容易和不得已。

转变有时是愚蠢的

孔明入川后，辅佐刘备，诸将勇猛，三军用命，顺利攻下西川。勇将马超也投归刘备麾下，刘备遂自领益州牧，大封老部下及新降文武。

关羽被封为荡寇将军、寿亭侯（爵位失而复得，当然，这一次前面无须再加"汉"字了）。刘备又遣使送黄金五百斤、白银一千斤、钱五千万、蜀锦一千匹厚赏关羽。关羽自从独掌荆州，一直踌躇满志、志得意满。这是他第一次作为一把手统领一方，生杀予夺，大权在握，这种感觉自然是非常美妙的。

刘备遣使来报，关羽一听兄长得了西川，当然是非常开心的。

使者说："主公特加封将军为荡寇将军、寿亭侯，其他金银财另有厚赏。"

关羽就问："其他诸人如何？"

使者说："诸葛军师被封为军师将军，三将军为征虏将军、新亭侯，赵云为镇远将军，马超为平西将军、都亭侯。另外诸葛军师、西川旧人法正、张飞、赵云所得财物和将军相同。将军虽远离主公，但主公丝毫未曾忘记将军您。您所获封赏可是第一等优厚啊。"

使者所说乃是实情，但关羽听了，面色顿时阴郁下来，不再多说，对使者以礼相待后，送其回川。

关羽心里又起了什么波澜呢？中国人的心理向来是"不患寡，患不均"的。自己得到的封赏的绝对价值并不是最重要的，最重要的是看相互之间的对比。

张飞、赵云受封，关羽是没有什么意见的。诸葛亮嘛，虽然他对诸葛亮并不是那么服气，但人家的功绩还是明显的。庞统去了，没成功，还把命丢了，但诸葛亮去了，西川就拿下了。关羽即使有意见，也找不到很好的理由。但马超新来，就被封为都亭侯，和关羽在同一层级，还有法正，在财物的赏赐上也和关羽同等，这是关羽不能接受的。

关羽的这种感觉在心理学上被称为"相对剥夺"。当我们把自己和他人进行比较时，我们的挫折感会变得更为复杂。比如当警察的工资水平提高后，当然会提升他们的士气，但同时却可能降低消防员的士气。

马克思对此说过一段非常精妙的话："房子自然是有大有小的，如果附近的房子都和这间一样小的话，那么它便足以实现一个住所的所有社会功能。但如果这座小房子旁边建起了一座宫殿，它就一下子变成了一间破草棚。"而且，关羽是一个高自尊的人，诸葛亮来了后，对他的地位、作用造成的威胁已经让关羽非常不开心了。而这次竟然又多出了马超和法正！

当一个高自尊的人发现自己高傲的自尊遭受威胁时，他们往往会通过打压别人的方式来应对，有时候甚至会采用暴力的方式。

布什曼和鲍迈斯特在1998年的时候曾经做过一个实验。他们让五百四十名大学生志愿者分别写一段文章，然后让其他学生对文章进行截然不同的评价，或是夸奖性的"好文章"，或是讽刺性的"这是我见过最烂的文章"。然后让那些文章作者和其他学生一起玩一个游戏。当对手失败的时候，文章的作者可以用任意强度、任意时间长度的噪音来惩罚该对手。结果发现，文章受到负面评价的作者中那些自尊心最强的人，他们使用噪音折磨对手的时间长度是普通自尊者的三倍。

正如前面我们曾经说过的，防守是很难体现功绩的，防住了，是应该的；防不住，就是罪过。关羽显然觉得另外那些有冲锋陷阵机会的人更容易立功，从而在功劳、封赏以及名声上超过自己。

关羽无法接受刘备只是出于兄弟之情，才对他进行了第一等的封赏。他想了半天，把关平叫了过来，说："你到成都去，向刘伯父致谢。另外，你还要代为禀告一件事。我听说马超勇猛过人，我要入川和他比试一下高低。"法正是个文人，关羽选择马超作为打压对象。关平唯唯而去，来到成都，面见刘备，禀报此事。

刘备闻言大惊，说："云长如果入川，荆州谁来防守？马超勇猛，和翼德数日激战，不分上下，若云长和他比试，无论哪个有个闪失，都非同小可。这哪里能行！"

刘备对自己的兄弟还是比较了解的。上次赵云、张飞立功，关羽就坐不住了，刘备只好让张飞星夜去守荆州，让关羽去攻取长沙。但此一时，彼一时啊。荆州是如此之重要，马超也已经是自己人了，比试又有什么实际作用呢？这个兄弟真是越老越不懂事了。

刘备忧心欲焚，诸葛亮却是心里一凉，心知关羽哪里是想和马超比武，他主要是担心自己独守重镇,远离中枢,会被忽视遗忘,不断地被边缘化。

诸葛亮非常担心关羽一时冲动,会做出蠢事来。毕竟关羽是他选定的人。为了维护自己决定的正确性,人们往往不计成本,甚至改变自己最初的立场。

诸葛亮只能改弦易辙,采用安抚的办法来解决这个棘手的难题。

诸葛亮对刘备说:"主公不用焦急,我只要写一封信,必定叫云长回心转意,安心镇守荆州。"刘备唯恐关羽性急,不听召唤,即行赶来,连忙叫孔明写好回信,星夜叫关平赶回荆州。

关羽见关平回报,急问:"我要和马超比武之事,你可曾向刘伯父提起过?"

关平说:"有军师书信在此。"

关羽打开一看,不由放声大笑,心情畅快至极,吩咐关平急传部众宾客,会集一堂,宣示孔明此信!诸葛亮的信是这样写的:

> 亮闻将军欲与孟起分别高下。以亮度之:孟起虽雄烈过人,亦乃黥布、彭越之徒耳;当与翼德并驱争先,犹未及美髯公之绝伦超群也。今公受任守荆州,不为不重;倘一入川,若荆州有失,罪莫大焉。言虽狂简,惟冀明照。

云长看毕,自绰其髯笑曰:"孔明知我心也。"

这是近期来关羽最为得意的一个时刻。在他看来,这是他和诸葛亮之间较量的第一个重大成果。也就是说,关羽认为,诸葛亮服软了!

殊不知,诸葛亮又犯了一个严重的错误。

当人们犯下一个错误后,往往会用无数个错误去掩饰这最初的第一个错误。

诸葛亮选择了战略和自己完全背离的关羽镇守荆州,就是这第一个错误。为了让这个错误变得正确些,孔明从原来的"轻视激将"变成了"马屁安抚"。对诸葛亮来说,这样决定也是痛苦的,也会带来认知的不协调,但他有一个符合大局利益的合理借口,足可以平息其内心的不适感。

但这样带来最大的负面结果就是极大地助长了关羽的骄傲之情。诸葛亮在信中把马超归为黥布、彭越一类,只能与张飞相提并论。这一个群体的特征就是勇猛善战,但也仅止于此。而关羽则属于另外一个"绝伦超群"的群体。这两个群体之间,有着明显的群体边界。也就是说,他们根本不具备和关羽比试的前提条件,那比试还有什么意思呢?如果关羽再提比试的要求,就等于是自降身份了。

孔明的这一段,采用的是说服的外周途径。而紧接下来的一段,则又采用了说服的中心途径，晓之以理、劝之以义，通过一再强调镇守荆州的重要性，由此来烘托关羽本人的重要性。

孔明前后态度的颠覆性转变，给了关羽极大的胜利感、满足感、自豪感。关羽将书信遍示部众宾客，自得之情溢于言表，连称："孔明深知我心啊。"自此再不提入川之事。如果抛开诸葛亮和关羽此前相互较劲的大背景，就这一单独事件的应对处理，诸葛亮的信收到了较好的效果——关羽放弃了入川比武的想法，但把这个处理放到整个背景中去看，诸葛亮却错过了一个非常好的在和关羽较量中占据上风的机会！

任何东西，并不是越多越好的。诸葛亮的信其实应该去掉前半段，只留下后半段。也就是说，放弃说服的周边途径，只取说服的中心途径。

一般来说，采用说服的周边途径是在中心途径无路可走的前提下的（可参照此前刘备在袁绍帐下的两次出色演出）。但此时诸葛亮有一个非常好的中心途径可走，那就是以大义责之！

荆州如此之重要，刘备这才将这个根基托付给你。你却为逞这个人之能，不顾大局安危。你这样做，对得起桃园结义的承诺吗？你这样做，还能算是忠义之士吗？

措辞当然还可以进行修饰，但意思就是这个意思。

关羽的要求，露出了一个巨大的破绽，足以让诸葛亮抢起"忠义"的大板子狠狠地打下去。孔明一打，关羽绝对无可招架，因为"忠义"是他一贯的标签。以子之矛，攻子之盾，无有不胜。尽管这样做也可能让两者的关系更趋恶化，但关羽为了不在孔明面前再输面子，势必要打起精神守好荆州。如果关羽始终不听劝阻，非要进川，那么，诸葛亮借此更换另外一个能够坚守战略的守将也是一个比较好的选择。

但诸葛亮非但没有打，反而安抚奉承。孔明此举，实是饮鸩止渴，暂时化解了危机，却没有从根本上改善关羽对自己的刻板印象，反而让关羽更加目空一切。

关羽的骄傲日甚一日，终于将孔明谆谆嘱托的"八字方针"抛到了脑后。

心理感悟：我们往往从一个极端走向另一个极端，却没有意识到这是最愚蠢的转变。

迁怒是人的劣根性

孙权得知刘备并吞西川后,心思又开始活络了。于是召集张昭、顾雍等商议讨回荆州之事。

此时鲁肃已经接任都督一职,荆州之事本来就和鲁肃干系甚大,但孙权对他被诸葛亮耍弄十分不满,所以不找他商量。

张昭满怀自信地说:"我有一策,必可让刘备将荆州双手奉还。"

孙权一听,非常高兴。本来是"内事不决问张昭",现在周瑜已死,鲁肃似不可用,好在还有张昭啊。

张昭说:"刘备最倚重的人是诸葛亮。诸葛亮的兄长诸葛瑾正在主公这里。不如将诸葛瑾满门老小拿下作为人质,派诸葛瑾入川,对其弟诉说。诸葛亮必念兄弟之情,足可说服刘备交割荆州。"

孙权摇头道:"诸葛瑾是个老实人。我怎能忍心拘禁他的合门老小呢?"

张昭说:"主公,这不过是一个苦肉计,没什么的。诸葛瑾知道了,也不会有什么意见。"

孙权一想,苦肉计是好计,上次周瑜打黄盖,火烧赤壁。这次张昭囚诸葛,必也成功。当下把诸葛瑾召来,安排停当。

诸葛瑾知道家里老小虽然名义上要被监禁,但没有性命之忧,也就没有什么心理负担,坦然上路进川。

不数日,诸葛瑾来到成都,先使人报知刘备。

刘备问诸葛亮:"令兄此来何为?"孔明微微一笑道:"定是来讨取荆州啊。"

刘备说:"那我该怎么回答他呢?"诸葛亮对兄长再了解不过了,如此这般吩咐刘备,随后出城迎接诸葛瑾。

兄弟两人，经年未见。久别重逢，竟是在异国他乡。诸葛瑾触景生情，竟然号啕大哭起来。早已说过，哭是非常管用的注意力策略。你一哭，对方必定要发问，你即可顺杆而上。

诸葛亮说："兄长有事尽管开口，为什么要大哭啊？"

诸葛瑾泣道："我们一家老小全都要没命了！"诸葛瑾是个老实人，哪里会演戏呢？形貌神情均不自然。诸葛亮看得好笑，心想，也就不和兄长绕弯子了，说："兄长莫非是因为讨还荆州之事？你不用难过了，这件事包在我身上，我一定劝说主公归还荆州给你。"

诸葛瑾一看苦肉计果然奏效，大喜，立即擦去眼泪，略加收拾，就随着孔明去见刘备。

诸葛瑾对刘备说明来意。刘备面上阴晴不定，冷冷地说："我本来是要归还荆州的。但是你主孙权太过分了，擅自将我夫人暗暗取走。既然他如此无情无义，我还有什么颜面？你让他率兵来取荆州吧。当日我仅有荆州之地，尚且不怕他。如今我坐拥西川四十一州，兵将数十万，粮食可用二十年。你回去告诉孙权，我正想挥兵南下，攻取你整个东吴。你问问他，还来不来讨还荆州了？"

诸葛瑾一听，浑身如落冰窖，吓得说不出话来。

诸葛亮却大哭拜倒于地，说："吴侯已经将我兄长满门老小监禁，如果不还荆州，全都不能活命。我和兄长是一母同胞，兄长若死，我哪里还能独生呢？望主公看在我的薄面，怜惜我二人兄弟之情啊。"

刘备恨恨再三，只是不肯。

诸葛亮多次哀求，刘备方缓缓说道："既然如此。我看在军师面上，分荆州一半还东吴，将长沙、零陵、桂阳三郡交割吧。"

诸葛亮大喜道："既然如此，请主公手书一封与云长，令他交割三郡。"

刘备写好书信，对诸葛瑾再三嘱托，说："我兄弟云长，性烈如火，我都怕他三分，你到那里可要好言相求。"

诸葛瑾满心欢喜，急急辞别，奔赴荆州。

关羽接见，诸葛瑾拿出刘备所写文书，说："望将军即行交割三郡，我好回去向吴侯交差。"

关羽勃然变色，大怒道："我和兄长结义桃园，说好要同生共死、共兴汉室。兄长既然已经把荆州交托给我，怎么能交割给东吴？这是什么道理？这三郡均是汉室疆土，我必然是寸土不让！"

明着是骂刘备，实则指桑骂槐。

诸葛瑾这几日来心情忽起忽落，到这里又落入低谷，想起临行前刘备所言，只好恳求道："我全家老小被吴侯拿下，若将军不交割三郡，尽数要被诛杀啊。万望君侯开恩！"

关羽冷冷地道："这不过是孙权的苦肉计罢了，能糊弄谁啊！"

诸葛瑾一惊，心想："这苦肉计骗过了兄弟和刘备，怎么就骗不过关羽呢？"

实际上，这苦肉计一个人也骗不了！苦肉计虽是假戏，但不付出真的代价是很难让人相信的。上次周瑜打黄盖，可是真打，血肉模糊。而诸葛瑾最多是个老实的本色演员，如果这次不对他说明，假戏真做，将其老小拿下，说不定他还能有些哀苦悲伤的表情动作。但诸葛瑾本人早已心知肚明，家属也根本没遭罪，诸葛瑾又能糊弄谁呢？

从这个角度也可看出张昭的才能确实不高。他看到了诸葛兄弟之间的情谊，却没有顾及人情之幽。因私废公是难免的，但决不能光明正大、堂而皇之地进行。假若孔明真的顾惜兄弟之情，向刘备提出要求，那么就伤了君臣之义了，以后诸葛亮还怎么立足呢？所以说，孙策看人是很准的，张昭只能搞搞内部的事，外事不决是绝不能问他的。

诸葛瑾无奈，只好说："将军今天为什么这么不讲情面啊？"

诸葛瑾不这么说还好，一说情面倒引起关羽的怒火来了。关羽道："你不要再说了，再说，我这口剑可就不容情了！"说罢，拔剑在手，作势要砍。

关平在旁，急忙劝阻："父亲息怒。须知军师面上不好看。"

关羽更是大怒："今日不是看在军师面上，我让你回不了东吴！"

诸葛瑾满面羞愧，跌跌撞撞退下，再回西川去见孔明。

诸葛瑾无从知道，要不是他也复姓诸葛，要不是因为他的兄弟在此身居高位，他今天还不会遭受如此羞辱呢！

在关羽和诸葛亮的较量中，总体而言，关羽感受到了很大的挫折感。特别是华容道一事，对关羽的伤害至深。而今天的割让三郡事件，再次让关羽深感恼火。原因在于，诸葛亮自己做了好人，却把扮演黑脸的任务交给了关羽。荆襄九郡现在是关羽当家，如果要割让，事先不和他商量是说不过去的。事先未经沟通，关羽就会觉得这是对他的轻视。虽然关羽明白，这不过是一场双簧戏，但毕竟当好人比较容易,扮坏人比较难。关羽也想当红脸,做好人,但没有选择,只能将诸葛瑾拒之门外。这自然加深了他的挫折感。

挫折往往会让人产生攻击、报复的动机。但由于诸葛亮执掌剑印,手握军事大权,再加上他智算过人,关羽出于对后果的顾虑,不敢对挫折源本身——诸葛亮发起报复性的进攻。今天诸葛瑾撞上门来,那么攻击目标自然而然就转移到了他身上。

既然我惹不得诸葛亮,那我就狠狠羞辱诸葛瑾吧。谁让你也姓诸葛,和诸葛亮一母同胞呢?

有一个"踢猫理论"可以很好地解释这一现象。

总经理早上出门的时候,跟太太有一点不快,所以带着一些不良情绪来到了公司。一来公司碰到副总经理,就随便找个事情把副总经理给训一顿——成心要找个事情训人哪能找不到呢?那副总经理当然敢怒不敢言——回到办公室去,把经理叫过来也给训了一顿。这经理一大早莫名其妙地就给副总训了一顿,也敢怒不敢言,就回到自己办公室,正好看到一个助理,也顺手找个事将他训一顿:"这么一大早,你做这个干什么?!"这个助理是个女孩子,莫名其妙地被经理训一顿,也敢怒不敢言,这时候接到一个电话。谁打来的电话?男朋友打来的。女助理正好抓住了一个对象,顺势就把男朋友也给训了一顿:你对我不好,一直不体贴我,一直不关心我,等等,没事找事把人家骂一顿。这个男朋友一大早心情很舒畅地给自己的女朋友打个电话报个到,结果莫名其妙地被女朋友训一顿。心里实在不舒服啊,一看左右没人,不好发泄,往脚下一看,正好一只猫蹲在那里,就一脚飞过去:"你这该死的猫!哪里不好蹲你蹲在这里!"一脚就踢过去。

忠厚老实的诸葛瑾就是那只可怜的猫。他做梦也想不到,阿弟在刘备这里一人之下,万人之上,非但没给他带来一丝好处,却连累自己遭受了一顿个人历史上最惨重的羞辱。

诸葛瑾可怜巴巴地来见刘备。

刘备连忙抚慰道:"我这个兄弟,就是这个臭脾气。诸葛先生你也别难过了。这样吧,你还是先回东吴,等我商议安排,取了东川汉中之地,再把云长调守,到时再把荆州交付给你吧。"

诸葛瑾无奈,只好告辞。诸葛亮眼见阿哥如此狼狈,虽然各为其主,但也过意不去,就给兄长出了个主意,帮他取回满门老小。

诸葛亮的主意其实非常简单。

诸葛瑾手上有刘备亲手所写交割三郡的文书，其实他根本无须自己去和关羽交割，只要把文书交给孙权，自己就脱了干系，孙权自然会另派人员前去和关羽交涉，一家老小也就可保无忧了。

心理感悟：假戏必要真做，才能收到效果。

55

兔子急了也咬人

诸葛亮的办法救了阿哥一命。

诸葛瑾回到东吴，来见孙权，说起刘备已经亲笔写下暂时割让三郡的文书。孙权大喜，当即分派官员前往长沙、零陵、桂阳三郡办理交割。

诸葛瑾的家小被放回家。虽说是虚惊一场，但伴君如伴虎，如果诸葛瑾真的没有拿到刘备的文书，恐怕孙权一怒之下，就不会放过诸葛瑾全家了。从这个角度来说，诸葛亮虽然不能伤及君臣之义，但还是顾及了兄弟之情。

三拨官员领了任职文书，以为得了肥缺，兴高采烈地前去赴任。他们哪里知道，等着他们的正是煞神关羽。

关羽劈头就是一顿喝骂。这三拨官员狼奔鼠窜，拼命逃回，唯恐慢了被关羽剁成肉酱。通过此事，关羽对诸葛亮的成见又加深了一层。理由是好人都是你自己当了，撕破面皮的事情也不吱一声，就扔给我了。当初走的时候，还屡次三番说要"东和孙权"，你让刘老大写了交割文书，我只能把他们赶走，这不是自相矛盾吗？这样做能"和"吗？

孙权听了狼狈逃回的几个下属的报告，半晌没有说话，心中恨极了关羽。老子坐拥东吴六郡八十一州，就没见过你这么横的人！老子要不把你整死，誓不为人！

这种心理也很正常。孙权经过赤壁之战后，已经不再青涩，自我感觉也日趋良好，被关羽这么不讲情面地抵触一番，颜面尽失，心里当然是十分恼怒的。但是，现在他还不能奈关羽何，这股怒气只好另寻发泄口了（踢猫理论无处不在）。

解铃还须系铃人，鲁肃再次成为这只可怜的猫。

孙权派人找来鲁肃，劈头也是一顿臭骂："当初借荆州，就是你经手的。你自己也画押作保了。现在刘备已经得了西川，应该兑现承诺了，却还是迟迟不还，到底是什么道理？"

孙权的怒斥给了鲁肃巨大的压力。

面对压力，人的本能反应就是"非战即逃"，要么迎战，要么逃跑。可是鲁肃无路可逃。如果他现在就开始推脱责任，孙权正在盛怒之中，说不定立即会将其推出门外斩首。

鲁肃只能硬着头皮迎接挑战。鲁肃本来是个平和的人，但在高压之下，竟然提出了一个疯狂的想法："我有一个办法。我们屯兵在陆口，派人去请关羽来赴会，如果他肯来，就好好和他商量，让他归还荆州。如果他不从，就伏下刀斧手杀了他；如果他不肯来，我们立即进兵，和他一决胜负，夺回荆州。"

鲁肃这个办法其实是跟周瑜学的。周瑜当年请刘备赴宴，就准备将其扣留或斩杀，以夺回荆州，但没想到关羽扮成随从护驾，周瑜因此不敢动手。

周瑜胆量谋略都胜过鲁肃，他办不成的事情，鲁肃能办成吗？其实鲁肃也是被逼无奈，只好捡起周瑜嚼过的甘蔗渣再嚼一遍。

孙权看鲁肃表现得非常自信，胸有成竹，觉得这个方法确实可以挫挫关羽的锐气，当即表示同意。

帐下阚泽听见了，立即进行劝阻。这个人颇有田丰之风，在对上司进行说服之时，只从事实出发，根本不考虑上司当前的倾向性意见。

阚泽说："吴侯，不能这样做啊！关羽是熊虎之将，根本不是一般人。这样做，恐怕不但不能得逞，反遭其害。"

"关羽是熊虎之将"，确实不假，属于说服的中心途径。但孙权是情感上受了刺激，靠讲道理是无法说服他的。果然，孙权怒斥道："照你这样说来，荆州什么时候才能要回来？给我退到一边去！子敬，你赶快去办理此事！"

鲁肃已经别无退路了，只能辞别孙权，赶赴陆口，召集吕蒙、甘宁商议，决定在陆口寨外的临江亭设宴，请关羽前来。

计议虽定，但关羽到底会不会来鲁肃实在没有把握。上次周瑜能请来刘备，是借了赤壁之战的由头。这次又该用什么理由请动关羽，又让他不生疑呢？

鲁肃思前想后，也只想出来一个没有任何实质意义的朋友间久未见面，需要私人会晤一下的理由。为了不让关羽生疑，又特意注明仅仅是晤谈，绝对没有恶意。当下，鲁肃修书一封，选派能言会道之人前去荆州关羽处送信。

鲁肃的信是这样写的：

辱友鲁肃顿首致书于汉寿亭侯麾下：奉别久矣，瞻仰无由。今暂屯陆口，欲邀车骑于临江亭一会，以诉渴仰之怀。虽然各事其主，即无异外之心。专望来临，幸勿见阻。感感。

要说鲁肃可真是个老实人，根本不擅长这种钩心斗角、暗中整人的阴招。这封信无异于是"此地无银三百两"，稍有常识、稍具理性的人见了此信必然心生戒意，决不肯以身试险。也就是说，鲁肃的计策再好，也是不具备可行性的。

但世间万事，总有例外，偏偏收信者是关羽，换了他人，鲁肃只能是枉费心机，但遇到关羽，这封信就发挥效力了。

关羽看完信后，想也不想，对来人说："既然子敬请我赴宴，我明天必然前往，你先回去报知！"

使者一走，关平就急忙劝阻说："父亲，鲁肃相邀，必有恶意。您为什么要答应他呢？"

关羽哈哈大笑道："我怎么会不知道？这必然是诸葛瑾回报孙权，说我霸占荆州不肯归还，孙权大怒，就着落在鲁肃身上，让他必须想方设法取回荆州。呵呵，我要是不去，不就让他们笑话我胆小了吗？哼，我不但要去，还要独驾小舟，只带亲随十余人，单刀赴会，且看鲁肃能奈我何？"

关羽此时，已经日渐骄纵，他爱惜自己的声誉，甚至胜过了肩负的重任。当然，关羽的自信也是有根据的。首先，他曾经护卫刘备赴周瑜之宴而平安脱险，这是非常重要的经历和经验。而在关羽眼里，鲁肃根本不能和周瑜相提并论。周瑜他都没放在眼里，鲁肃就更不值一提了。其次，关羽的好胜心越来越强，旁人眼中越是凶险之事，他越是要去试一试、闯一闯，以昭示自己的与众不同、唯我独尊。

这个时候，如果以关羽个人的安危和荆州防守的责任这种说服的中心途径进行劝阻也是不能奏效的，而且越是劝阻，越是会助长他的好胜心，让他不顾一切地实行自己的疯狂行动。

关平说："父亲，您以万金之躯，亲蹈虎狼之穴。这可与伯父的重托不符啊！"

关羽大笑道："我在千军万马之中，矢石交攻之际，匹马纵横，如入无人之境，难道还会怕江东的几个鼠辈吗？"豪迈骄纵，溢于言表。

马良是目前荆州的首席谋士，他也表达了和关平同样的看法："鲁肃虽然是个仁厚长者，但被孙权逼得急了，也难免生出虎狼之心。将军绝对不可轻易前往。"

关羽正色道："春秋时期，赵国的蔺相如，手无缚鸡之力，竟然在渑池会上，视秦国君臣如无物。我的身手，可是万人敌，又怕他何来？再说，我已经答应鲁肃了，如果不去，那可就失信了。"

马良无奈，只好说："将军即便要去，也要做好充分的准备，以保平安。"

关羽又是大笑，说："用不着大费周章。只需让关平挑选快船十只，带上五百军兵，在江上等候，只要见我红旗招展，就过江来接我就行了。"

马良无奈，没敢再劝，唯恐说了之后，关羽连这五百军兵都不带了，他默默退下，内心忐忑不安。

由此，鲁肃的一个疯狂想法，引发了关羽的这一次疯狂行动。

却说鲁肃闻报，得知关羽明日前来，内心反而紧张起来。又叫来吕蒙、甘宁商议。吕蒙说："关羽必定带着大队人马前来，我和甘将军各领一军，在岸边埋伏，以放炮为号，准备厮杀。您在亭后埋伏好刀斧手五十人，就在宴席上将关羽斩杀。"

鲁肃紧张得手发抖，这也不怪他，当要面对的人是百万军中斩杀上将如探囊取物的关羽关云长，任由是谁也不能不紧张。

但鲁肃、吕蒙等人，提出这个办法本就仓促，也没有仔细考量好。要不然，斩杀关羽的概率还是挺大的。关羽勇猛无敌当然不假，但他也有一个致命的弱点，就是不善于防范箭射。过五关的时候，他被韩福射中过，后来要不是黄忠手下留情，他也已经被箭射杀。后来，关羽也没躲过庞德、曹仁等人的箭。这一点不像赵云，无论是在长坂坡，还是在江中力拒东吴追兵，乱箭总是难奈他何。

所以，刀斧手是奈何不了关羽的，只有乱箭能够伤他。

关平和马良的担心是有道理的。如果鲁肃计议好了用乱箭射杀关羽，只需关羽一到，不管三七二十一，万箭齐发，关羽就是有金刚护体，也难逃一死。从荆州安危的角度来说，关羽确实应该放弃对个人面子的追求，老老实实地待在荆州。

不过，关羽的运气向来是非常好的。鲁肃没有这么做，因为鲁肃觉得，理始终在自己手中，当初借荆州，有刘备亲笔文书为证。这次，诸葛瑾又拿回来割让三郡的文书，也是刘备亲手所写。

鲁肃知道，自己的口才并不好，但凡事抬不过一个"理"字。关羽素来以讲信义为重，只要自己以大义责之，关羽必然理屈词穷。但是，鲁肃可能没有想到，秀才遇到兵，有理说不清。这个世界上，比"理"更强大的是实力。

心理感悟：压力，特别是持续的强大压力，足以让一个好人变成恶魔。

好运是不能透支的

次日，鲁肃派人于岸口遥望，唯恐关羽爽约不来。

辰时过后，只见江上一只小船驶来，船上艄公、水手不过寥寥数人，一面红旗在风中招展，上书一个大大的"关"字。鲁肃惊疑不定，不知这挂着关羽旗号的小船孤船前来，到底是何用意。

待得驶近，鲁肃这才看清，关羽青巾绿袍，坐在船上，旁边周仓手捧大刀，两边十余个关西大汉侍立。一股凛然不可侵犯的威势扑面而来！

鲁肃绝对没想到关羽竟然如此轻车简从而来。关羽此举，虽然冒险，却在双方较量的第一回合，从气势上以绝对性的优势压倒了对方。

鲁肃调整心态面容，将关羽迎入亭内，举杯劝饮，但目光闪烁，始终不敢正视关羽。关羽则谈笑自若，浑若无事。

酒至半酣，鲁肃硬着头皮，开始讨要荆州："关君侯，我有一句话不知当讲不当讲？"

这句话的精妙之处在于关羽总不能说"你不要讲了"吧。所以，鲁肃继续往下讲："以前令兄从我东吴借了荆州，至今没有归还之意，从道理上来说，这不是失信吗？"

关羽觉得这个问题很难回答，只好说："这是国家之间的大事，我们还是喝酒吧，莫谈国事。"

人家没事请你来，难道只是为了喝酒？这件事必定是要谈的，关羽的推脱之策不起作用。

鲁肃一开了口，话就停不住了："我们当初之所以借荆州给你们，是因为你们兵败远来，没有安身之地。现在，你们得了益州，还是没有归还之意。这次割让三郡，君侯您又不同意。这就是您失信于天下了。听说您自幼熟读儒书，仁义礼智信五常之道肯定是熟知的。现在君侯您别的就不缺，就差这个'信'字了。"

鲁肃的口才并不好，但这番话句句占理，更是用"信"字攻击关羽的软肋，让关羽觉得很难抵挡。

关羽此行，虽然知道鲁肃用意，但总觉得江东鼠辈，又有什么能耐能为难得了自己，事先也就根本未做准备，现在被鲁肃这番话，夹枪带棒，挤兑得下不了台。

关羽只能强辩，说："赤壁之战，我兄率众，亲冒矢石，勠力破贼，难道就不应该得到一块土地容身吗？"

鲁肃见关羽狡辩，也就不客气了，说："情况并不是您说的那样。当初您和刘豫州同败于长坂坡，你们的人马稀少，根本就不值得一提啊。而且刚刚被曹操打败，计穷虑极，我主上同情你们，才借荆州之地给你们容身。现在豫州已经得了西川之地，却仍然贪图荆州，就说不过去了。"

鲁肃反复运用了互惠原理，一再强化己方对刘备施加的恩惠，让关羽深感理屈词穷，无可辩驳。

关羽顿时想起了当年在延津口岸，自己向刘延借船欲渡黄河，刘延推脱说一切由夏侯惇决定，让自己无法勉强的事。于是，关羽说："这都是我兄长左将军的事情啊，不是我关某人所能干预的。"

关羽把责任全部推到了刘备头上。一切所为，皆是刘备主张，我只是他的兄弟和下属，并没有决策权。如果你要算账，就找他去吧，和我并不相干。这种情况在勇于担当的关羽身上，是极少看到的。这也说明，鲁肃通过互惠原理的指责和索取威力确实十分强大，让关羽无从抵挡。

关羽的这一招本是反制互惠原理的高招，几乎屡试不爽。但是，他没想到，鲁肃还掌握了一件秘密武器。

如果把关羽比作一把锁，那么唯一的钥匙就是刘备。懂得这个秘密的人，三国里只有两个人。曹操不懂，诸葛亮也不懂，所以他们俩费尽心机，也始终没有让关羽心悦诚服。但鲁肃却是懂得的两个人中的一个，另外一个人就是蜀国的司马费诗。

鲁肃说："将军，您这样说就不对了。我听说你们刘关张三个人，当初在桃园结义，誓同生死，刘备即是关羽，关羽即是刘备。您怎么能以这样的借口推脱呢？"

"刘备即是关羽，关羽即是刘备。"这是刘、关、张最昭显于世的招牌！鲁肃以子之矛，攻子之盾，关羽哪里还有话说！

你们兄弟,好得如同一人,说什么是刘备的事,不是你的事?你还是老老实实地把荆州还给我吧!"

关羽的红脸涨得更红,却是讷讷无语。正在尴尬之时,旁边的周仓厉声喝道:"天上地下,唯有德者居之,荆州难道就只能属于你们东吴吗?"

鲁肃一愣,竟然也答不上话来。真是秀才遇到兵,有理说不清。周仓这一插科打诨,却解了关羽之困。

周仓的这一做法,是标准的"强行中断法"。一般用于谈判中对方得势不饶人、己方理屈词穷、节节败退、无可抵挡之际。运用这种策略,往往需要两人或多人配合,且提前安排好。不过周仓此次,倒是自发行为。

关羽见状,立即抓住了这个机会,十分默契地变了脸色,夺过周仓手中大刀,斥道:"这是国家大事,你在这里胡说八道什么?"边骂边目示周仓,赶快去招展红旗,让关平快舟过江来接。周仓会意,急急奔出,到岸边,把红旗一招,关平在对江看见,当下船如箭发,急过江来。

关羽明着是骂周仓,给了鲁肃一个台阶,暗中却转移了话题,结束了这一段尴尬的对话。

关羽右手提刀,左手拉住鲁肃,佯装沉醉,说:"子敬,你今天请我来赴宴,咱们莫谈国事啊。我已经喝醉了,只怕胡言乱语,伤了故旧之情哪。改日我再请你到荆州赴宴吧。"

一边说,一边强拉着鲁肃往岸边走。鲁肃看着关羽手提明晃晃的青龙偃月刀,吓得魂不附体,哪里还能说得出话来。

吕蒙、甘宁见关羽手提大刀,拿住鲁肃,唯恐伤了鲁肃,哪里敢动!只能眼睁睁地看着关羽来到船边。关羽登上快船,这才放了鲁肃,和鲁肃作揖告别。

快船如飞驶去,鲁肃呆立半晌才省过神来。鲁肃这下知道了当年周瑜为什么没敢对刘备下手。鲁肃也终于明白,光讲道理,是不能在这个世上横行无阻的。荆州靠嘴巴是不可能讨回来的,只有真刀实枪,才是这个世界上最硬的道理。

鲁肃从这一刻,也下定了决心,一定要用武力把荆州夺回来。他立即向孙权汇报,要求起兵进攻荆州。孙权闻报,勃然大怒,决定举倾国之力,也要出这口恶气,把荆州硬碰硬地夺回来。

要说关羽的运气实在是好,正当孙权筹谋起兵之际,曹操又起三十万大军来进攻。孙权担心腹背受敌,只好吩咐鲁肃暂时不要招惹关羽,先移兵向洭水,迎战曹操。但从此孙权也暗下决心，再不空口索要荆州，以免徒添羞辱。

孙权的战略判断是正确的，曹操始终是头号大敌。但孙权的部署却给关羽造成了一种错觉。

关羽觉得自己单刀赴会，来去如风，尽情戏耍了鲁肃之后，全身而退、毫发未损（加上此前自己怒斥东吴前来交接的官吏），东吴受了这等奇耻大辱后，竟然毫无反应、毫无动静，谅必是被吓破了胆，再也不敢轻举妄动了。从此，江东人士全是鼠辈这个刻板印象就此在关羽脑海中深深扎根，至死也不曾改变。

关羽更加觉得自己所向披靡、无所不能，骄傲的种子经过时间的酝酿和传奇般经历的催化，已经萌生为根深叶茂的大树了。

俗话说，福兮祸之所伏。关羽的好运气从长远来看，其实也是坏运气。如果曹操不率兵来攻，孙刘必然刀兵相向。这仗只要一打起来，关羽就会保持警醒，不会动辄不把东吴放在眼里。而且，刘备、诸葛亮也会立即得知关羽没有很好地执行"北拒曹操，东和孙权"的战略部署。这样，诸葛亮就有时间、有机会对此进行调整，或者再次对关羽耳提面命，或者更换荆州守将。不论采取何种对策，都不至于像关羽目前这样被眼前的胜利和荣耀所蒙蔽，再也看不到危险的存在和逼近。

运气好不是坏事，但经常的、连续性的好运气降临到同一个人身上，就可能是坏事了。当一个人一再得到上天的眷顾，而打心眼里认为自己是天之骄子的时候，要想不自负都不可能做到。

自信不是坏事，足以让人完成艰巨的任务，但自负就是另外一回事了，自负甚至会让人把简单容易的事情办砸。

临江亭单刀赴会，成了关羽从自信走向自负的分水岭。从此，关羽走上了自高自大、病态自负，甚至自我神化的不归之路。

> **心理感悟**：骄傲是一趟越行越快，只通往失败的单程列车。

名声是一把双刃剑

却说曹操击败张鲁，取了汉中。刘备随即又击败曹操，夺了汉中。其间老将黄忠，猛将张飞、赵云、魏延等均立了大功。

刘备又命刘封、孟达、王平等人攻取上庸诸郡。此时刘备坐拥荆州、益州、汉中，土地广有，人丁兴盛，达到了个人历史上最辉煌的时刻。这和旧日颠沛流离、寄人篱下之时早已不可同日而语了。

苦苦追随刘备的部下在艰辛的付出和漫长的等待之后，也终于迎来了扬眉吐气的时刻。对于他们来说，当前最迫切的事情就是要一个名分。他们认为，刘备对名分的渴求一定比他们更迫切。但是，左等右等，却看不到刘备有丝毫的动作。于是，众人决定要助推一下，尊刘备为帝。这样，老大进步了，大家才能名正言顺地跟着进步。

此时，诸葛亮执掌军政大权。众人提出，要诸葛亮牵头主事，推动刘备称帝。诸葛亮之所以愿意出山辅佐刘备，内心中也是为了得到一个平台和名分，好施展平生所学，实现超越管乐的功绩。所以，诸葛亮一口应承，来见刘备。

诸葛亮想起隆中对时，刘备豪气毕露，自以为此刻劝他称帝必是十拿九稳，没想到却碰了一个大钉子。

诸葛亮说："现在献帝懦弱，曹操专权，天下百姓实是无主。现在主公东征西讨，得了两川荆襄之地，威震四海，正可以应天顺人，即皇帝位，名正言顺，也好征讨国贼曹操。请主公选择吉日，即可登基。"

刘备却大惊失色道："军师你怎么会说出这样大逆不道的话来？！刘备我虽然是汉室宗亲，但始终也是汉帝之臣啊。如果我做了此事，和谋反又有什么区别呢？"

诸葛亮面上一红，本以为可以轻松说服刘备，没想到刘备的反应会如此激烈，但刘备一向对诸葛亮是言听计从的，出于维护自己面子的需要，诸葛亮毫不隐讳地说出了以自己为首的诸文臣武将的真实想法，继续辩解道："主公，情况不是你想的那样了。现在天下分崩，英雄并起，各霸一方。四海有才德者，同声相应、同气相求。大家舍生忘死，各事其主。不是为名，就是为利。如果今天您为了大义，避嫌不肯继位，手下诸人，就没有图望了，不久就会四散而去，各奔前程。主公您要深思啊。"

但刘备丝毫不为所动，还是坚持说："僭居尊位，吾实不敢！你们再商议一下吧。"

刘备为什么会拒绝诸葛亮的称帝建议（实质是整个组织的建议，诸葛亮是首席代言人）呢？是他真的不想称帝吗？

答案是否定的。刘备很小的时候，与乡间小儿戏耍的时候，就说过"我将来要当天子"的话。后来命途挫折，一直没能舒展，支撑他屡败屡战的正是这个念头。况且，此前他攻下西川，对群臣大加封赏，多人被封侯，其行为已经和皇帝没有区别了。你想想，当初曹操封关羽为汉寿亭侯，还要经过汉献帝这一道程序，你刘备有什么资格封关张马等人为亭侯呢？现在有了最好的机会，刘备怎么会不想称帝呢？

既然如此，为什么诸葛亮不能说服他，反而遭到他的拒绝呢？

诸葛亮劝说失败的原因，与其说是他对政治形势的判断不明，还不如说是他对刘备的心理活动了解不够。

当时，曹操挟天子以令诸侯，刘备用来对抗曹操的武器就是汉献帝秘密传出来的衣带诏。多年来，刘备正是凭借着衣带诏，才能在与曹操的抗衡中，在道义上不落下风。汉帝孱弱，天下皆知。英雄四起，也均有取而代之之意。

但如果今天刘备率先称帝自立，立即就会在道义上落了下风，将自己此前苦心经营的名誉积累全盘颠覆，也就给了曹操一个最好的反击理由。此前僭越称帝的袁术、袁绍兄弟，都早已被曹操以平叛反贼的名义镇压。曹操如果在道义和实力上都占了上风，刘备哪里还是他的敌手呢？

此前，孙权也深知这一点。他自己早就想称帝，却先给曹操上书，尊请他称帝。曹操识破了这一点，笑骂道："这小子，是想把我放到火上烤呢？"孙权的算盘是，只要曹操一称帝，汉室原来的正统就没了，自己也就可以随之称帝而不受道义的谴责。这种"从众"的事情是但做无妨的。

刘备的思路和孙权的大致相似，而刘备比孙权更重视"名声标签"对自己的约束。当初刘表羸弱，想要把荆州送给刘备，刘备想要而不敢要。刘表死后，诸葛亮劝他下手夺取，他也是想夺而不敢夺，就是担心这种行为和自己的一贯名声不符。刘备深知自己向来空空两手，之所以还能拢聚一批人才，就是靠的这口口相传的好名声。如果将这名声玷辱了，恐怕立即就会失去号召力和凝聚力了。

所以，对刘备来说，有皇帝之实的事但做无妨，但万万不能有皇帝之名。这一点，诸葛亮应该从刘备不肯取荆州上就看出来了，但从今日的劝说刘备称帝来看，他还是没有精准把握刘备的微妙心理。

但是，诸葛亮如果不能劝说成功，对自己的影响力也是一个重大打击。大家把他看作是群臣之首，如果他连主公都不能说服，他的威信也就要大打折扣了。

诸葛亮反应很快，立即使出了"闭门羹"技巧。

还记得这个技巧吗？当你想要达到一个较小的目标，却先提出一个远远超过你预期目标的大要求。当这个大要求被拒绝后，你原本的小目标就可以顺利实现了。

这是"闭门羹"技巧的主动性应用，是事先策划好的。但也可以在被动状态下使用这种技巧。即我本来想要达到的大目标被拒绝了，那么我立即提出一个较小的要求，往往就能得逞。这样，虽然没有达到理想的目标，但也多少有些收获，不至于空手而归。

孔明立即提出："主公平生以义为本，不敢僭越称帝，也是对的。现在主公有荆襄两川，那么，先进位汉中王，以正其位，方可用人。"

刘备却仍坚持说："你们虽然要尊我为王，但没有天子明诏，也是僭称之举啊。"

但诸葛亮话里的意思再明白不过了。大家在刘备孤穷的时候还跟着他，无非是图个盼头。现在刘备明明腾达了，却还是没有盼头，大家岂不是要作鸟兽散了？

张飞第一个跳了出来，说："异姓之人，都早已称王称帝了。哥哥你是汉室宗亲，还担心什么？你要是再推三阻四，这大半辈子的奋斗就白瞎了！"

张飞所说的异姓之人，就是指袁术兄弟和曹操。袁术兄弟早已称过帝，而曹操也已经进位魏王。

刘备一听，连兄弟张飞都这么说，知道今天不称王必然会伤了诸多手下的心，况且曹操已经称王在先，自己也不过是"从众"，并非出头之鸟，也就半推半就地答应了。

孔明等大喜。当然，为了让刘备的称王更加符合"非僭越"，孔明命谯周作表，派使者到许都，敬奏献帝。这虽然是先斩后奏之举，但只要汉帝一知情，这既成事实也就成了合法之举。

刘备听说孔明如此安排，大喜，称颂不已。孔明这次算是摸对刘备的心理了。

当下择日在沔阳筑坛，各设旌旗仪仗，刘备登坛，面南而坐，受文武百官拜贺，是为汉中王。

刘备称王后，立阿斗为王太子，封许靖为太傅，法正为尚书令。封诸葛亮为总军师，总督军马一应事务。封关羽、张飞、马超、赵云、黄忠为五虎大将，魏延为汉中太守。其余各人，俱有封赏。

由此，跟着刘备的这帮人，均有进步，有了名正言顺的名分，也就各得其所，更加卖命了。

刘备的使者到了许都，曹操听说刘备自立汉中王，不禁气急败坏、恼怒不已。这是很正常的。因为这表明了曹操屡试不爽、无往而不利的"挟天子以令诸侯"已经失效。曹操本来以为，只要献帝在自己手上，孙刘等人在名分上是绝不敢僭越的。但刘备此举，等于是打破了这种平衡。从此之后，就很难再用汉献帝在名义上约束刘备了。

曹操气极，当即要点起倾国之兵，征讨刘备，却被司马懿劝住。

司马懿给曹操出谋划策说："如今孙权与刘备因荆州归属不睦，大王不如派一舌辩之士，去见孙权，两家联合，共破刘备。"

曹操采纳，派满宠去东吴，说动了孙权。但孙权尽管对刘备不满，还是保持了清醒的战略头脑，他始终知道，曹操才是头号大敌。在决定是否真的和曹操联合之前，他还是要给刘备、给关羽一次机会。

> **心理感悟**：名声是一柄双刃剑，既可以给你带来滚滚利益，也会束缚住你的手脚。

总有一只倒霉的猫

孙权深知曹操和自己的合作不怀好意,他决定再试探一下关羽的态度,以便最后下定决心。

诸葛瑾站出来出了一个主意:"吴侯,我听说刘备已经给关羽娶了妻室,先生了一个儿子,后来又生了一个女儿。他女儿尚小,尚未许配与人,我愿意去跑一趟,为主公的世子求婚。如果关羽肯与主公结下这门亲事,那么我们便与他联合,共破曹操;如果关羽不肯,那么,我们就和曹操合作,夺回荆州。"

孙权仔细想了想,采纳了诸葛瑾的建议。这对孙权来说,实在是个艰难的决定。从孙权的最后决定来看,孙权不愧是一个伟大的政治家。

因为主动向关羽提亲,在某种程度上是以尊就卑。孙权割据一方,早已被封侯,从门当户对的角度来看,应该与刘备大致相等,而高于关羽。

而且,更重要的是,这等于是把以前刘备不肯归还荆州,关羽羞辱诸葛瑾、鲁肃以及前去交割三郡的官员等账全部一笔勾销。这是需要极大的胸怀和度量的。

而孙权之所以愿意吞下这口恶气,和关羽玉帛相见,就是因为他看到了曹操是个极其可怕的敌人,与他联合攻破刘备后,下一个倒霉的必将是自己。只有和刘备一方联合,才能保持和曹操攻防均势。

诸葛瑾作为孙权的使者,再次兴致勃勃地来到荆州。诸葛瑾以为,上次关羽看在阿弟的面子上,没要自己的命,这次必定还会看在阿弟的面子上给自己礼遇,并应允这门对双方都有利的婚事。

但是,诸葛瑾没有想到,自己到了荆州,派人通报关羽,竟然没有一个人前来迎接。诸葛瑾是个好脾气的老实人,当下也不介意,径直走进关羽的府邸。

双方见礼完毕,关羽问:"子瑜这次来有何贵干啊?"

诸葛瑾心想,先提提阿弟总是没错的,说不定生性傲慢的关羽接下来能多给自己一点颜面。从常规来说，诸葛瑾的这套做法是很管用的。交往的双方以一个双方都熟悉的人或事物为谈话的起点，往往能够打破僵局，进入融洽交往的阶段。但是，凡事都有例外。一旦这个作为中介的人或物为某一方所厌恶甚至痛恨的话，那么就会起到反作用，反而会恶化双方接下来的交往过程。

诸葛瑾一直没有搞清楚自己阿弟和关羽之间的微妙关系，根本不知道自己上次被关羽狠狠羞辱就是拜兄弟所赐，所以，这次他依然旧话重提。

诸葛瑾说："我想我兄弟侍奉汉中王已经很久了。所以这次特地前来，以求两家结好。"

你不提孔明还好，一提孔明，关羽的脸就拉下来了，严肃地说："子瑜，到底是怎么个两家结好？"

诸葛瑾一点也没看出苗头不对，自顾自地讲了下去："我家主公吴侯有一个儿子，从小就非常聪明，人皆称奇。我听说将军你有一个女儿，特地来求亲。这不就是两家结好吗？然后咱们两家合力攻破曹操，这不是于公于私都好的大美事吗？哈哈哈……"

诸葛瑾笑到半晌，发现关羽面沉似水，不禁愣在当场。却见关羽勃然大怒道："你们孙权的犬子，怎么配得上我的虎女？你不要在这里胡言乱语了，我要是不看你弟弟的面子，立即就斩了你！"当即吩咐左右，将诸葛瑾赶了出去。

诸葛瑾抱头鼠窜，狼狈逃出，暗自称幸："要不是阿弟面子大，恐怕今天小命就报销在这里了。"他哪里知道，如果不是他阿弟，关羽固然也是不会同意这门婚事的，但至少也会客客气气地婉言拒绝，不会这般冷酷无情。

关羽之所以要拒绝诸葛瑾提亲，主要是因为他此时对东吴人轻视已极，认为他们全是无能鼠辈。而他自己自视甚高，两相比较，反而觉得孙权之子配不上自己的女儿。但平心而论，关羽的看法是十分错误的。孙权好歹也是割据一方的诸侯，他的父兄也是靠着自己的能力，白手起家，创下江东六郡八十一州这份基业的。反观关羽，最初也不过是个白身，遇到刘备之后，才渐渐累积功名，至于封侯。说实话，就算孙家强不过关家，拉个平手还是无可厚非的。

当然，如果孙权不选诸葛瑾当使者的话，换一个能言善辩之士，一开始就晓之以理，再动之以情，结果可能会好很多。至少关羽不会用极端恶劣的手段将善意而来的使者驱逐出境。在很多时候，消息的传递者往往比消息本身更重要。

而最重要的是，关羽的拒亲，充分暴露了他在战略眼光上的重大缺失。他根本没有将诸葛亮谆谆嘱托的八字方针放在心上。这也说明，他心中对孔明的块垒始终没有消退。

关羽只图一时之快，带来的后果却非常严重。孙权听了诸葛瑾的哭诉之后，自尊心受到了极大的伤害。他脸色十分阴沉，暗自下了狠心，必要将关羽置于死地，方能消除心头之恨。

孙权帐下步骘出谋道："主公可遣使去许都见曹操，请他派曹仁从樊城出兵，关羽必然起荆州之兵与之抗衡，我方则可趁机暗中袭取荆州。"孙权同意，派使者去见曹操。曹操大喜，当即命令曹仁出兵。

再说刘备就位汉中王后，命魏延为东川太守，总督军马，自己则率领文武百官，返回成都。

细作打听到曹操与东吴暗中连接，欲取荆州，飞报刘备。刘备急忙请诸葛亮商议。

诸葛亮不慌不忙地说："我早已料到曹操会有此谋。我想东吴谋士众多，一定会出主意让曹操派曹仁先出兵。"

刘备说："既然如此，应该如何应对呢？"

诸葛亮轻描淡写地说："主公刚刚封了五虎将，关羽尚未得知，可以派一个使者，前去将官诰送于云长，然后命令他起兵夺取樊城，让曹军胆寒，攻势自然就瓦解了。"

诸葛亮的这番判断是建立在关羽非常忠实地执行了自己"八字方针"的前提下的。如果是这样，东吴必然与曹操貌合神离，不会真正对荆州动手，抄关羽的后路。关羽只需应对曹仁一敌，胜面自然很大。

但是，诸葛亮根本不知道关羽连续羞辱孙权，拒绝结亲，已经伤透了孙权的心。孙权非得将关羽置之死地而后快。

如果诸葛亮知道这些情况，他一定不会如此托大，如此轻率地做出这个令他后悔终身的决定。

但作为一个总督军政大权的军师，诸葛亮如果连这些情况都不去了解，就做出判断，怎么说也是失职。因为这些情报是不难打听到的。细作连曹操和孙权密谋联合的消息都能打探到，更何况这些公开的信息呢？

当下，刘备从了诸葛亮之计，派遣前部司马费诗带着封赐诰命，赶赴荆州，去见关羽。费诗领了这项美差，轻松上路。他哪里知道，带着美差去见关羽的，往往要大吃苦头。前面诸葛瑾已经领受过这等待遇了，马上就要轮到费诗了。

关羽迎上费诗，得知兄长已经就位汉中王，由衷地为兄长感到高兴。

费诗说："汉中王对将军另有封赏。"

关羽想想自己的爵位已经为侯，兄长也不过是个王位，应该没有什么上升空间了，于是好奇地问："封了我什么爵位啊？"

费诗回答说："汉中王新封了五虎大将之职，将军位居首位啊。"

关羽听了，心里已经有几分不喜，问道："哪几个人受封五虎将啊？"

费诗说："关张赵马黄是也。"

关羽勃然大怒道："翼德是我兄弟，孟起世代名家，子龙久随吾兄。这几个人位与我同列，我没什么意见。那个黄忠，是个何等之人，竟能与我同列？真是折杀大丈夫啊。我坚决不和这种老兵头同列。这个诰印，你还是拿回去吧。"

费诗顿时十分尴尬，他怎么也没想到会发生这种事，一件美差硬生生地变成了一项苦差。好在费诗为人机变，立即发出一阵大笑。趁着发笑让关羽一惊的当儿，急速想好了应对之词。

如果说关羽是一把锁，刘备就是唯一的钥匙。知道这一点的，只有两个人，除了鲁肃，就是费诗。

费诗正色道："将军，您这就不对了。您且听我来说一说这个道理。那些成就帝王基业的人，所用的绝不止一个人。当年萧何、曹参自幼和高祖亲善。陈平、韩信是后来逃亡而来的。论到班次，反而是韩信为王最高。我从来没有听说萧何、曹参有过什么怨言。现在，汉中王根据最近的功劳，加封黄忠为五虎大将。这也是说得过去的。在夺取两川的战役中，老将军确实立下了汗马功劳。而且，汉中王对待将军你的情意，哪里是和黄忠一样的呢？汉中王和您有结义之情。将军您就是汉中王，汉中王就是将军，休戚与共、福祸同当，哪里还能分什么你我彼此呢？将军您绝不能计较官位之高下，爵禄之多寡啊？"

费诗一口气说了这么多，见关羽脸色阴晴不定，内心实是有些害怕，唯恐自己言重，当即为缓和气氛，又加了一句："我不过是一个奉命前来传达的使者。这番话本来不该由我来说，但是不说就回去呢，又担心辜负了汉中王的托付。请将军好好考虑一下吧。"

却见关羽已潸然泪下，恭敬施礼道："我实在是愚蠢啊，竟然说出那么蠢的话来。若非司马见教，几乎误了大事啊。"

刘备即是关羽，关羽即是刘备。只要搬出这把钥匙，对关羽责以大义，无有不中。可惜诸葛亮一直没有找到这把钥匙……

那么，关羽为什么一开始会拒绝接受五虎将的封号呢？他真的对黄忠不了解，有意见吗？

并非如此。刘备阵营中，最了解黄忠能耐的就是关羽。两人曾经大战三天不分胜负，而且，黄忠还曾经箭下留情，回报关羽此前的不杀之恩。

踢猫理论！

黄忠其实成了那只替罪的猫。

关羽的怒气在于他感觉自己距离刘备集团的核心决策层越来越远，几乎所有的重大决策他都没法参与。他十分不情愿只能做一个事后的被告知者，他想要的是一开始就参与决策的权力。

关羽本来是刘备手下排位第一的重臣，刘备凡事必得与他商议而行。但自从孔明来了，关羽又独自镇守荆州之后，关羽就日渐陷入了边缘化。凡军国大事，都只是被事后告知。以关羽的脾性，如何能忍？所以，他会一再近乎儿戏般地借题发挥。上次是提出和马超比武，这次是不想和黄忠同列。但归根结底，都是因为他远离了权力中心，他想要强烈地证明自己的存在！

心理感悟：蔑视一个人的最好做法就是无视他的存在。但越是这样，被蔑视者越是要证明自己的存在。

窗户坏了要早点修 / 胆小鬼坏了大事 / 怀疑之后的怀柔 /
我是英雄我怕谁 / 为什么忘了疼痛 / 老虎是牛犊顶死的 /
小心捧你的那个人 / 胆小鬼坏了大事 / 引向失败的馊主意 /
人心散了队伍不好带 / 鼠辈大胆敢欺虎 / 那一曲英雄悲歌

窗户坏了要早点修

关羽拜服于费诗之语。这可能是他这辈子最为彻底的一次被人说服。

费诗暗称侥幸，没想到自己竟然能够如此轻松说服以傲慢著称的关君侯。费诗随即又取出王旨，命令关羽进兵樊城。

关羽大喜，说："我早有此意，只是未得到命令不敢轻举妄动罢了。"进攻对一个勇猛的将军，特别是一个一直在承担防守之责的将军来说，无异于一份珍贵的礼物，难怪关羽会欣喜不已。

关羽当即决定，由傅士仁和糜芳担任先锋，先引一军于荆州城外驻扎。次日，大军再一同进发。

当夜，关羽设宴款待费诗。饮至二更，忽听响声震天，有人来报，说城外军寨中起火。关羽急忙披挂上马，前去察看究竟。

原来却是傅士仁和糜芳二人在军帐中饮酒，喝到酣处，不慎撞翻烛火，烧着了军帐，火势随即蔓延至整个营房，竟然引爆了火炮，炸死不少士卒，全营震惊。火势非常猛烈，将军器粮草全部烧个精光。关羽急忙引兵救火，忙至四更，才将火扑灭。

关羽当即将傅士仁和糜芳二人叫至帐前问罪。

关羽痛斥二人说："我让你们二人当先锋，是看重你们。但你们尚未出兵，就贪杯误事，烧毁了这许多军器粮草，火炮还打死本部士卒。罪大恶极，要你二人何用？"当即命刀斧手将二人推出斩首，以正军法。

费诗急急赶来劝阻，说："未曾出师，先斩大将，恐怕于军不利。请将军息怒，暂时免了他们的死罪。"

关羽向来是一个不买任何人面子的人，加上盛怒之下，任何人的意见都不可能听得进去。但这次费诗对他的说服，确实让他深为折服，影响力余波尚在，关羽竟然听了进去。当下免了傅糜二人的死罪，但仍然责打了两人各四十大杖，革去先锋之职，收回印绶，罚糜芳去守江陵，傅士仁去守公安。

关羽余怒未休，痛责二人说："要不是看在费司马的面子上，早就砍了你们的狗头。现在，你们这两颗头，暂且寄在脖子上。你们要再有什么差池，等我得胜回来，二罪并罚，绝不轻饶！"

傅糜二人满面羞惭，唯唯诺诺而去。

关羽改令廖化当先锋，关平为副将，自己统帅中军，马良、伊籍为参谋，一同进军。

这一次"走火事件"，让关羽在费诗面前很没面子。事情出在傅士仁和糜芳身上，板子却要打在关羽身上。

关羽独掌荆州已经快十年了。这十年间他可以说就是"荆州王"，说一不二。他的治军方略和风格直接影响到整个部队的战斗力。

稍有常识的人都知道，作为先锋，发兵之前必要做好充分的战斗准备，进入高度警戒的临战状态，但傅士仁和糜芳之所以敢在出征之前，滥饮狂欢，说明关羽所部军纪松弛已经到了非常可怕的地步。

荆州这十年来，风雨不断，但最终稳如磐石，其实靠的不是关羽所部的战斗力，而是他个人的名望威力。但承平日久，士卒难免松懈。如果关羽严加治军，毫不放松，情况就会好得多。但关羽作战很行，管理能力上却十分欠缺，且傲慢自大，只喜宏观表面，忽视微观细节，最终放任自流，酿成今日之灾。

美国斯坦福大学的心理学家菲利普·津巴多1969年曾经进行过一项试验，他找了两辆一模一样的汽车，把其中的一辆摆在帕罗阿尔托的中产阶级社区，而另一辆停在相对杂乱的布朗克斯街区。停在布朗克斯街区的那一辆，他把车牌摘掉了，并且把顶棚打开。结果这辆车一天之内就给人偷走了，而放在帕罗阿尔托的那一辆，摆了一个星期也无人问津。后来，津巴多用锤子把那辆车的玻璃敲了个大洞。结果仅仅过了几个小时，那辆车就被偷走了。

以这项试验为基础，政治学家威尔逊和犯罪学家凯琳提出了"破窗理论"。如果有人打坏了一个建筑物的窗户玻璃，而这扇窗户又得不到及时的维修，别人就可能受到某些暗示性的纵容去打烂更多的窗户玻璃。久而久之，这些破窗户就给人造成一种无序的感觉。结果在这种公众麻木不仁的氛围中，犯罪就会滋生、繁衍。

治军也是如此。一些小小的疏忽、放纵，如果没有得到及时的制止、处罚，部属就会越来越肆无忌惮，最终达到不可收拾的地步。到这个时候，积弊已深，再来严明刑罚，就很难扭转局面了。

关羽本来可以学会这一课的。曹操为什么能够经常打胜仗？靠的就是治军严明，用非常严格的制度来实施管理，而不是靠个人的威望和权势。

关羽在曹操营中待了许久，但曹操的这样本领他始终没有领会掌握，这也为他日后的失败埋下了祸根。

关羽应该记得很清楚，他在过五关斩六将的过程中，各关守将在没有得到曹操将令之前，不谋而合地向他索要过关文书。这些守将来源复杂，既有原来汉帝分派的太守，也有归降的黄巾军将领，在职业素养上明显良莠不齐。但一旦归入曹操帐下，个个都如出一辙地严遵法令。而这其中，以夏侯惇的做法最令人叹服。他在多位使者飞骑来传曹操的放行令后，仍然要问清曹操下令之前是否得知了关羽过关斩将的讯息。只要曹操不知道这个重要讯息，他就不放关羽过去。这种对上级命令的非僵化式执行，正体现了曹操的治军之严。

曹操不仅对部下严格，对自己也是十分严格的。

建安三年，曹操征张绣，正是麦熟之时。曹操下令："吾奉天子明诏，出兵讨逆，与民除害。方今麦熟之时，不得已而起兵，大小将校，凡过麦田，但有践踏者，并皆斩首。军法甚严，尔民勿得惊疑。"

所有部属俱都凛然遵守不误。士兵经过麦田时，全数下马，以手扶麦，唯恐伤及麦子。但偏偏不巧，曹操骑马正行，麦田中惊起一只斑鸠，飞过马前，马亦受惊，曹操不及操控，马乃窜入田中，践踏了一大片麦子。

曹操立即下马，叫来军中掌管军法的主簿来议自己违令之罪。

主簿认为这不过是曹操装装样子罢了。哪有三军出征，主帅自己将自己斩首的。而且，曹操虽然践踏了麦子，却不是存心为之，而是战马受惊所致，情有可原，不应该以斩首论处。但曹操却说："我自己刚制定的法度，如果连自己都不能遵从，怎么能够服众呢？"于是拔出宝剑，准备自刎。众人急忙劝阻。

这是一个两难的选择。曹操按律当斩，不斩就会使法令形同儿戏，但斩了曹操，三军无主，必然涣散。

多读书在关键时刻是会起作用的。郭嘉给曹操提供了一个理由，说："按照《春秋》大义，法不加于尊者。您身为全军统帅，虽然犯了军令，但也不能自我残杀！"

曹操借机说："既然《春秋》上这么说，那我就免去死罪，但一定要加以重罚，才能相抵。"于是，曹操再度拔剑，将自己的头发割了一束，明示众人："权且以发代首,以明军纪!"

三军将士见此,不禁悚然!自此令行禁止,秋毫无犯。是为"割发代首"。

很多人认为,这是曹操的奸猾之举。其实不然。现代人经常理发,觉得割一下头发也没有什么了不起的,根本不能抵过脑袋。但古人对头发是十分重视的,所谓"身体发肤,受之父母,不敢毁伤",在那个时代,头发胡须都是不能随便剃除的,只能一直留着。因此,曹操主动将头发割下,完全可以视为一种严厉的惩罚。

曹操在制定制度后,不但严于勒下,也严于律己,从而锤炼出一支军纪严明的铁军。所以说,曹操所部的战斗力不是凭空而来的。他之所以能在赤壁惨败之后,再度迅速崛起,很大程度上就是得益于他平时的严格管理。反观刘备,在被陆逊火烧连营,彝陵大败后,蜀国的国势就此衰颓,再也难以恢复昔日的盛景。

但遗憾的是,关羽并没有领会到曹操治军的高妙,平日疏于管理,最终导致法纪松弛,傅士仁、糜芳这两人才会以先锋之职,在出征前上演了一出丑剧。

这对关羽所部的士气是一个很大的打击。而关羽对这两个人的处理,也为日后双方关系的破裂遗下了祸根。

关羽部署好出征阵容后,荆州的防守就变得异常空虚,连一个勉强能够支持大局的人都找不出来了。这不能不说是诸葛亮的重大失误。出击樊城是他的主意,他当初给荆州留下的班底有多少力量他也很清楚。而且,他也知道目前曹孙正在勾结,但他就是没有向荆州增援力量,以为关羽后援。

诸葛亮不是派不出人来,其时两川平定,治理时虽说武将亦不可少,但多用文官也无大碍。他手中有张赵黄马魏等勇猛狠将,随便怎么调剂,也能派出一到二人。但他却任由关羽孤军奋战、腹背受敌。

最终,刘备集团将为这个最重大的失误付出最惨重的代价。

心理感悟:灭小方能为大,苛己方能严人。

胆小鬼坏了大事

大军将行,关羽却做了一个梦。

关羽梦见一只黑猪,其大如牛,奔入帐中,直冲自己而来,狠狠地咬了自己的脚。关羽痛极大怒,急忙起身,拔剑斩之,只听到声音像撕裂了布帛一样。

关羽惊醒后,觉得左足隐隐生痛,心中惊疑不定,连忙把关平叫来,诉说此梦。

关羽叹息道:"我内心有一种不祥之兆,看来我已经老了,不能再上阵杀敌了。"

弗洛伊德以经典名著《梦的解析》闻名于世。一般人一提到梦的解析,就会条件反射地想起他。弗洛伊德将梦中的象征看成强烈的、无意识的、被压抑的愿望的符号表达,而且和性挂钩。但其实这只是一家之言,实际上,各种文化都会以不同的方式对梦进行解析。也就是说释梦是某一种特定的文化组织架构的一部分。中国人就有中国特色的《周公解梦》。

接下来,我们来看看关平是怎么解梦的。

关平说:"父亲不必多心。猪亦有龙象。龙附足,乃是升腾之意,随后必有吉信。"

关平为何如此解释?

实际上这是一种人类固有的选择性知觉。尽管这个世界是一个客观的存在,但人们头脑中对这个客观世界的认识却从来没有客观过。当人们自以为自己很客观地来看待这个世界时,其实不过是头脑中的带有倾向性的选择性投射。对同一个事物,人们往往倾向于将其解释为符合自己预期的那个方向。

1951年11月23日,美国达特茅斯学院和普林斯顿大学的橄榄球队在普林斯顿大学的帕尔默体育场进行了一场比赛。比赛非常惨烈,刚一开场,普林斯顿队的一个明星球员就因被打折了鼻梁骨而离场。随后,达特茅斯队的一个球员也带着一条伤腿离开。最后,普林斯顿队赢得了比赛,但比赛中双方都得到了同样多的黄牌和红牌。

赛后，双方都怒气冲冲，互相指责，并不断发布指责对方的言论。经媒体报道后，引发了一场关于球场上到底发生了什么以及该由谁来负责的大争论。

这场混战引起了艾伯特·哈斯托夫和哈德利·坎特里尔的注意。他们在1954年做了一个实验。

他们向一百六十三名达特茅斯学生和一百六十一名普林斯顿学生询问："从你观看的比赛现场或录像，或者你所阅读到的相关报道来看，你认为是哪支球队先挑起了争端？"

不出所料，达特茅斯的学生和普林斯顿的学生的反应存在着明显差异。达特茅斯学生中有百分之五十三的人认为双方都有错，只有百分之三十六的人认为是达特茅斯队挑起事端。而普林斯顿学生中有百分之八十六的人认为是达特茅斯队挑起了事端，只有百分之十一的人认为双方都有过错。

为了搞清楚到底为什么对同一客观事件，会有如此大相径庭的看法，哈斯托夫和坎特里尔再次在两所大学里找了两组学生，让他们观看这场比赛的录像，并要求他们采用相同的评价系统，记录下他们所注意到的犯规行为。

实验结果显示出了强烈的选择性认知偏差。达特茅斯的学生观察到两队的犯规行为几乎一样多。而普林斯顿的学生则观察到，达特茅斯队的犯规行为是普林斯顿队的两倍多。双方的认知偏差如此之大，以至于当普林斯顿大学送了一份比赛录像的拷贝给一些达特茅斯校友供他们集体观看时，一个曾经观看过比赛录像的达特茅斯校友发现，他在这部录像中竟然看不到达特茅斯队的犯规行为。他感到非常疑惑，甚至发了一份电报要求普林斯顿大学提供完整的比赛录像。

哈坎二人由此得出结论：看上去这个比赛好像和许多场不同的比赛一样——人们常说，不同的人对于同一件事情有不同的态度。事实上，这种说法是不准确的，而且具有误导性。因为实际上对于不同的人来说，每件事情本身就是不同的。不管它是一场橄榄球比赛，还是一个总统候选人，又或是胡说八道。

对梦的解释也是如此。

每个人都是有自己的利益立场的。关平的立场和关羽的立场高度一致，他乐于见到关羽身体康健、事业腾达，这样才能带挈自己不断进步。所以，他不由自主地倾向于将关羽的噩梦解释成吉祥的征兆。

父子情深，关羽也知道关平的强烈倾向性，心中兀自惊疑不定。又找来诸位下属，齐集帐内商议。

这些人中，有些附和关平的解释，认为是吉祥之兆，也有些说是不祥之兆。这些解释其实无不体现了各自的立场。那些认为此梦不祥的人，往往认为自己是客观的，实际上他们只不过是比倾向性极强的乐观派稍微距离客观近了一些，最主要的原因恐怕还是他们和关羽的关系较为疏远，没有强烈地感觉到关羽的衰荣和他们自身的利益有太大的关联。

正在议论之际，刘备的使者来到，宣布拜关羽为前将军，假节钺，都督荆襄九郡一切事宜。

关羽领命已毕，属下众官顿时异口同声，连称关平释梦极有水平。猪龙附足，果然是腾达之兆。

人在解释信息的时候具有选择性，同样，人在接收信息的时候也有选择性。

这个梦本来是关羽的一种直觉，预兆着他将要经历人生最为跌宕起伏、惊心动魄的一段旅程。直觉是一种非常神秘的感觉，是不以人的意志为转移的。关羽的不祥直觉本来是对的。但以他这样傲视天下，从不服输的人，又怎么能轻易接受自己年迈体衰，运道转差的现实呢？所以，当众口纷纭，祝贺他再次荣升后，关羽也在内心忘记了直觉中的那种恐惧和无奈，转而坦然接受了"吉祥之兆论"。

非独关羽如此，每个人都倾向于做出乐观的预期，哪怕是危险已经悄然降临。

当年的董卓也是如此。

董卓也做过一个梦。当时，他梦见有一条飞龙罩住了自己的身子。随后王允就派人来报，说禅让台已经筑好，只等吉日，就可行礼。董卓非常开心，以为是自己即将接受汉帝禅让的大吉之兆。他去辞别已经九十多岁的老母。董母说自己近几天肉颤心惊，恐怕是不祥之兆。但董卓却哈哈一笑说："您即将成为国家之母，怎么能没有预惊之报呢？"董卓又对貂蝉说："我马上就要当天子了，到时 定立你为贵妃。"

哪知王允早已设好连环计，董卓死到临头，犹不自知，反而沾沾自喜。

刘备之所以在关羽出征之前，急急派使者赶来，是因为他终于意识到了对这个兄弟的忽视。

关羽连续两番形同儿戏的表演，让刘备觉得自己确实亏待了兄弟。但关羽远守荆州，不可擅离，军国大事确实没法事先和他商量，只好在爵位、权力上加以弥补了。

刘备的这次补偿非同小可！这主要体现在"假节钺"这三个字上。

节代表皇帝的身份，凡持有节的使臣，就代表皇帝亲临，象征皇帝与国家，可行使最高的权力。钺为斧钺，一种刑具，代表着对属下之人有生杀予夺之权。"假"字则是暂时代理的意思。

综合起来，"假节钺"就代表着一个臣下所能够得到的最高权力。也就是说，在荆州范围内，关羽拥有了和刘备本人完全一样的权力。经此授权，关羽就成了名副其实的"荆州王"。

也许有人会说，此前关羽不就已经全权管理荆襄九郡了吗？但那是诸葛亮交托给他的，和刘备的这次堂而皇之的授权截然不同。此前，关羽不敢擅自出兵进攻，非要费诗前来传令，才敢兴兵。此后，关羽自己就有权变决策的权力。

而且，最重要的一点是，"假节钺"之后，关羽就有了光明正大的杀人权。此前诸葛亮要杀关羽、魏延，刘备都加以劝阻。实际上，这个权力刘备一直是牢牢掌控在自己手上的，这次对兄弟确实是全力放权了。

傅士仁和糜芳得知关羽"假节钺"之后，内心的惶恐不安达到了极点。因为他们二人，虽然归关羽管理，但实际上和关羽一样，都是刘备的属下，关羽并没有对他们生杀予夺的权力。两人若是犯了事，关羽可以将其拿下收监，但最后如何处置，还是要听刘备的。当然，如果关羽当时一时冲动，杀了这二人，一则二人确实有罪，二则由于刘关的关系，刘备也不会对关羽多加责怪，但终究与礼不合。

关羽"假节钺"后，就无须向刘备请示，随时就可以根据自己的意愿杀人了。当初关羽的那一句恐吓之语，由此也成了傅糜二人噩梦般的咒语。

权力和荣耀，谁不喜欢呢？但人们往往只看到好的一面，却没想到权力和荣耀有时候也会伤人伤己……

心理感悟：无论是现实，还是梦境，解释权都取决于你的立场。

怀疑之后的怀柔

关羽率领大军，直奔襄阳而来。

曹仁正在襄阳城中，闻报大惊，他素知关羽威名，准备坚守不出。但因部下强烈主战，这才与关羽对敌。关羽军气势如虹，击溃曹仁所部。曹仁弃城而逃，死守樊城。

关羽初战告捷，得了襄阳，自然是心花怒放，心想自己镇守荆州十余年未动刀兵，一出手只一合就斩了曹仁手下骁将夏侯存，真是威风不减当年。

随行司马王甫见关羽心情不错，就想借机给他提个建议。如今关老爷的威信极盛，下属的意见已经很难听进去了。

王甫说："君侯今日一鼓而下襄阳，可喜可贺。不过东吴吕蒙接替鲁肃继任都督，一直屯兵陆口，常怀吞并荆州之心，倘若他趁我军出兵襄樊，后方空虚，偷袭荆州，那该怎么办呢？"

王甫的这一招是对付高傲上司的妙招。你看他，先是选准了上司心情愉悦之时。这个时候，上司的容忍度会比较大，就算说错了话，也不会随便训人。一开口，又先适当吹捧一下领导的丰功伟绩，让上司觉得你不是来挑刺的。随后，明明自己心里有建议，却不先说，只是将形势 分析，一步步诱导上司自己做判断，拿主意。

关羽手扶长髯，自矜点头道："这个我心里有数了。这样吧，这件事就交给你来协调办理。你去沿江上下，或二十里，或三十里，选地势高处设置烽火台。每个烽火台派五十名军兵把守。如果吴兵渡江袭击荆州，夜里就放明火，白天就举狼烟，以此通报联络。我一得知讯息，立即亲自赶往，痛击鼠辈！"

王甫心想，你这里相距甚远，等你赶回，恐怕就来不及了。但又不敢点破，只好再旁敲侧击地继续诱导："现在糜芳、傅士仁二将据守江陵、公安两处，恐怕不能竭尽心力，荆州还需要一个人，负责总体调配统督。"

王甫的本意是要推荐一个比较不错的人才来担当此重任。按照一般的逻辑，关羽这时候应该问问谁是适合的人选。王甫就可以顺水推舟，不露痕迹地推荐人才了。

不料关羽根本不按他的逻辑，说："我早已安排潘濬来统督调配了。你还担心什么？"

王甫正是担心潘濬难当此任，这才来说项的。他见诱导不成，又确实担心荆州安危，只好直截了当地说："潘濬此人，平生多嫉而好利，恐怕难抵利诱。不如用军前都督粮料官赵累替代他，以确保万无一失。"

王甫前面说得挺好，但最后这段话显然就错了。对于关羽这样心高气傲的领导，你能替他安排人事吗？你能指责他此前所安排的人事有错吗？这样做的结果，必然是关羽更加坚持他原本的意见。

果然，关羽面色一沉，说："潘濬这个人，我向来是了解他的。要不然，也不会用他。既然已经决定了，何必再更换人选呢？你说的赵累，当然也不错，不过他现在掌管粮科，也是个重要差使。你就不要多说了，好好地去把烽火台筑好就行了。"

王甫无奈，只好怏怏而去。

实际上，无论是潘濬还是赵累，一旦东吴来攻，恐怕都不能当此重任。因为这二人的才具确实还不能独镇一方。但目前关羽手下也就这么点人才了，矮子里面拔将军，也只能赶鸭子上架了。

问题还在成都总部的部署上。关羽一攻，就顾及不了防；一防，就没有力量攻。这个问题不解决，必然要出更大的问题。

再说曹仁退守樊城，又被关羽杀败，只好星夜差人急报曹操。

曹操当即命令大将于禁前去救援。于禁得知要去对付关羽，心里有些不豫，但又哪里能够推辞，只好说："大王，我要求一将，充当先锋，一同前去。"

于禁是想找个猛将同去，也好壮壮胆。曹操一听，这个要求合理，就问左右："谁敢做先锋？"

阶下一人暴喝道："小将愿效犬马之劳！此去生擒关羽，献于麾下。"

曹操一看，此人正是庞德，勇猛过人，原系马超部属，曹操攻占汉中后归于帐下。曹操大喜，于是加封于禁为征南将军，庞德为征西都先锋，令二人克日出征。

提起关羽，曹操真是爱恨交加，心情复杂。但他深知关羽之威，唯恐于禁也难抵挡，当下又将新练的精锐七军尽数交给于禁，以期破关。

七军领头将校董衡来见于禁，一听说是庞德当先锋，不由大惊失色，急道："将军此去樊城，是想胜，还是想败？"

于禁纳闷，世上哪有出征图败的将军呢？当然是要争胜了。董衡说："那将军就不该用庞德为先锋啊。你想，庞德原是马超手下的大将，不得已才投降了魏王。现今他的故主马超正在刘备手下效力，位居五虎上将。而且，庞德的亲兄长庞柔，如今也在西川为官。你让他当先锋，不是等于泼油救火吗？"

于禁听了，吓出一身冷汗，连夜去见曹操，陈说因果。

曹操一听，也是大惊，当即命人将庞德唤来，吩咐取回他的先锋之印。

庞德大惊，说："我正当为大王效力，不擒关羽誓不复返。大王为什么不用我了呢？"

曹操说："你在我部下，已经数年。我诚心对你，并无怀疑。但这次去讨伐关羽，我听说你的故主马超现在西川受重用，你的兄长庞柔也在那里。我对你并不怀疑，但是其他人众口纷纭，就不好办了，所以不能用你啊。"

庞德听了，摘去帽子，以首就地，连连磕头，血流满面，泣告说："我自汉中投降大王，每感厚恩，只恨不能肝脑涂地，回报大王。大王为什么要见疑于我呢？我当年在家的时候，和兄嫂同居，嫂子不贤，被我一刀杀了。兄长庞柔恨我入骨，哪里还有兄弟之情？故主马超，不过是个有勇无谋之徒，不能礼贤下士。所以我才会投奔大王。我誓死为大王效力，请大王明察。"

曹操听了，连忙亲手将庞德扶起，善言安抚，说："我一直知道你的忠义，前面所说，不过是为了堵他人之嘴罢了。你不用多心，这一去，好生建功立业。我绝对不会有负于你！"

人人都说曹操多疑，但他确实是个有胆魄之人，以庞德这样的出身，换成其他上司，就是任由他说破了天，恐怕也不敢交付重任。但曹操察人至深，知道庞德确实忠义，而他这一番怀柔抚慰，则更能激发起庞德的忠贞报效之情！

曹操的做法，虽然略显狡猾，将怀疑庞德忠心的责任推卸到其他下属身上，但他随后对庞德的安抚，却也是一种非常了得的激将法。

激将法一般分为两种，一种是针对能力的激将，另一种是针对态度的激将。

针对能力的激将，故意轻视下属的能力，以激发其斗志，这虽有一定的效果，但往往会伤害下属的自尊，很容易恶变成激僵。诸葛亮就非常喜欢运用这种激将法，也确实激励张飞、黄忠等人立了大功，却也搞僵了自己和关羽的关系。

而针对态度的激将，则并不轻视下属的能力，而是故意怀疑下属的热忱、忠诚等，然后再加以信任，如此反复，反倒能激发下属用各种方式（甚至是庞德这种抬棺而战的极端方式）来表忠心、献热忱。这是对"他人评价"的最高明运用。下属被激发出置之死地而后生的激情，必能处于高强度的"唤起状态"，将潜能发挥得淋漓尽致。

对能力的怀疑，可能挫伤态度。对态度的怀疑却能激发能力。真正高明的激将法应该是第二种。这才是真正有效的激励。当然，曹操并非一开始就用"假怀疑"来激将庞德，他前段听了于禁的汇报，是真怀疑，但后来他随机应变，对庞德的抚慰，也是真怀柔。

对于想要主动使用第二种激将法的人来说，也要知道一个前提。那就是，假戏必要真做，才能收到效果。如果一开始对下属态度的怀疑太过虚假，就不能起到应有的效果。

曹操恰好是真戏真做，效果自然非同凡响。

果然，庞德深受感动，回到家里，立即命人做好一口棺材。然后请诸位亲朋好友赴宴，把棺材放在正堂，当众举杯宣誓说："我受魏王深恩，必当以死为报。我此去襄樊，挑战关羽。这口棺材，不是给他准备的，就是给我自己准备的。绝无空棺而还的道理！"众人皆垂泪相送。

这是一个公之于众的响当当的承诺。这一幕，让人心里顿生凄凉之感，风萧萧兮易水寒，壮士一去兮不复返。

曹操闻之，却是深深感动，赞赏不已。

心理感悟：怀疑之后再加怀柔，这才是激将的最高境界。

我是英雄我怕谁

庞德受了激励,凭着一股血气之勇,以狂暴的姿态来战关羽。

关羽闻报,听说庞德抬着棺材,口出不逊之言,前来决一死战,不禁大怒道:"天下英雄,听到我的名头,无不抱头鼠窜。庞德是什么狗屁东西,竟敢轻视我!"关羽决定,由关平继续攻打樊城,自己则分兵去截庞德,给这个不知天高地厚的小子以颜色。

关平没想到父亲年近六十,竟然还如此血性,忙劝谏道:"父亲纵横天下三十年,英名远播于江湖,何必因为一个无知妄人而动怒呢?这不就是以泰山之重,却和一块小小的顽石一争高下吗?我愿意替代父亲,前去迎敌。"

关平的这几句话让关羽非常受用,但他兀自气呼呼地道:"我自出道以来,但凡战斗,均是身先士卒,从未落在人后。庞德是什么东西,竟然侮辱我!"

关平继续劝慰:"我听说螳螂即使愤怒了,也难挡车轮。随侯之珠,不会用来弹击黄雀。为了一只苍蝇而拔剑相向,徒费神威。量庞德不过是一个小小鼠辈,哪里用得着父亲亲自出马啊?"(随侯之珠是与和氏之璧齐名的珠宝,典出《庄子·让王》。)

关平这孩子确实是个可造之才,跟着关羽这些年来,文韬武略都有了长足的进步,但关羽的骄纵毛病却没有沾上一点,确实难能可贵。他这番话引经据典,头头是道,既晓之以理,又动之以情,真的说服了关羽。

关羽同意关平先去迎敌,自己随后赶到,另派廖化进攻樊城。

庞德与关平大战三十余合,不分胜负。次日,关羽赶到,庞德只是向关羽搦战。

庞德一见关羽,热血翻涌,立即就要将关羽拿下,以在曹操面前展示自己之忠、之能。庞德喝道:"大胆关羽,我奉天子诏书,魏王旨意,特来取你的脑袋,连棺材也给你准备好了。你若怕死,赶快下马投降!"

关羽大怒，拍马直迎庞德。庞德横刀来战，两人大战一百余合，不分胜负。双方鸣金收兵。关庞二人，各自佩服对方。

次日再战，还是不分胜负。庞德诈退，欲施拖刀计。这一招哪里瞒得过老江湖关羽啊，被关羽喝破。庞德恼羞成怒，想起出征之日，在众人面前夸下海口，今日却战关羽不下，一狠心，就偷放冷箭。关羽向来不善防范箭射，弓弦响处，一箭正中左臂。

庞德回马来斩关羽，却听得本营中锣声大作，乃是鸣金收兵之令，不敢有违，恨恨未休，退了回去。这边关平急忙拍马赶上，救回关羽。

关羽的运气真是好到了极点。救了他一命的不是别人，正是曹营主帅于禁！

庞德十分纳闷，眼前正是力擒关羽的大好良机，不知道为什么本方主帅竟会鸣金收兵。主帅于禁说："魏王早有戒令，关羽智勇双全。他虽然中了将军一箭，但是我担心其中有诈，故而收兵。"

庞德长叹一声道："要不是收兵，我已经斩了关羽了。"

于禁救关羽，倒不是因为关羽与他旧日有恩，而是出于对庞德的嫉妒。你想，关羽名震天下，多少勇猛之将见了他都是望风而逃的。尤其是曹营的众将，终身都难忘记在华容道上关羽刀下逃生的难堪一幕，每个人都有心理阴影。今日如果让庞德这个无名小卒斩了关羽，立了大功，扬眉吐气，那么这些老臣宿将的颜面真不知道要放到哪里去了。

当然，这也怪庞德事先太过张扬，早早宣称一定要斩杀关羽，毁了关羽三十年横行无敌的名声。却不知，这一番言行，早就触动了曹营老将们的微妙心理。

庞德见关羽受伤，就想一鼓作气，引军搦战。但关羽坚守不出。而这边于禁不时掣肘，经常拿着曹操的训诫，鸡毛当令箭，困住庞德手脚，只是不想让他立功，却全然没有想到，对关羽的纵容，无异于养虎遗患。

于禁将精锐七军移至樊城北面十里，依山扎寨。他自领大军在前，却令先锋庞德屯兵于谷后，只是不想他建功。

事实上，这种妒忌之情也不是于禁独有的。换了曹营其他主将率兵前来，也难免会妒忌庞德立功。试想，击败或斩杀关羽是何等荣耀难能之事？自己干不成，怎么能让在曹营中毫无根基关系的庞德得手呢？除非是曹操亲自率兵前来，恐怕才没人敢暗中阻挠破坏。

于禁这一妒忌，拖延了时日，关羽的箭伤可就渐渐痊愈了。关羽引数骑，登高察看地形，只见樊城城上旗号不整，军士慌乱，又见城北十里，山谷之内屯有曹兵。再见襄江、白河水势滔天，不禁大喜，心中有了计较。

经历是最好的老师，有心人从中学到的经验可以受用终身。

当年诸葛亮火烧新野的时候，曾经派关羽去将白河堵住，增高水位，然后候机决河，水淹曹兵。结果再一次创造了刘备集团历史上不多见的以少胜多、以弱胜强的经典战例。说实话，关羽内心对诸葛亮的能力还是有几分佩服的，他不满意的是诸葛亮"故弄玄虚"，从骨子里透露出来的骄傲态度。

这一招确实妙不可言，今天关羽就如法炮制，吩咐诸将准备船筏，收拾水具。关平不解，关羽哈哈笑道："如今秋雨连绵，襄江、白河水势汹涌，我只要派人堵住各处水口，然后我等登船放水，曹兵皆成鱼虾矣。"

关平这才想起当年故事，不禁十分佩服父亲随形就势、活学活用。

再说魏军细作探知荆州军移于高处扎营，又于汉水口预备战船木筏，心知不妙，立即将此讯息报给于禁。

关羽的好运气又一次降临。于禁这个行军用兵多年的大行家，竟然昏了头，根本就置若罔闻。

当夜，风雨大作，江水遽涨。关羽下令决江放水。于禁、庞德坐于帐中，只听得万马奔腾、响声震天。急忙出帐探看，只见四面八方大水骤至，精锐七军，四处逃窜，被巨波大浪吞噬者不计其数。是为水淹七军。

关羽所部乘船追击，魏军死伤无数，纷纷投降。于禁束手被擒。庞德虽奋勇苦战，但哪里能够抵挡？也被擒下，送至关羽面前。

关羽一看，七军被淹死大半，降者万余。两员首将均被拿下，不禁心花怒放，自得不已。经此一战，关羽的个人威望达到了极点，而关羽内心的骄傲也达到了极点。

关羽升帐，吩咐刀斧手将于禁押来听候发落。

于禁向来畏惧关羽神威，这次被大水一淹，更是失魂落魄，斗志全消。于禁失意忘形，拜伏于关羽面前，只是哀求饶命。

关羽冷笑道："你向来知道我神威，怎么敢率兵前来攻我？"

于禁俯首道："我哪里敢和君侯对敌，只是上命所差，不得已才来的啊。"

关羽手绰长须，哈哈笑道："我杀你，不过是像杀一条狗罢了，白白玷污我的宝刀。"当即命人饶过于禁不杀，解赴荆州大牢中监押。

关羽又吩咐将庞德带来。庞德性格直率，有点像关羽的手下爱将周仓。两人交手数次，关羽怜其勇猛，又深感手下缺人，有心将他收归己用。

庞德见了关羽，却是傲立不跪。关羽也不怪罪，说："你兄长如今在汉中，故主马超也在侍奉我兄长刘备。我有心收你为将佐，你还不快快投降！"

要说关羽确实是骄傲到了极点，就连劝降都是一副盛气凌人的样子。想想当年刘备是怎样劝降黄忠，张飞又是如何劝降严颜的。这些忠义之将，都是威武不能屈的。如果你要用强，他是宁死也不降的。只有好言相劝、以礼相待，才能给他们一个调节内心认知不协调的理由，也才能让他们诚心归降。

但关羽不懂得这些，即便懂了，礼贤下士那一套他也做不出来。这就从根本上决定了庞德是不可能投降了。而且，庞德的不降，也和曹操巧妙激将大有干系。庞德已经当众宣示过自己的诺言，他不能实现斩杀关羽的诺言，也就只能以死回报曹操的恩遇了。

当下，庞德对关羽破口大骂。关羽大怒，喝令推出斩首！内心却还是怜惜庞德之忠义勇猛，吩咐将其厚葬。

关羽斩了庞德，乘水势未退，来攻樊城。

曹仁早已闻风丧胆，只想弃了樊城，乘舟退却。谋士满宠力劝阻止说："水势必不长久，很快就会退去。将军还是要咬牙坚守。如果弃了樊城，恐怕整个黄河以南的地域，都要被关羽占领了。"

曹仁心想，如果樊城失守，黄河以南被关羽占据，回去也是死罪，还不如在这里拼死坚守，说不定还有活命之机。

曹仁不愧是曹操一手带出来的亲信大将，在此危难关头，胆战心惊之际，仍然苦守。这不得不让人叹服曹操治军之严。

水势退后，关羽仍围城攻打。这日关羽得意忘形，立马扬鞭，在城下大声喝骂："你等鼠辈，还不快降。等我攻破城池，必然寸草不留！"

关羽太过得意，浑然无视危险，渐渐骑行至城墙边上。曹仁看见关羽旁若无人，也不加防备，当下急招五百弓箭手，乱箭急射，直指关羽！

关羽急忙勒马回走，但哪里还来得及？一箭早已射中右臂，关羽当即翻身落马！

心理感悟：得意不可忘形，失意亦不可忘形。

为什么忘了疼痛

曹仁见关羽中箭落马,立即引兵冲出城门。关平急忙上前,拼死将父亲救回。

关羽回营,拔出箭来一看,不禁大骂曹仁不仁!

三国中交战,箭是常规武器,是大家都要用的。但只有曹仁在箭头上涂上毒药,十分阴毒。当年周瑜进攻南郡的时候,就曾被曹仁部下的药箭射中左肋,虽得及时救治,但也不像平常箭伤恢复得那么快,而且不能动气,否则箭疮崩裂,就有性命之忧。周瑜就是中箭后被诸葛亮所气,旧伤复发而死。可以说,周瑜有一半是死在曹仁手上的。

今日关羽也是中了这种药箭,如何不恼?

关平见父亲右臂青肿,无法使动大刀,心中忧心不已,和众将商议道:"父亲这条臂膀受伤,不能出战,不如暂且撤回荆州调理休养。"

王甫早就对荆州后方空虚忧心忡忡,立即表示同意。两人当即入帐来见关羽。

却见关羽右臂虽肿,却丝毫没有疼痛之感,坐在帐内,谈笑如常。关羽看见二人进来,问道:"你们来有何事禀报?"

王甫说:"我们见君侯右臂受伤,担心您临敌动怒,于贵体不利。因此众人商议,可暂时班师退回荆州,寻访名医,好生调理,再做计议。"

关羽大怒,道:"攻取樊城,就在眼前。取了樊城之后,就当长驱直入,直捣许都。剿灭曹操,兴复汉室,乃是我平生大愿。怎么能够因为这个小小的箭伤就耽误大事呢?你不要再多说了,否则动摇了军心,就拿你是问!"

王甫哪里还敢多说,只好唯唯而退。

关羽之所以如此反应,有两个原因。

第一,他天生异禀,体格强健,皮肉粗厚,痛点要比常人高得多。所以,这个箭伤虽然极难痊愈,但关羽丝毫没觉得疼痛。这是一个非常重要的个体差异。

第二,也是最重要的一点,关羽此刻威名震动天下,他的自我感觉也良好到了极点。这次水淹七军,成就了连诸葛亮都没达到的高度,加上他一贯以来的好运常在,战无不胜,关羽已经不知不觉在潜意识中将自己视为无所不能了。这相当于是一种自我神化。自我神化、自我崇拜的结果必然是不再用常人的思维来考虑问题。

一方面,关羽觉得这小小的箭伤能奈"神"何,能奈我何?另一方面,关羽觉得樊城指日可克,接下来的必然是势如破竹、长驱直入,一举奠定灭曹兴汉的大业。

一旦完成了这项丰功伟业,那么自己与诸葛亮暗中博弈的结果就不言自明了。宇内第一人必然是自己无疑,天下还有何人能与自己相提并论呢?

但是,关羽虽然自视为神,但毕竟是血肉之躯。这箭伤得不到有效疗治,毒药恶效,一日重于一日,渐渐这右臂已经不能动弹了。

关平等人心急如焚,却又不敢对关羽明言,只能四处寻访名医。

这一天,突然有一人,从江东自驾小舟前来。此人奇巾异服,臂挽青囊,自称是沛国谯郡人士,名叫华佗,听说关羽乃天下义士,中了毒箭,特来医治。

拥有一个好的标签真是好处无穷,连看病都会有名医闻讯主动来上门服务。

关平问道:"你莫非就是昔日救治东吴周泰的那个医生吗?"

华佗说:"正是。"

周泰曾经因保护孙权而身受多处重伤,眼看不免一死,幸得华佗妙手回春,恢复如初。华佗也因此名声远扬。

关平大喜,立即引入军中。

此时,关羽臂痛加剧,已经有所感觉,但关羽不能在部众面前失了面子,又担心乱了军心,也就避而不谈,每日只是和马良等人下棋消遣。

关羽正在下棋,关平带着华佗来见。华佗让关羽袒露手臂,以便诊察。

华佗仔细看了之后,说:"这毒箭上面涂了乌头之药,直透入骨,如果不早日诊治,这条臂膀就没用了。"

关羽问道:"以你之见,应该如何治疗呢?"

华佗微微一笑,说:"办法当然是有的,不过我担心说出来君侯您害怕罢了。"

请注意,华佗这是无意中使了激将法。这是对关羽胆量的挑战(能力怀疑的一种表现形式)。关羽最为痛恨别人激将,也最容易被别人激将。

关羽笑道:"我连死都不怕,这世上还有什么可以让我害怕的?"

华佗说:"应当在地上挖一个坑,立上一根大木柱,然后在柱子上钉上一个大铁环,请君侯将臂膀伸入铁环之中,用绳子牢牢绑住。然后用被子蒙住您的头脸,我就用尖刀割开皮肉,直到见骨,将箭毒尽数刮去,敷上伤药,再缝上伤口,就没事了。"

关羽一听,激起了英雄之心,哈哈大笑道:"哪里需要这样费事啊,你直接来就行了。"当下,关羽吩咐备酒,举杯在手,依旧和马良下棋,伸开臂膀,只叫华佗动手。

华佗大惊,他行医日久,阅人无数,却哪里见过如此豪迈不羁的人物?一时不敢动手。但关羽谈笑风生,只说无妨。

华佗也就不再多言,吩咐一个小兵取来大盆,置于臂下接血,自己则取尖刀在手,对关羽说:"君侯,我要动手,请勿惊惧。"华佗越是小心,关羽越是豪迈,大笑道:"你尽管动手!我哪里是世间凡子可以比拟的?无须担心。"

华佗小心翼翼,割开关羽臂上皮肉,深可见骨,只见骨上颜色已青。华佗用刀刮削骨上余毒,窸窸作响,帐上人等听了,或掩面不敢再看,或掩耳不敢再听,纷纷失色。独有关羽,神色自若,饮酒食肉,拈子下棋,浑若无事。

对面马良,素来棋力高过关羽,平素往往是巧妙让招,和关羽胜负相掺。但今日身临其境,竟然心神不定,连连失误,被关羽杀了个丢盔弃甲,大败亏输。

关羽赢得痛快,大笑连连。华佗操刀霍霍,地上的盆子里血流盈满。不多时,华佗刮毒完毕,敷好伤药,用线将伤口缝合。关羽随即伸展胳膊,只觉运用自如,和平常一样,不由大赞华佗真神医也!

华佗见状,对关羽也是佩服得五体投地,说:"我行医一生,像君侯这样的人,真是从来没有遇见过啊。君侯真乃天神也!"

华佗此叹,不仅代表了他本人,也代表了周边所有的人。由此,关羽的神化地位也得到了公认。那么,刮骨疗毒这样一个痛彻肺腑的外科手术,关羽为什么丝毫没有疼痛难忍,反而是谈笑风生呢?

肯尼斯·克雷格和肯尼斯·普克钦1978年的时候,做了一个实验。他们对参与实验的被试的左前臂进行电击。一开始的时候,电击的强度十分轻微,几乎无法觉察。但随后电击强度逐渐等量加强。每次电击后,被试就在一个零到一百的量度表上标出自己觉得不舒服的程度。当他们把某次电击的强度评价为一百的时候,实验立即结束。

这个研究一共有两个实验条件,分别是忍耐模范条件和控制条件。在忍耐模范条件下,与每个被试配对的是一名假扮成被试的研究者的同事。真正的被试总是先进行测试,然后这名假扮的被试随后进行测试,他的疼痛评价总是比真正的被试低百分之二十五。在控制的条件下,假扮的被试只是在一旁观察被试。

实验发现,当被试与忍耐力强的假扮被试一起配对时,真正的被试不仅会有较低的疼痛评价,而且他们真的显得体验到较少的疼痛。在忍耐模范条件下,虽然电击强度提高了,但被试却比控制条件下的被试有较少的心率反应和较低的前臂皮肤电压。这两个指标是用于对人体验到的真实痛觉测量的。

也就是说,当人们把自己与一个有高的疼痛耐受性的人做社会比较的时候,这种比较实际上会导致人们体验到比正常情况时较少的疼痛感。

关羽自以为神,傲视俗人凡子,认为他们眼中的疼痛,对自己来说并不算什么。也就是说,在这种潜意识主导下,关羽的疼痛耐受性要远远高于常人。

而且关羽又好面子,华佗善意的提醒关心,却成了最好的激励武器。华佗越是说得严重,他越是要在人前展现出不值一哂的神情,以维护自己的高自尊。如果华佗事先没有将预定的诊疗之法描绘得如此恐怖,关羽说不定也不会采用如此骇人听闻的方式来刮骨疗毒,也就按照华佗原来的办法行事了。

再加上关羽一边诊疗,一边饮酒,一边下棋,且连连得手,远比平时赢得畅快淋漓,也部分分散了关羽的注意力。

综合以上因素,关羽在没有麻醉的情况下做外科手术,却神色自若,毫无惧意,毫无疼痛的原因也就不难理解了。

但尽管如此,这也不是常人所能够做到的。所以华佗会惊为天人。

关羽疗治完毕,设宴款待华佗。

华佗劝诫道:"君侯贵体,必要爱惜。百日之内,绝不可动气,自然恢复如初。"但是,谁又会知道,关羽在这世上留存的日子已经没有一百天了。

关羽笑而纳之,吩咐取来黄金百两,以谢华佗。

华佗却说:"我敬佩君侯是天下义士,特来医治,要这酬金干什么?"坚辞不受,留药一帖,以敷伤口,飘然而去。

关羽等人,感其高义,不胜唏嘘。

心理感悟: 感觉从来没有绝对过。

老虎是牛犊顶死的

关羽擒了于禁，斩了庞德，威名之盛，一时无双。

曹操在许都接连收到讯报，大惊失色，心想樊城必然难以坚守，如果关羽乘胜追击，直捣许都，恐怕自己也要成为他的阶下之囚。

曹操是一个雄才伟略的战略家，绝非胆小怕事之徒。那么，他为什么会如此害怕关羽呢？

此时的关羽在某种意义上已经成为一个神话般的权威人物。对权威的迷信和过度反应，会让人丧失一切机会。但让曹操害怕的不仅仅是关羽，还有关羽背后的诸葛亮！

曹操的分析预测是这样的：关羽气势正盛，所向披靡，如果诸葛亮以关羽为先锋，随后亲率大军，倾巢出动，再加上孙刘联手，那么自己真的就会被逼上绝路了。

诸葛亮的能耐以及他手下除关羽之外的五虎大将的威力在汉中之战中，曹操已经领教过了。

诸葛亮的《隆中对》早已传遍天下："待天下有变，则命一上将，将荆州之兵，以向宛、洛，将军身率益州之众，以出秦川。百姓孰敢不箪食壶浆，以迎将军者乎？诚如是，则霸业可成，汉室可兴矣。"

这几句话几乎成了曹操的座右铭，无时或忘。而目前的这个时机，正是诸葛亮所说的"天下有变"，曹操认为，诸葛亮是一定不会放过这个天赐良机的。

由此，曹操担忧不已，顿起迁都之意，这样既可以暂避锋芒，又可以继续把汉献帝掌控在手中。当下召集文武商议此事。

曹操内心有了倾向性的意见后，之所以还找来文武商议，只不过是要为自己的这个重大决定寻找到更多支持，以减轻自己做决策的心理压力。

但曹操的这一举动，却给了他一向不待见的一个人机会。这个人就是司马懿。

司马懿在曹操手下一直郁郁不得志。这次好容易看到一个机会，连忙站出来，激动得连声音都有些发抖，厉声说道："绝对不行！"

从来没有人敢在曹操面前以如此坚定决绝的语气、神情说话。但若非如此，又怎么能引起曹操的重视呢？对于处心积虑想要往上爬的司马懿来说，如果他也人云亦云、唯唯诺诺，恐怕就永远也不会有出人头地的机会了。

司马懿直截了当地说："刘备、孙权面和心不和。孙夫人归吴后即不复返，孙权之子向关羽提亲又被羞辱，诸如此类事皆为明证。如果关羽得志，孙权必然不喜。如果大王再命舌辩之士去见孙权，以江南之地封与孙权，令其暗中起兵，蹑于关羽之后，必能牵制关羽。何必兴师动众，劳民伤财而迁都呢？"

再强悍的人也有脆弱的时候。曹操向来极有主见，像司马懿这样的重点打压对象，平素要是敢这样出来胡乱反驳自己的意见，曹操的脸早就拉长了，说不定当即会要了他的小命。但今天司马懿简短的几句话，却击中了曹操的内心深处。

曹操哪里是想迁都，只不过是无奈之举。所以尽管司马懿反驳了自己的想法，却提醒曹操事情还有另外一种可能。

孙权对自己心怀鬼胎，曹操一向是心知肚明的。前番已遣满宠去说，但并无结果。如果没有实质性的因素促进，孙权是绝不会和自己联手对付刘备的。但现在关羽气焰嚣张，孙权不高兴则是可想而知的。在这个节骨眼上，孙权不想刘备坐大，那么和自己联手也就是水到渠成的事了。只要孙权和自己合作，那么诸葛亮的"天下有变论"就失去了价值。如果他要倾巢出动，东吴在背后插上一刀，刘备腹背受敌，就会再次失去立身之本。以诸葛亮之谨慎，绝对不敢轻举妄动。那么，即使关羽锋芒再盛，也不过是孤军深入，后继无援，如此许都也就可保无忧，根本用不着迁都了。

一切的关键点都在于孙权。孙权助刘，则曹魏必败。孙权助曹，则关羽必亡。

曹操掂量之后，觉得孙权与自己联手的可能性较大，当下采纳了司马懿的意见，派遣使者入吴说孙权，再派徐晃率兵，支援樊城曹仁。

司马懿这个与诸葛亮纠葛一生的最强劲对头，由此开始崭露头角。

曹操使者来到东吴，果然说动了孙权。孙权也召集文武商议。

张昭又站出来发言。张昭说："现在关羽风头强劲，威震华夏，我听说曹操准备迁都以避。现在樊城危急，曹操才会前来求救。事成之后，恐怕又会反复。"

这个张昭，虽是两朝重臣，但其战略眼光却是最差的一个人，往往说不到点子上,但偏偏孙权还十分信任他。如果孙权采纳了他的意见,继续和曹操玩"躲猫猫",那么,关羽则可保后防无忧,尽可长驱直入,直逼许都了。

但是,历史注定,决定关羽命运的不是张昭,而是另外一个人。

这个人本来奉孙权之命驻守在外,在这节骨眼上却私自驾舟回来面见孙权。此人正是吕蒙。

吕蒙之所以匆匆赶回,是因为他探知关羽远离荆州,正是夺回荆州的好时机。当年他在鲁肃手下,为讨回荆州吃了不少苦头。如今他接替鲁肃,继任都督,对荆州也是朝思暮想,当然不会放过这个机会了。

孙权听了吕蒙汇报,当即同意,说:"你既然有这个打算,就赶快给我办吧。"

吕蒙得令,立即辞别孙权,回到陆口,准备攻取荆州。

曹孙两家,为了应对关羽和争夺荆州,交通往来,络绎不绝,而根本不能置身事外的第三方——刘备这边却置若罔闻,毫无动静,不由地让人扼腕叹息。

天下有变,天下有变,诸葛亮一直在等的"天下有变"终于出现的时候,诸葛亮却没有任何反应。如果说诸葛亮由于路途远隔,一点也不知晓关羽和荆州的最新境况,那他就是失职。因为曹操要迁都,连张昭都听说了,诸葛亮没有理由不知道。如果说诸葛亮知道了这些情况,却没有看出这是个最好的战略良机,或者看到了这是个好机会,却还是不作为,那他更是失职。

这是上天赐给诸葛亮的最好机会。关羽威震华夏,无人可挡其锋。劲敌曹操,连赤壁之战都没能击溃他的勇气,却害怕关羽以至于要迁都以避。而诸葛亮手下目前正是兵强马壮、猛将如云,图谋霸业,超越管乐,正当其时!但诸葛亮处竟然毫无动静!

时机就此一去不复返。此后,诸葛亮终其一生也没有再遇到这样好的机会。

却说吕蒙回到陆口,准备动手。但派人一打听,得知关羽派人每隔二三十里,设置了烽火台,只要荆州有变,立即就快马杀回,不由吓出了一身冷汗!

真是人的名儿,树的影儿,关羽的声威此刻确实达到了顶峰,无人不惧!

不但枭雄曹操吓得要迁都,吕蒙本来也雄心勃勃、信誓旦旦地在孙权面前说要趁着关羽远离之际袭取荆州,但一听说关羽设置了烽火台,就吓个半死。其实,就算烽火台发挥作用,关羽闻讯赶回,也需要时日,根本不能阻止吕蒙袭取荆州。吕蒙害怕的是,关羽回来之后,自己根本守不住荆州。

没有夺回荆州,责任是前任的。得而复失,罪过可就是自己的了。吕蒙算清了这笔账，再也不敢提袭取荆州了。但他在孙权面前已经夸了海口，唯恐孙权催促，只好装病不出。

对权威的迷信和过度反应，会让人丧失一切机会。但好在这世界上还是有喜欢挑战权威的人。

这样的人有两类，一类是迫切想要出人头地，却找不到正常途径的人；另一类是初生牛犊不怕虎的人。因其无知，所以无畏。

这样的人，曹操和孙权各拥有一个。

曹操手下的人叫作司马懿，属于第一类；孙权手下的人叫作陆逊，属于第二类。

孙权见吕蒙生病，取荆州之事再度被搁浅，心中郁郁不欢。陆逊看在眼里，知道自己的机会来了。

陆逊来见孙权，直接揭发说："吕蒙是在装病！"

孙权听了他的分析，认为有道理，就说："既然如此，你代我去探查清楚。我再来处理。"

陆逊来到陆口，来见吕蒙。吕蒙继续装病，说："贱躯有病，未能远迎，还望海涵。"

陆逊微微一笑，道："吴侯派我前来探病。他前次将取荆州的重任托付给您，没想到您竟然生病了。吴侯担心错过时机啊！"

陆逊的话很重，吕蒙感到了压力扑面而来，但又不知道陆逊到底是何来意，久久看着陆逊，一句话也不说。

吕蒙哪里知道，陆逊是看中了他的职位了。

陆逊微微一笑，说："我有一个药方，可以治好将军您的病啊。"

吕蒙心说："胡说八道，我根本就没病，不得已才装的病。你有什么药方可以治好我装病？！"话却说得很客气："愿听指教。"

陆逊道："将军您根本就没病。之所以称病不出，必然是担心荆州有烽火预警，不能暗中袭取吧。"

吕蒙听了，顿时吓出一身冷汗。这句话陆逊要是对孙权说了，自己畏缩不前，小命就保不住了。陆逊继续往下说："我有一策，可以让沿江烽火台不能举火，荆州之守兵束手就擒！"

吕蒙大惊而拜谢说："愿闻其详。"

陆逊说："没什么，只要将军把都督之位让给我就行了。"

吕蒙再次大惊，说不出话来。陆逊见状，哈哈大笑，决定不再和吕蒙绕弯子了，说："关羽自高自大，以为无敌于天下。将军可以借机辞职，将都督之位交给在下。我本是一无名小卒，关羽必然轻视。我再写一封言卑辞微的信给关羽，再骄其心。关羽必然视我为鼠辈，必会撤荆州之兵以增援樊城。如此，荆州定然空虚，我只需沿江用诈，派一旅之兵，则荆州唾手可得也！"

吕蒙听了，不由哈哈大笑，心想，这个陆逊，真是个黄口小儿。我哪里是担心不能袭取荆州啊，沿江用诈、乔装打扮这一招，也不用你教啊。我是担心关羽勇猛难当，荆州得而复失啊。不过，你既然看中了我这个职位，我正好也不想干这份苦差事了，正愁找不到脱身之策呢。你来得正好，你是不挑担，不知道别人吃力。那我就成全你吧。

陆逊、吕蒙，一个想要上位，一个想要退位，两个一拍即合，达成协议。

只是吕蒙不知道，世上很多事，就是无知者成就的；世上很多权威，就是无畏者打倒的。

心理感悟：对于迫切想要出人头地的人来说，打倒现有的权威是一条终南捷径。

小心捧你的那个人

吕蒙回建业来见孙权。

孙权心想:"我让陆逊去探看你,你怎么却回来了?"问:"你的身体现在怎么样了?"

吕蒙现在敢理直气壮地说自己其实没病了:"吴侯,我其实没病,不过是装病以骄慢关羽之心罢了。关羽所担心的,就是我吕蒙啊。我准备辞去都督之位,请吴侯另外差人去陆口防守,关羽就不会再作防备了。这样,荆州就可以到手了。"

吕蒙这段话,可真是给他自己脸上贴金了。在关羽眼里,江东全是鼠辈,连孙权也不例外。关羽看不起周瑜、鲁肃,又怎么会看得起周鲁的继任者吕蒙?

孙权一听,你要辞职,连招呼都不打一声就回来了,问道:"那么你打算让谁来接替你呢?这个职位,当年周郎保荐了鲁肃,鲁肃保荐了你,你如今也要保荐一个德才兼备的人啊。"

吕蒙说:"就是陆逊。此人有王佐之才,可以胜任此职。"

孙权睁大了眼睛,惊道:"陆逊不过一介书生,籍籍无名,怎么能担当如此重任呢?"言下之意,你是不是在和我开玩笑啊。

吕蒙不急不缓地说:"如果任用一个名望显赫的人,必然会引起关羽的不安和警觉。关羽如果小心提防,荆州就夺不回来了。陆逊他内藏韬略,却不外露,是最合适的人选。"

孙权大喜,当即决定拜陆逊为偏将军、右都督,替代吕蒙守御陆口。

陆逊的这次高升来得实在容易,但他上任后做的第一件事却是"装孙子"。

陆逊写了一封书信,命人带着名马一匹、异锦二段等礼物,来见关羽。行前陆逊一再交代使者必须在关羽面前装出诚惶诚恐、猥琐不堪的神情。

使者来见关羽。关羽正在将息箭疮。使者说起吕蒙病危,孙权拜陆逊为将,代替吕蒙执事。今陆逊新上任，特地前来拜见君侯，请君侯多加关照。

关羽大咧咧地问道："陆逊是谁啊？我怎么没听说过。"

使者战战兢兢地说："小人也不太清楚。陆将军突然擢升，此前好像默默无闻。"

关羽指着使者，哈哈笑道："你们孙权真是个见识短浅之人！怎么就用这样一个黄口孺子为将呢？哈哈，荆州从此就稳如泰山了，我还有什么好担忧的呢？哈哈哈……"

使者吓得拜伏于地，浑身战栗，说："陆将军久仰君侯您的大名，这次特地送上礼物，请君侯笑纳。万望君侯高抬贵手，两家和好。"

关羽拆开陆逊的信一看，里面谀辞如潮，但关羽竟然觉得浑身舒坦，不由仰面大笑，令左右收了礼物，设宴款待来使。

关羽这一笑，荆州就已经失了大半。骄傲的人，总是在骄傲的顶点失败，这是一条颠扑不破的世间真理。

关羽当即决定撤去荆州大半兵力，增援樊城。

孙权闻讯后，立即召见吕蒙，说："关羽果然中计。如今你可与我弟孙皎，分任左右都督，同引大军，去取荆州。"

孙皎是孙权叔父孙静的儿子，时任征虏将军。吕蒙一听，觉得很不满意。统领三军，最忌讳同时有两个一把手。这不但有争功之嫌，也会出现决策争议。此前周瑜、程普两人分任左右都督的时候，就曾经出现了合作不协调的问题。前车之鉴，犹在眼前，吕蒙不想重蹈覆辙。

吕蒙说："主公如果认为我有能力独当一面，那就派我去。如果觉得征虏将军能够独当一面，就派他去。当年周瑜、程普的不愉快，主公您难道忘了吗？"

吕蒙对职场妒忌的了解太深刻了，他所举之例，非常有说服力。这也是不得已的做法，若非如此，不要说立功，能平安无事就不错了。孙权当即醒悟，于是拜吕蒙为大都督，总制江东诸路兵马，再令孙皎在后接应粮草。

吕蒙高兴不已，心想："陆逊小子，看见了吗？姜还是老的辣吧。前日我让出了都督之职，今天我又升了一大级，为大都督，节制江东所有兵马，你还是得乖乖听我的。"

吕蒙立即点兵二万，选调快船八十余只，让会水的兵卒全部换上平民百姓的衣服，假扮成商人，其他精兵潜伏于船中。然后先发十余只快船，往浔阳江而去，昼夜趱行，直抵北岸。是谓白衣渡江。

这里需要说明的是"白衣"二字。这不是说衣服的颜色是白的，而是指平民百姓的衣服。因为当时的官员、将士的服装按照职级不同绘有不同的图案，不可僭越。只有老百姓的衣服上什么图案也没有，所以才称为白衣。白者，无也。

东吴健卒抵岸后，关羽设下的烽火台守兵查问。东吴人回答说是客商，因江中风阻，到此躲避。

守兵丝毫不疑。约至二更，东吴快船中精兵齐出，将烽火台守兵尽数缚倒，不伤一人。这第一座烽火台一失守，没法发出讯号，后面的烽火台就全部报废失效了。

吕蒙吩咐厚待守兵，守兵对其感恩不已。吕蒙向他们讨教取荆州之计，守兵感其恩德，愿意为其效力，到城门下虚报声息，赚开城门，吴兵长驱直入，不费吹灰之力，就将荆州这座曾经纠葛十数年、固若金汤的城池拿下！

吕蒙丝毫不敢得意，也丝毫不敢大意，吩咐手下，绝不能滥杀一人，必须秋毫无犯。而且，让所有原任官员，保留旧职。另将关羽家眷单独厚待恩养。

吕蒙之所以善待荆州官民，在很大程度上是担心关羽日后反攻清算，故而不敢肆意妄为。但他的谨慎做法却无意中为他开启了一扇真正的胜利之门。

这一日，天下大雨。吕蒙骑马四处巡看。正好看到有一士卒取了百姓家的一个笠帽，来遮盖自己的铠甲。吕蒙当即喝令左右拿下审讯。一问，却是吕蒙的同乡。吕蒙说："我平生不杀同乡同姓之人，但是秋毫不得犯百姓的号令已下，法难容情。我不敢以私废公，只能按律将你斩首！"

乡人垂泪道："我并非有意拿取百姓财物，只是担心铠甲遇水生锈。所以才拿了这一个笠帽。还望将军宽恕。"

吕蒙也挤出几滴眼泪，说："我知道你并非有意违反军纪，但终究是拿了民间之财物，只能将你斩首了。"

吕蒙将乡人斩首示众，随后痛哭流涕，将其厚葬。荆州居民，皆深感其德。由此，吕蒙凭借这一个乡人的人头，收服了荆州人的心。

吕蒙之所以能够白衣渡江，轻取荆州，其实并不是靠了他的奇谋秘计。关键在于荆州人的民心所向。

烽火台守兵麻痹大意，还是情有可原的。但在被俘之后，吕蒙稍加恩惠，就立即倒戈相向，主动帮助吕蒙赚开城门。这是为什么呢？

吕蒙要求士兵善待百姓，不得取百姓分毫。然后靠斩杀一个其实罪不当死的乡人，又收服了荆州民心。这又是为什么呢？

吕蒙让荆州原有官吏皆掌旧职，难道他们就一点不顾念关羽旧情，甘心情愿地为"贼"效力？这更得问一声为什么呢！

上述疑问归结为一个问题：关羽在荆州经营了十年，却不及吕蒙一夕之功。这是为什么呢？

前面说过，关羽跟过曹操，但没有学会曹操的治军以严。同样，关羽跟刘备最久，但也没有学会刘备的治民以德！

大家想一想，如果是刘备自己来治理荆州，会出现什么样的情况呢？

他的士卒会不会在被俘之后，轻易地被对方的小恩小惠收买而立即反戈一击呢？

他的百姓会不会在被占领之后，轻易地被敌人假惺惺的眼泪和做作的"杀人示恩"而收服呢？

当年，刘备在新野、樊城被曹操击溃。两城的几十万百姓明知跟着刘备逃不脱曹操的铁蹄，但还是挈妇将雏，坚决地跟着刘备逃亡。这又是为什么呢？

刘备的仁义，看上去虽然也有些做作，但老百姓也不是真的傻，他们不会愚蠢到把自己的身家性命全部寄托在一个假仁假义不靠谱的家伙身上。刘备确实是以自己的仁德获得了民心。

但关羽掌荆州十年，却几乎没有给老百姓留下什么恩惠德义。

还记得互惠原理吗？如果你对老百姓好，肯定是会有回报的。百姓没有为了关羽而拼死抗击入侵者，足以说明关羽不值得他们回报。而且，现在吕蒙给了一个小小的"烧饼"，就换来了荆州百姓心悦诚服、真心拥护的丰厚回报。这更说明关羽此前的牧民工作实在是太不到位了。

"威"是关羽唯一拥有的解决方式。关羽只有"威"这把锤子，所以，只能把所有的问题当成"钉子"来处理。但"威"猛若火，势不能久；大德如水，润物无声。威而无德，最后必然伤及自身。

荆州的官吏军民，如此容易收服，却是大出吕蒙意料。由此，吕蒙也发现了关羽最大的软肋，他现在不再害怕关羽的反攻倒算了。他已经知道，荆州这座城市太缺乏治理者的关爱了。只要自己不在这个方面犯错误、出问题，关羽是不可能再攻进来了。而且，他还要用"德"这个工具，来进一步瓦解关羽的军心，以求全胜！

心理感悟：示弱足以克强。

66

胆小鬼坏了大事

吕蒙取了荆州，孙权大喜，又十分感慨。这个和刘备纠缠了十数年的城池，费尽口舌，毫无所得，最后还是靠武力得手。孙权立即动身赶赴荆州，现场体验成功的快感。

孙权一高兴，就任命潘浚继续担任荆州的地方长官，又把于禁放归曹操。随后，孙权和吕蒙、陆逊商议，如何对付镇守公安的傅士仁和镇守南郡的糜芳。

虞翻毛遂自荐，说自己可以不费吹灰之力地劝说傅士仁来降。

虞翻说这句话是有把握的，因为他和傅士仁昔日曾结拜为兄弟，对傅士仁的心理最是了解不过了。

却说傅士仁，得知荆州失守，吓得立即紧闭城门，坚守不出。虞翻来到城下一看，连动嘴的机会都没有，又怎么能开展说服呢？

一般来说，当谈判的通道被切断的时候，谈判是无法进行的。但要真正做到彻底切断谈判通道也是十分困难的。所以，城门紧闭难不倒虞翻。虞翻立即写了一封信，吩咐手下将信射入城中。守城士兵拾得信后，立即呈送傅士仁。

虞翻知道傅士仁一向胆小，只要自己说明利害关系，傅士仁必然恐惧而降。

所以，虞翻的信是这样写的：我听说明智的人在祸害还没有发生的时候就加以预防，智慧的人在提前考虑将来的祸患。这次吴侯拿下荆州，烽火台却来不及举火报讯，这是因为我们有内应的缘故。你如果不知道这里面的秘密，却要坚守孤城，那真是不明智的举动啊。如今荆州已失，你这里是死路一条，还能坚持多久呢？不如早早投降，我作为你的故交，还可以在吴侯面前保荐你。现在利害关系已经说给你听了，请你深思。

说实话，虞翻的这封信并没有他自己想象中的那样高明。但这封信还是起作用了。

这是因为这封信唤起了傅士仁的恐惧心理。

让傅士仁深感恐惧的不是荆州失守，自己独守公安，而是荆州失守对关羽的影响。

好消息带来好心情，坏消息带来坏心情。傅士仁深知，一旦关羽得知荆州失守，必然会暴跳如雷。而一个被坏心情控制的关羽，必然会迁怒于人。关羽出征前，曾经扔下一句话说："姑且看在费司马的面上，饶了你们两个狗头。待我得胜回来，一并算账。"如果自己仍在关羽帐下，关羽势必会拿自己和糜芳出气。而且，关羽如今"假节钺"，杀自己不需要任何理由。

在很多时候，通过唤起恐惧心理的方式比正面讲道理的方式更有效。这也是说服的外周途径胜过说服的中心途径的又一种表现形式。

班克斯和萨洛维在1995年的时候曾经做过一个实验。他们让那些没有做过乳腺X光检查的四十到六十六岁妇女观看一个关于乳腺X光检查的录像。这些妇女被分为两组，一组观看的是传达正面积极的信息的录像，强调做乳腺X光检查能够帮助及早发现疾病以挽救生命。另一组则接收到具备恐怖意味的信息，强调不去做乳腺X光检查会使你付出生命的代价。结果，被唤起恐惧心理的那一组妇女中有三分之二的人在十二个月内去做了乳腺X光检查，而另一组的比例则只有二分之一。

虞翻的信只是讲了一番空泛的大道理，但其中的"荆州失守"四个字激发了傅士仁的恐惧。在刘备集团中，关羽无论是能力还是势力都太强大了。只要傅士仁留在刘备集团，就根本没可能摆脱关羽的阴影。而正好虞翻的信中还给傅士仁提供了一种"逃避或脱离恐惧"的可行方案。

那就是投降孙权。

心理学的试验表明，只有在让人们意识到危险的严重性的同时提供一个解决的方法，那么，唤起恐惧心理的信息才会更加具备说服力。

霍华德·莱文索尔做过一个实验。他和助手们让学生们阅读关于破伤风危害的宣传册。其中有些册子中含有感染破伤风后的示例图片，有的则没有。此外，还有些学生被告知注射破伤风疫苗的具体方法，有的则没有被告知。另外，有些学生只接受了怎样注射破伤风疫苗的建议，但并不知道感染破伤风的危害。

对这几组学生的跟踪数据显示，那些浏览了破伤风感染后示例图片的学生，在同时获知如何注射破伤风疫苗的具体途径时，会主动去注射以降低对该种疾病的恐惧。

所以，虞翻成功地通过一封信说服了傅士仁。傅士仁带着印绶来见孙权。孙权大喜，当即命他仍然去镇守公安。

从潘浚到傅士仁等人的均被留用，我们看到了孙权信而不疑的博大胸襟，但也更看到了关羽的治理乏力。如果关羽对这些人多少有一些恩德的话，孙权能如此放心大胆地任用这些旧人吗？难道就不怕他们暗中反戈一击吗？

傅士仁深为感动。吕蒙提出，让傅士仁去说服糜芳来降，胜过大动干戈。

互惠原理再次发挥作用。傅士仁慨然领诺，一定要报答孙权的恩遇。感觉从来没有绝对过，一直都是相对的。傅士仁主动献城，孙权对他好一些也是应该的。但出于对关羽和孙权两人的比较，傅士仁尤其觉得孙权之"好"难能可亲，所以即便是赴汤蹈火，也要为孙权劝降糜芳。

但要糜芳归降的难度要大得多。糜芳是刘备的小舅子，虽说刘备连老婆也不在乎，就更不会在意小舅子了。但毕竟两人之间有这么一层亲近关系，按照常理，糜芳绝对不会被劝服投降，反过来还很可能将前来劝降的傅士仁绳之以法。

但傅士仁对自己的"患难之交"也是非常了解的。因为他们两个人有一个共同的"恐惧源"——关羽。傅士仁心想，虞翻怎么说服的我，我就怎么说服糜芳。

傅士仁见了糜芳，开门见山地说自己已经降了孙权，今日特来劝降。

糜芳大惊说："咱们平时累受汉中王深恩，怎么能够投降呢？我不忍心这样做。"

糜芳的话其实已经透出了内心的隐秘。他只是不忍心这样做，而不是认为不该这样做。这两者之间的态度还是有着很大的区别的。说实话，糜竺、糜芳兄弟跟着刘备，并未因为裙带关系得到什么好处。刘备对结义兄弟的好，是远远胜过对老婆以及老婆的兄弟的。所以，糜芳多少是有一些情绪的。

傅士仁见状，知道有机可乘，立即趁热打铁说："你还记得关羽出门时说的话吗？他对我二人痛恨不已，如果得胜回来，尚且不会轻饶我等，更不用说铩羽而归了。必定是要拿我们出气顶罪了！"

糜芳心里有所触动，但始终没有勇气去背弃刘备。

正犹豫之间，关羽派来的传令兵到了。军中缺粮，关羽命令傅糜二人星夜押送白米十万石前往樊城，军前交割。迟误一日，则杖罚四十；迟误二日，则杖罚八十；迟误三日，立斩不饶。

关羽此时已经彻底被陆逊的骄兵之计迷惑了。他觉得陆逊这个少不更事的书生，根本不值得提防，所以，才会放心大胆地让傅糜二人脱离防地，押送军粮，进一步壮大围攻樊城的军事力量。

但关羽显然对傅糜前次玩忽职守还是念念不忘，所以才会提出极其苛刻的要求。这个要求正好给了傅士仁一个极好的机会。

糜芳大惊，对傅士仁说："如今荆州已经失守，军粮如何运得过去？"

傅士仁更不答话，回首拔剑，将传令兵斩杀于当场。傅士仁此举，也是因为糜芳迟疑不降，让他觉得无法向孙权交差，这才下了狠招，绝了糜芳的后路。

糜芳吓得差点昏了过去，战战兢兢地说："你杀了关羽的使者，那不就是断了我的活路了吗？"

傅士仁冷冷地道："关羽明着是要我们押送军粮，暗着却是要我们的性命。既然如此，我们还不如先下手为强，总强过束手待死吧！"

糜芳哪里还有退路呢？关羽原本就不待见自己，如今傅士仁又杀了他的传令兵。继续留下来，必然是死路一条。糜芳只能长叹一口气，接受了傅士仁的劝降。

孙权得知，又是大喜，当下厚赏二人，又安抚百姓，南郡百姓如荆州百姓一般，无不欣悦。

民心向背，最能看出治理者的实绩了。但关羽在荆州十年，诸葛亮只图眼前耳根清净，而毫无关注体察，这个失察之责，无论如何是逃不掉的。

孙权遣使者将自己得了荆州之事报于曹操，并要曹操出兵，夹攻关羽。孙权还请求曹操保密此讯息，以防关羽得知后，有所防备。在这一点上，孙权的私心表现得很明显，他既想用自己得了荆州的利好消息来激曹操出兵相助（*此前曹操已经为关羽之威所慑，想要迁都*），又担心曹操泄密后，关羽会弃了樊城，转头来夺荆州。

但他的小算盘怎么能瞒过老奸巨猾的曹操呢？

曹操当即命令徐晃引军去樊城增援，又盼咐他立即将东吴已取荆州的讯息告诉曹仁，以固其坚守之心，同时将此信息广为散布给关羽所部，以乱其强攻之略。

曹操这一招非常阴毒。关羽得知后院失守，必然军心动摇，急速退兵。这时徐晃则可趁势掩杀，不但樊城之围可解，还可以大败关羽。

心理感悟：恐惧不一定带来逃避，恐惧也可能是一种力量。

67

引向失败的馊主意

徐晃将荆州失守之事广为散布，关羽所部军心极为慌乱，被徐晃击败。樊城之围遂解。

关平等人得知，立即来报关羽。关羽哪里肯信，说："这不过是疑兵之计，你们怎么能够相信呢？吕蒙病危，黄口孺子陆逊接替他，根本不足为虑！"

骄傲者往往不是生活在现实中，而是生活在自己虚构的美妙设想之中。但是，一旦美妙的设想被现实的利矛戳破，即便是坚强如关羽者也无法承受。

关羽很快接到了探马流星的讯报，得知荆州果然失守，家眷也被吕蒙所擒！这是对关羽沉重的一击。关羽毕竟久历风雨，还能勉强撑住。但是，当探马流星再将傅士仁献了公安，又为孙权劝降了南郡糜芳之事汇报，关羽可就气得撑不住了。关羽这一气非同小可，就像当年周瑜一样，箭疮迸裂，昏厥于地。

众人急忙救醒，关羽一声长叹，对司马王甫说："我真后悔当初没有听你的话啊！让潘浚守荆州，果然出了这等大事！"

实际上，关羽的这个判断半对半错。王甫此前劝诫关羽时评价潘浚"多忌而好利"，这一点和荆州被偷袭没有太大关系。以荆州当时积弊之深，换了他人也未必守得住。但东吴得手之后，潘浚为保个人私利，坦然接受孙权安排，继续镇守荆州，对荆州军民的整体心态转变起了很大的负面导向作用。如果潘浚宁死不从，孙权方面在攻心战上就不可能如此顺利。从这一点上看，关羽所托非人，的确是要负领导责任的。从王甫推荐的替代人选赵累后来的表现来看，赵累未必在能力上胜过潘浚，但在态度（对刘备、关羽的忠诚）上是无可怀疑的。

关羽又再想起，自己曾经令王甫沿江设置烽火台举火报信，为何没有发挥作用呢？

探马回答说，吕蒙手下，身着白衣，扮作客商渡江，精兵伏于船上，将第一个烽火台的守兵尽数擒了，故而无人报信。

关羽顿足长叹，连称自己中了吕蒙之计。这样公开承认自己犯错，对关羽来说是极为罕见的。这也说明，这次荆州之失，对关羽确实是毁灭性的打击。

关羽觉得兄长刘备将荆州重镇交付给自己，新近又让自己"假节钺"，自己却辜负了他的重托，实在是无脸回见兄长。

但作为一军之主，在再大的艰难险阻面前，还是要鼓起勇气来应对。还记得，赤壁大败后的曹操吗？曹操用大笑来藐视对手，以激励士气。但此刻关羽唯有长叹。两人都是英雄，但面对绝境时的心态却决定了曹操将是一个打不倒的英雄，而关羽则是一个即将走向末路的英雄。

关羽彷徨无计，赵累建议道："君侯，如今情势危急，我们可以一面差人去成都求救，一面从旱路去夺回荆州！"

心高气傲者往往非得等到山穷水尽、走投无路时，才会想起求助于人。以关羽的性格，哪里肯向人求助？即便这个人是他的兄长刘备！但形势比人强，事到临头，关羽也不得不低头。当下，关羽急派马良、伊籍速去成都求救。

关羽当然不甘心束手待毙，赵累提的第二点建议他也欣然接纳，于是整顿军马，准备去夺取荆州。但他不会想到，吕蒙早已看清他的软肋所在，魔爪将再一次伸向关羽的部下兵马。

赵累见关君侯对自己的建言十分欣赏，深受鼓舞，又想出了一个主意。却没想到，正是这个主意给了吕蒙可乘之机，让关羽走上了万劫不复的绝路。

赵累说："君侯，以前吕蒙驻扎在陆口的时候，常常与您书信来往，说要结盟共敌曹贼。今天他却做出了背盟之事。君侯何不差人送信给吕蒙，看他如何应对？"

这是一个不折不扣的馊主意。但关羽竟然习惯性地加以采纳，并立即派人执行。

倾向性立场，非常容易让人看不清全局的真正情势。赵累的想法只是一厢情愿的自我幻想。从关羽的角度来说，吕蒙袭取荆州，确实是背盟不义之举。但从东吴的角度来说，此前刘备借荆州而不还，更是失信不义之举。大家是半斤八两，靠言辞说理，谁也说服不了对方。荆州的归属最后还是得靠刀兵相见，实力说话。

使者来见吕蒙。吕蒙看了关羽之信，淡淡地说："我以前确实是与关将军结好的。但是，今日之事，乃是国家所差，不是我个人的事情。所以，我也只是奉命行事。烦请使者回报关将军，我并不是背信弃义的啊。"

吕蒙的这番话不是别人教他的。正是关羽本人教给他的。

当年，鲁肃请关羽临江亭相会。鲁肃索讨荆州，关羽也是这样说的："这是兄长刘备所为，和我没有关系。私人聚会，醉后莫谈国事。"

鲁肃始终没有讨得荆州，之后郁郁而终。临死之前，他不仅将都督的职位交托给了吕蒙，这个没有完成的心结也交托给了吕蒙。鲁肃的托付，吕蒙记忆犹新，所以，今天，他一报还一报，原封不动地将这个理由和借口还给了关羽。

这封信的失败是必然的。但关羽派来的使者给了吕蒙一个觊觎已久的良机。

吕蒙吩咐盛情款待使者，并将关羽使者到访的消息广为散发。荆州远征将士的家属闻之，纷纷来找使者，嘱托他代传口信，说家中平安，衣食不缺，勿念等等。

吕蒙为了给更多的人创造传递口信的机会，足足款待慰留了使者两天才送其回去。

使者回见关羽，喜滋滋地报告说，君侯宝眷以及诸将士家属均各平安。

使者自以为带回来了一个天大的好消息。好消息的传播者是最受欢迎的，人们往往将消息的好归功于传递信息的人，尽管他所做的仅仅是传递而已。

但使者没有想到，关羽听了之后，却勃然大怒，说："这是吕蒙的奸计！我一定要杀了吕蒙这个混蛋，方消我心头之恨！"当下喝退使者。关羽此时，又犯了一个重大错误。他明知这是吕蒙涣散己方军心的奸计，却没有强令使者封锁消息。

关羽手下诸将，得知使者回来，当然是纷纷来问消息。使者尚未搞清楚关羽发怒之因，以为不过是习惯性的发作而已，根本没意识到这是吕蒙最为精妙的攻心之战。使者"不折不扣地执行了吕蒙的战略意图"，将各家平安、衣食无缺的好消息广为散布。诸将安心，但却失去了战斗之心。

关羽发兵，直奔荆州。这一路上，将士纷纷脱逃，自投荆州。关羽深恨吕蒙，却又无计可解，只好催促兵马快行。

一路上，东吴派出蒋钦、周泰、韩当、丁奉、徐盛等将沿路截杀，又纷纷打出"荆州本处人投降"的白旗。关羽部下，大量脱逃归降。东吴诸将，团团围住关羽。等到天色黄昏，东吴诸将又派出荆州原来的守兵，呼兄唤弟，觅子寻爷，喊声不停。这一幕像极了当年垓下被围的项羽。军心尽变，皆应声而去。关羽哪里禁得住这种阵势？！

不知道关羽这个时候，会不会反思一下自己历年来在治军和治民上的得失？军心和民心的获得非一日之功，同样，其失去也不是一日之罪。刚刚此前，关羽所部奋勇向前，水淹七军，威震华夏。随后不久，就立即军心涣散，溃不成军，到底是什么原因造成了这个巨大的变化呢?

实际上,关羽已经没有时间来总结了。但他的兄长刘备,在兴兵为他报仇,兵败退守白帝城后,留下了最为警醒的总结之语。刘备的那句话,语字平凡,但意蕴精深,堪称万世之典范,是他一生中留下的第三句千古名言,非常值得我们谨记、铭记。

当夜三更,关羽聚集关平、廖化等人商议对策。关平提出,先到麦城屯兵坚守,再派人到左近镇守上庸的刘封、孟达处求援。

关羽听从,收拾军马,来到麦城。东吴之兵,随即赶上,将麦城团团围住。

关羽决定,派廖化突出重围,去刘封处求援。只要刘封、孟达援兵一到,这边坚守城池,等待川兵前来。

这一招也算是病急乱投医。

一来,刘封、孟达本来就没有多少兵力,而且也不可能倾巢出动。就算他们分兵而来,能否抵得住士气正旺的吴兵,也是尚未可知。

二来,刘封、孟达会不会派兵前来呢?要知道,互惠原理无处不在,亦可反向使用。对人好,是有回报的;对人不好,也是有回报的。

关羽此前又是怎么对待刘封的呢?

心理感悟:失败是疗治傲慢的唯一良方,而且失败的惨烈程度与疗治效果成正比。

人心散了队伍不好带

刘备得了东川之后，曾命刘封、孟达取上庸。太守申耽等率众投降，刘封因此功而获封副将军，与孟达二人共守上庸。

这一日，廖化火急赶到，报知刘封，荆州失守，关羽兵败，困守麦城，恳请刘孟二人速起上庸之兵，以救关羽。

刘封先安排廖化休息，然后找来孟达商议。

提起关羽，刘封的心里很不是滋味。关羽对他有偏见，刘封一直心知肚明。

当初，刘备见刘封容貌俊朗、气质不俗，准备收刘封为义子。关羽就曾当面加以阻拦，话语毫不客气，给刘封的心灵以深深的伤害。所以，从"情"上来说，刘封并不情愿去救关羽。

但是关羽和刘备桃园结义，从辈分上来说，关羽是刘封的叔父，而且刘备对刘封向来不薄。从"理"和"法"的角度来说，不救关羽是说不过去的。

情理法的纠葛让刘封心烦意乱，决断不下，只好找孟达来商量。刘封如果找孟达之外的任何一人商量，刘封的命运和关羽的命运都会出现转机，但刘封偏偏找了孟达。

刘备之所以能够顺利取得西川，有三个人居功至伟。这就是张松、法正和孟达。这三人原是刘璋手下，若不是他们作为内应，刘备是不可能取得西川的。但张松因勾结刘备被刘璋发觉而被处死，只剩下法孟二人。刘备得了西川之后，法正得到刘备重用，飞黄腾达，一路高升。但孟达却被刘备有意无意地忽略了，最后只能作为刘封的副手来镇守上庸。

孟达内心的失落是可想而知的。他认为自己智谋、能力出众，完全可以胜任更加重要的职位。但仕途的不如意，让他觉得自己吃了大亏。孟达自觉为刘备付出了很多，要不是自己和张松、法正这些人，刘备哪里来的这万里江山？从互惠原理来看，刘备应该将孟达奉若上宾，加以重用才对。但刘备对孟达的回报却极不相称，这自然让孟达心中对刘备怨恨不已。

孟达可以背叛刘璋，当然也可以背叛刘备。背叛不一定要从外形上表现出来，也可以通过暗中报复得以实现。

孟达一直在寻找、等待报复刘备的机会，但机会一直没有出现。而今日关羽落难，他和刘备形同一人，报复关羽就等于是报复刘备。

所以，孟达早已打定主意，决不发兵援助关羽。接下来，他要做的就是说服刘封，按照自己的想法行事。

刘封说："如今关叔父被围麦城，廖化冒死前来求救，应该如何做呢？"

孟达说："我听说东吴三四十万精兵都在荆州，荆襄九郡都已经属于东吴。关羽目前只有一个麦城，乃弹丸之地，哪里能守得住呢？而且，曹操又亲率大军四五十万，乘虚而来，势如泰山。我等上庸这点兵马，哪里能和曹孙两家抗衡呢？如果我们去增援，无异于是羊入虎口啊！"

孟达的说服工作先是从中心途径着手，通过对敌我双方兵力的理性计算，希图刘封能够知难而退，打消前去救援关羽的念头。

但是，对中国人来说，"情"始终是第一位，从而，中心途径的说服往往不能奏效。

刘封说："道理是这个道理。我也知道。可是关羽是我叔父，坐视不救，是说不过去的。"

孟达冷笑一声，决定从外周途径下手："你把关羽当成你的叔父，那么，他有没有把你当成侄子呢？"

孟达的这句话，触动了刘封内心的伤疤。刘封默不作声。

孟达继续说道："那么，你知道你为什么会远离成都，跑到这个偏僻山城来驻守吗？"

刘封还是不作声。

孟达说："上次汉中王登位的时候，准备册立王太子，向孔明咨询。孔明耍了个滑头说：'这是主公您的家事，可以问问关张的意见。'汉中王就写了一封信给关羽。关羽得知后，勃然大怒说：'立嫡不立庶，这是基本的道理，又何必来问我呢？！刘封不过是螟蛉之子，就应该让他离得远远的，否则就会伤害到亲骨肉。'从关羽的这番话来看，关羽哪里是把你当侄儿看哪？"

刘封叹了一口气，默认了孟达的说法。

刘封深知自己虽然年长于阿斗，但不过是个义子，也就一直没有觊觎过刘备的继承权。刘备之所以要在立嗣之前四处征求意见，也不过是做做样子的。众所周知，阿斗作为刘备的继承人是板上钉钉的事情。只有关羽把这件事看得很重。

书读多了，有时候人也会变得麻木、呆板。关羽一直在看《春秋》，见惯了各诸侯国王子为了争夺王位而手足相残的血案。所以，就在内心中形成了对继位之争的刻板印象，避之唯恐不及。从而，关羽一直对刘备在有了阿斗之后，还收下义子刘封之事耿耿于怀。关羽认为刘备这是画蛇添足、自寻烦恼。但刘备还是坚持自己的意见，让关羽很没面子。

关羽没有考虑到的是，刘封和阿斗之间的关系并不具备平等的竞争性。刘封根本没有机会形成自己的势力来兴风作浪。但刘备后来还是听了关羽的话，把刘封逐到上庸这个边远的山城来镇守。

孟达成功地激起了刘封的报复之心。刘封问："你说得很有道理。他不仁在先，就不能怪我不义在后。但廖化如今在这里，又该如何拒绝呢？"

为拒绝找一个理由，是很容易的。孟达说："你只要对廖化说，上庸刚刚到手，民心未定，如果兴兵去救关君侯，恐怕这里就会失守。汉中王给我的职责就是守好上庸，其他则不是我所需要考虑的。"

刘封从之，唤来廖化，述说自己无力前去援救。廖化大惊，拼命以头磕地，苦苦告求。但刘封硬了心肠，决绝地说："我这里杯水车薪，哪里能救呢？廖将军你还是到别处求救吧。"

廖化大哭而去，心想，没有借到援兵，再回麦城也是无益，不如就到成都去见汉中王求救。当下，廖化掉转马头，直奔成都而去，内心充满了对刘封的刻骨怨恨。

善因种善果，恶因生恶果。无论是报答，还是报复，都是互惠原理的体现。但是，人们往往简单地以牙还牙，却不想自己大度一点，以德报怨，来化解宿怨，新结良缘。

就拿刘封来说，尽管关羽此前屡屡对他不利，但如果在这紧急关头，刘封不计前嫌，施以援手，是不是就能改变关羽对他的看法，从而让自己在刘备集团的处境好过一些呢？

答案应该是肯定的。

但是，刘封简单按照镜像反射式的应对，又埋下了新一轮的恶报种子。廖化怀恨而去，难道会就这样算了吗？日后一旦有了机会，廖化必然也会对刘封加以报复。

人作为一种具有高度智慧的高级动物，既不可避免地受到互惠原理的约束，但也应该能够有意识地主动摆脱互惠原理的负面效应，率先采取举动，跳出冤冤相报的恶性循环。

我们再回头来看，刘封为什么会在孟达的蛊惑下，做出了错误的判断呢？

实际上，每一个人都有自己的利益和立场。孟达和刘封的利益和立场当然是不一样的。孟达劝说刘封不要发兵救援关羽，表面上是站在刘封的角度分析考虑的，但实质上全部是为实施自己对刘备的报复服务的。刘封、关羽都成了孟达实施报复的工具。

作为刘封，应该冷静地想一想不同的选择所带来的不同后果，而不是意气用事，只图一时之快。这不是简单的私人交往，而是军国大事。从人的本性来说，假公济私是很难避免的。但是，因私废公在任何一种体制下都是不可能得到光明正大的承认的。不救关羽，就等于是自绝后路。刘封又不像孟达那样，可以来去自由，转投魏国。

所以，刘封的错误抉择是非常可惜的。他本意上并非处心积虑要置关羽于死地。实际上，就是他真的发兵，也确实是杯水车薪，救不了关羽。但能不能救得了是能力问题，发不发兵是态度问题。

最后，刘封只能为自己的抉择付出生命的代价。

再来看看孟达，是什么让一个对刘备倍加推崇、诚心投靠的人变成一个对刘备满腹怨言、心怀报复的人呢？

这应该是刘备激励不当带来的后果。前面已经说过，随着时间的推移，每一个施惠者都会越来越觉得自己先前所施的恩惠越来越重要，而受惠者则会变得越来越淡漠。两者之间的反差，造成了孟达的心理失衡，刘备却没有及时察觉，加以纠正，终于让孟达这一颗定时炸弹在最危急的时刻爆炸！

心理感悟： "互惠"这两个字是社会生活的终极密码。

鼠辈大胆敢欺虎

关羽在麦城苦守，日夜盼望上庸救兵来到，但望穿秋水，也不见动静。此时关羽手下，只有五六百兵马，多半带伤。城中又已缺粮，甚是苦楚。

关羽怎么也想不到，人生无常，短短数日内，自己就从一个极端走到了另一个极端。关羽找赵累、王甫等人商议对策，但除了坚守，没有任何办法。

正在愁困之际，小兵来报，说城下有一人，来见关君侯。此人正是诸葛亮的胞兄诸葛瑾。诸葛瑾为了荆州，已经多次和关羽打交道了。虽然每次都是受到关羽凌辱，但诸葛瑾韧性十足，丝毫没有因此而胆怯。

诸葛瑾此来，是奉孙权之命前来劝降关羽的。

孙权为什么会有让关羽投降的念头呢？

关羽是世之虎将，对于屡屡被关羽轻视戏弄的孙权来说，如果能够让一个高傲的对手，拜伏于你的面前，那是何等畅快啊！

而且，当时曹刘孙鼎足而立，孙权是把自己归为割据天下的顶级人物的。他在各方面的比较对象也锁定在曹刘两人。关羽是刘备的下属，但当年曾经投降过曹操，仅仅是从对比的角度，孙权也想尝尝让关羽归降自己的感觉。

诸葛瑾对关羽说："现在将军您曾经掌管的荆襄九郡，已经尽归东吴。您现在只有孤城一座，又能坚守多久呢？俗话说，识时务者为俊杰，将军如降了吴侯，还能够重新镇守荆襄，保全家眷，光宗耀祖，何乐而不为呢？"

诸葛瑾说完这番话，是等着关羽发怒大骂的。但这一次关羽竟然没有动怒，而是端正脸色，从容不迫地说道："我关羽不过是解良的一个武夫罢了。得蒙我主公刘备以手足相待，又怎么能够背信弃义而投敌国呢？城池若破，也不过是一死罢了。又有什么可以畏惧的呢？玉可碎而不可改其白，竹可焚而不可毁其节，身虽殒，名可垂于竹帛也。你不用多说了，赶快回去告诉孙权，我要和他决一死战！"

关羽说这番话的时候，十分冷静淡定。关羽始终是一个英雄，尽管他刚刚得知失了荆州后，内心出现了严重的认知不协调，表现出了狂暴的倾向，但他很快就调整好了心态，开始淡然面对自己这一生中最为艰险的时刻！

诸葛瑾还不死心，继续说："吴侯向来是想和您结为秦晋之好的，现在仍然是这样想的。只要你投降了，还是可以同力破曹、共扶汉室的，将军何必执迷不悟呢？"

话音未落，关平在一旁听了大怒，拔剑要斩诸葛瑾。关羽淡淡地喝止，说："诸葛先生的兄弟现在蜀中辅佐你的伯父，如果今日杀了他，就会伤了义气。"遂吩咐左右将诸葛瑾礼送出城。

关羽这对父子，今天刚好掉了个儿。往常都是关羽发怒，关平用诸葛亮的面子来说情劝止。这次在麦城却刚好相反。当人陷入绝境后，往往和平时的表现大相径庭。

关羽是不可能投降的。当郭嘉这样说的时候，关羽投降了。

关羽是有可能投降的。当诸葛瑾这样想的时候，关羽却要决一死战。

那么，关羽为什么可以投降曹操，却不会投降孙权呢？

关羽其实是个爱惜生命的人，因为他知道，只有继续活着，才可能创造辉煌。所以，他在土山被围的时候，才会以"降汉不降曹"的名义保全性命。所以，他在华容道放曹之后，才不会和孔明叫板，而是忍辱偷生。但是，我们不要以为关羽就是个贪生怕死之人。

当时的情况是关羽虽然自许甚高，但功业未立，关羽所以忍辱保全有用之躯，以不枉这一生。但现在的情况已经大不相同。关羽斩颜良、诛文丑，过五关斩六将，笑取长沙，单刀赴会，水淹七军，镇守荆州十数年，战无不胜，攻无不克，已经享尽辉煌，已经发掘了人生的最灿烂的价值，此时此刻，夫复何求？

更为重要的是，在关羽的心目中，曹操尽管奸诈狡猾，但不失为一个英雄；诸葛亮尽管故弄玄虚，但不失为一个智士。所以，他会降曹而忍诸葛。

也就是说，曹操和诸葛亮都有让关羽服气的地方。但是，在他的刻板印象中，所有的东吴之人，都是无能鼠辈。这是一种明显的群体区隔。

关羽扮成侍卫，陪刘备赴宴，周瑜没敢拿他怎么样；

关羽单刀赴会，和鲁肃会晤，鲁肃没敢拿他怎么样；

诸葛瑾数次来荆州，均被关羽任意凌辱，东吴也没有任何动静。

凡此种种，都让关羽觉得东吴之人，是没有血性、没有能耐的鼠辈。而鼠辈和英雄是两个完全对立、没有共同语言的群体。一个人的卓尔不凡是要通过与其他人的对比凸显出来的。如果没有鼠辈，就无法彰显英雄的存在。所以，关羽越是把东吴之人看成鼠辈，越是能感觉到自己的了不起。从而，关羽是绝不可能投降东吴孙权的，因为那样做，就等于是极大地降低了自己的层次，和鼠辈同流合污了。

况且，这次东吴之所以能够袭取荆州，也不是靠正大光明的作战，而是靠阴谋诡计欺诈得逞的。这更加深了关羽对东吴的负面印象，也只有鼠辈，才会靠这样的手段获胜。这种感觉并非关羽独有。蛮王孟获在面对诸葛亮的征服时，也有同感。孟获为什么要被擒七次，才会对诸葛亮心服口服？就是因为前面几次诸葛亮都是靠奇计偷袭而胜，并非是两军对垒硬碰硬取胜的。此是后话，按下不表。

尽管关羽对东吴的评价不是那么客观准确，但他只能按照自己的评价行事。一个英雄，或一个自命的英雄，即使再落魄，也是不会归降他心目中的鼠辈的。

诸葛瑾回报孙权，孙权有些失落，也有些无奈，深深觉得，要征服一座城池是容易的，而要征服一个英雄是何等地困难！

关羽检点军马，被城外吴兵召唤而去者络绎不绝，人数日渐稀少。关羽知道死守不是办法，决定再搏一下，分兵突围，以图杀出血路，奔回成都，再从长计议。

当下，关羽上城观望地形，决定走西北小路突围。王甫劝谏道："小路必有埋伏，君侯还是走大路吧。"

当然，王甫的判断也是直觉，并没有什么依据。但他又犯了说服的毛病。对关羽来说，越是危险，越是恐吓，关羽越是直迎而上，不加退避。反之，如果王甫说大路有重兵，无法通过，也许关羽就会直奔大路而去了。

果然，关羽的牛脾气又上来了，说："就算有埋伏，我也不怕！"关羽还是想维护自己一贯高大威猛的英雄形象，但这样做的结果就是丧失了最后一个逃生的机会。

王甫心知自己已经无法说服关羽，只好痛哭道："君侯一路小心。我和手下百余人死守此城。即便城破，也宁死不降！专望君侯速来救援！"

关羽不由热泪奔流，知道王甫是激励自己奋勇求生，但他内心却第一次感到自己是如此无助、如此无力！

关羽、王甫痛哭而别。关羽引关平、赵累等二百余人，杀出北门。吴兵见了，惧其神威，不敢阻挡，四下乱窜。关羽横刀前行，走了约莫三十余里。只听山凹处，金鼓齐鸣，喊声大震，伏兵四起，却是东吴朱然、潘璋等人设伏于此。

关羽只是奋勇突前，但身边之人越来越少。赵累战死于乱军之中，关羽、关平父子，加上随从，也不过十来个人。

此时五更将尽，关羽前行至决石，两边都是山，山边皆是芦苇。败草纷乱、树木丛杂，一片肃杀凄凉的景象。

关羽心中无限苍凉，感慨万分。自己纵横江湖三十年，哪里会想到今日竟然会沦落到如此境地呢？

现实没有给关羽更多的回想时间。伏兵再起，长钩、套索并出，把关羽的坐骑赤兔马绊倒，关羽摔在地下，尚未起身，潘璋部将马忠抢上，将关羽擒下。

关平见父亲被擒，急赶来救，背后朱然、潘璋赶上，将其擒住。

威震天下的关羽，就这样落于他素来蔑视的鼠辈之手！

心理感悟： 偏见也许是伴随人这一生最久的东西。

那一曲英雄悲歌

孙权闻知关羽父子被擒，大喜，当即聚集众将于帐中，关羽被绑送至孙权面前。关羽衣甲凌乱，却不屈傲立，嘴角露出一丝轻蔑的笑意。

松绑是一个程式化的劝降动作，一般由该组织在场的最高领导者来完成。这也是示惠的一种方式。孙权尽管还是抱有让关羽投降的想法，却没有上前给关羽松绑，因为他心中有几句话压抑了很久，必须当面说给关羽听。

孙权说："我早就仰慕将军您的盛名，一直要想和您接纳，结为秦晋之好，您为什么总是嫌弃我呢？您向来自以为天下无敌，今天怎么又被我擒住了呢？您今天是不是对我孙权服气了呢？"

孙权这三句话，在心里不知默默念叨了几百遍，今天终于有机会释放出来，顿觉快意无比。

关羽冷笑一声，骂道："你这个碧眼小儿，紫髯鼠辈！我今天中了你的奸计，赴死而已，让我对你服气，根本就是不可能的！"

孙权听了也不生气。这是一个胜利者伴随着志得意满而自然流露出来的高姿态。孙权回顾左右，又像是对手下人说，又像是对关羽说："云长是天下的豪杰之士，我实在是爱惜不已。我今天想要厚厚赏他、宽宥他，你们觉得怎么样啊？"

关羽是不可能投降孙权的。"承诺——一致"最终是要起作用的。桃园结义，名闻天下。关羽已经违背过一次，最后付出超越常规的努力和艰辛才力挽狂澜，回归正常。经过这一个波折，这个承诺的约束力反而愈发强劲。这一次，面对他心目中的"鼠辈"，"投降"两个字，关羽连想都不会想。

孙权手下的主簿左咸站出来说："吴侯，这是行不通的。当年曹操得到此人，三日一小宴，五日一大宴。上马一提金，下马一提银。爵封汉寿亭侯，赏赐美女十数人。如此恩养，还是留他不住。其后过五关、斩六将，曹操还是怜其才而不忍除之。留至今日，养虎遗患，水淹七军，围攻樊城。曹操被他逼得差点要迁都。吴侯，你觉得自己能做得比曹操还好吗？"

孙权默默点头，说："你说得有道理。"当下急命左右将关羽父子推出斩首。

关羽这一生外在的显赫、辉煌与起落，就此凝固。关羽这一生内心的割裂、煎熬和挣扎，就此结束。

如果人生中可能有很多次成功，那么就尽力去争取；如果人生中只能有一次失败，那么就在最辉煌的巅峰坠落。这将是世界上最壮美的失败。关羽都做到了，人生还有什么可遗憾的呢？

关羽死后，赤兔马被赐予马忠，但其数日不食草料而死。王甫、周仓得知关羽的死讯后，王甫坠城而死，周仓自刎而死。关羽治下的最后一个小城池——麦城也归于东吴。

而令人百思不得其解的是，蜀中对荆州失守和关羽之死这等天大的事竟然毫无反应！

关羽死了，一了百了。但如何处理他的死，却成了孙权的一个老大难问题。这个时候，张昭从建业而来，一听说孙权杀了关羽，连称"糟糕"！

一个人要犯点错误是容易的，但要一辈子总是犯错误就不容易了。而最不容易的则是：尽管一辈子都在犯错误，但主上对其还是信任有加、言听计从。

这样的人，三国里有且只有一个。他就是张昭，孙权最为倚重的谋士。

张昭说："主公，您杀了关羽，可就惹下大麻烦了。刘关张三人桃园结义，誓同生死。现在刘备已经拥有两川之地，更兼有诸葛亮之智谋，张黄马赵之勇猛，如果他起倾国之兵来为关羽报仇，您该如何抵挡呢？"

孙权立即惊出一身冷汗，急求计于张昭。

张昭对刘备的判断是正确的，但他的应对之策就显得很低级了。

张昭想出来的是"嫁祸曹操"之计，派人将关羽的首级送呈曹操，以图昭告天下，东吴之所以夺取荆州是奉了曹操之命，孙权之所以杀了关羽，也是奉了曹操之命。

但曹操有那么傻吗？诸葛亮有那么傻吗？

张昭的馊主意反倒给了曹操一个做好人的机会。曹操立即命人以香木雕刻成躯体，配上关羽的首级，以大臣之礼厚葬。

曹操的意图也很明显，也是要昭告天下，我对关羽向来是优待的。杀关羽是东吴孙权的事，刘备如果要报仇，还是去找孙权吧。

回头再来说蜀中。

荆州的动态，孔明并不是一无所知。早在关羽恶语拒绝了孙权提亲之后，孔明就已经知道消息。当时，诸葛亮只是说了一句"荆州危矣！可使人替回关羽"。这个判断是正确的，但诸葛亮也只是说说而已，并未采取任何措施。这可以说是诸葛亮失职的地方之一。当然，替换关羽的难度和阻力可能是非常大的。但至少诸葛亮应该引起警觉，在辅助人员的安排上要加以调配补充了。

关羽死后，刘备自觉浑身肉颤，心神不宁，夜间梦见关羽现身，哭泣不已。这也是一种神秘的直觉和预感。刘备向诸葛亮询问，请他解梦。诸葛亮只是轻描淡写地加以抚慰。

诸葛亮告辞出宫，在中门外遇见太傅许靖。

许靖说："刚才有机密来报，得知军师入宫，特来此等候。"

诸葛亮问："有何机密？"

许靖还不敢直说，只是含糊地说："今有一人传过话来，东吴吕蒙已经取了荆州，关羽父子尽已殒命。"

孔明淡淡地叹了一口气，说："我夜观天象，见将星已经陨落在荆楚之地，我早已预知云长罹难了。只是担心主上忧虑，不敢明言。昨夜汉中王做了一个梦，梦见此事。我也只是善言宽慰，恐怕伤了他的心啊。"

孔明的这番说法，属于典型的事后聪明。俗语"事后诸葛亮"或即来源于此。

"9·11"事件发生后，从那天清晨开始回溯，劫难必然将要发生的预兆突然就异常明晰起来。一份美国参议院的调查报告列出了很多此前被人忽视的"明显线索"。CIA知道基地组织的爪牙已经潜入了美国境内。一个FBI情报员给总部的备忘录上警告说："联邦调查局和纽约市：本·拉登可能会将学生送到美国参加民办航空院校的联合行动。"但FBI忽视了这份准确的预警，也没有把它和其他预见恐怖分子可能会使用飞机进行攻击的报告联系在一起。

事后看来，当时的决策者是如此愚蠢，以至于连如此明显的预警信号都没有重视。但其实这不过是事后聪明罢了。在事前的时候，几乎没有人能够看出这些预警情报混杂在成千上万的甚至是截然相反的信息中有什么明显突出之处。

道森在1988年做过的一个实验得出这样的结论：当内科医生通过解剖得知病人的症状与死因后，就会质疑，自己的同行怎么会做出如此不正确的诊断呢？而其他那些只得知症状的内科医生则并没有觉得诊断的错误有多么明显。

诸葛亮为什么要在许靖汇报了关羽的死讯后才大胆说出自己夜观天象，早已知晓呢？为什么他没有在事前就告知他人以及立即采取措施，飞速增援呢？

事后回头看来，一切脉络都是清晰可辨的。但是，当局者迷，当事情正在发生的时候，要看清一切并非那么容易。

当然，诸葛亮这么说，除了维护自己一贯正确、先知先觉的权威形象外，还有其他的目的。他通过天象来宣示关羽之死，表明这实乃天意，与人无干。这样，他也就不用负什么责任了。但是，关羽之死和荆州之失给诸葛亮的打击是巨大的，这种深远的影响现在就可以看出来，但还要在今后几十年里慢慢生发，直至将诸葛亮一生的才华和精力也都消磨殆尽。

关羽的死讯是瞒不了刘备的。刘备得知后，当下昏厥，醒来后第一件事就是要像张昭预言的那样，起倾国之兵为关羽报仇。

但刘备的想法却得到了以诸葛亮为首的文臣武将的集体反对！

从战略分析上来说，诸葛亮是对的。但从情理信义上来说，刘备是对的。

赵云冒死劝谏刘备以江山为重，不要轻率出击。刘备由此又说出了他的第二句千古名言："我不与弟报仇，虽有万里江山，何足为贵？"

刘备的这句话，是他和关羽从君臣关系到兄弟关系的一种回归。这也表明，桃园结义的承诺也一直牢牢烙刻在刘备心头。

刘备这一生，一直谨小慎微，苦苦耐守，几乎从来没有痛快淋漓的时候。但这一次，他决意要快意恩仇，哪怕是付出最沉痛的代价也在所不惜。这是刘备一生中唯一的"图一时之快"！这不是为他自己，而是为了他的兄弟。

这就是刘备伟大的地方，这就是刘备虽然一无所长、一无所有却能够成就三分天下的终极秘密。

刘备不听任何劝诫，决意起兵伐吴。此后，张飞急于报兄仇，催逼部下过甚，被部属杀害。而刘备也在伐吴途中，被陆逊火烧连营，大败而归，驾崩于白帝城。刘备在给儿子刘禅的遗诏里留下了他的第三句千古名言："勿以恶小而为之，勿以善小而不为"。这句话很大一部分来自刘备对关羽为什么会失败的深刻总结。关羽素来不拘小节，率性而为。从直言无忌刺伤刘封到要入川和马超比武，再到不服气黄忠名列五虎将等等都是典型的例证。这种个性体现在治军中，慢慢累积，就导致了军纪涣散、忠诚度下降。这才会有傅士仁、糜芳出征前的烂醉、失火，这才会有吕蒙稍施攻心术就赢得荆州民众的归心。所以，刘备以其敏锐的洞察力总结出了这一句值得永世珍藏的名言。伟大来自平凡小事的累积,失败也来自微小疏忽的累积。刘备希望儿子能够明白这个道理,但阿斗最终还是辜负了他。

刘关张三兄弟盟誓的时候,曾经许愿同年同月同日死,他们可以说是做到了。

由此,刘关张这个从"承诺——一致"开始的故事,也在"承诺——一致"中画上了一个完整的句号。

历史是别人过往生活的总和。历史已经结束,而我们的生活还将继续。最重要的是,我们要明白,生活是正着来活,却是倒过来理解的。只有倒着去理解历史,我们正着的生活才能少走弯路,更加顺畅。

> **心理感悟:**人生不可图一时之快,但人一生中至少要有一次图一时之快。

本书主要心理学概念解读

（括号内数字为所在篇目）

1. "承诺——一致"原理：当一个人许下承诺后，一般倾向于言行一致，而符合承诺的行动又会进一步强化原先的承诺，如此周而复始，不断强化。（1）

2. 内化承诺：有些承诺无须用语言来特别说明约定，是一种内化的自然附随的心照不宣。（1）

3. 承诺的公开性：越是公开的承诺，越是不敢公开地违背。越是不被公开的承诺，越是会被轻易地违背。（3）

4. 仪式效应：仪式并非毫无用处，而是对确保承诺的兑现和执行大有好处。越是隆重、正规、广为人知的承诺仪式，就具有越强大、持久、无法抗拒的约束力。（3）

5. 承诺的差异性：同一个承诺，对不同的承诺者的约束力存在着个体差异。（4）

6. 互惠原理：人们在受了他人的恩惠之后，往往会以各种方式来予以回报。（4）

7. 认知失调：当两种重要的信念、态度或者看法发生冲突的时候，人们感受到的一种极端的心理不适感。人类不能长时间忍受这种不协调，他们会改变自己的信念或者态度来缓解这种不适感。（6）

8. 阿伦森法则：不愿意坦白地承认错误的人们，且他们的信念被证明是错误的，他们反而会更加坚持自己的信念。（7）

9. 过度自信：人们很容易高估自己的能力，认为足以轻松应对远期的挑战。（7）

10. 行为改变态度：行为是外显的，态度是内隐的。当这两者存在矛盾时，内隐的态度往往会因适应外显的行为而改变，以求内心的和谐。（8）

11. 登门槛技巧：人们只要有一次抵制不住诱惑，就会有第二次；只要接受了一次小的诱惑，就会更自然地甚至是理所当然地接受下一次大的诱惑。由小渐大，

终至不可收拾。（8）

12. 过度合理化： 当一个人所得到的报酬明显超过他的付出时，就会产生过度合理化效应。（9）

13. 理由不足效应： 如果人们的行为不能完全用外部报酬或强制性因素来解释，人们就会体会到不协调，并通过相信自己的所作所为是正确的或正义的来减少认知失调。（9）

14. 需求层次论： 马斯洛把人的需要分成五个层次，分别是生理需要、安全需要、社会需要、尊重需要、自我实现的需要。（10）

15. 立场效应： 人们倾向于信任站在自身利益对立面的说话者，而对为自身利益辩护的人持怀疑态度。（11）

16. 选择性倾听： 每个人都有选择性倾听的倾向，喜欢听到和自己内心态度相符合的东西，而不是相反。（11）

17. 他人在场： "他人在场"会在两个方向上影响个体的发挥，即提高简单任务的效率，或者降低复杂任务的效率。（13）

18. 近因效应： 在人际交往过程中，个体对他人最近、最新的认识占据了主体地位，并掩盖了以往形成的对他人的评价。（13）

19. 第三方推崇： 第三方因其立场中立，在推介上更容易取信于人。（14）

20. 首因效应： 最初接触到的信息所形成的印象对人们以后的行为活动和评价的影响。（14）

21. 说服的中心途径： 中心途径的说服，是基于理性的逻辑推理的。当人们在某种动机的引导下，并且有能力全面系统地对某个问题进行思考的时候，他们更多地使用说服的中心途径。也就是说，当用于说服别人的论据充分、令人信服的时候，比较适合采用说服的中心途径。（15）

22. 说服的外周途径： 外周途径的说服，借助于人的感性发挥作用。当手中并没有有力的论据来支持自己的观点的时候，就应该采用说服的外周途径，通过事实之外的情感体验、基准比较、信赖亲友或专家的判断等方式来说服别人。（15）

23. 态度免疫： 人的态度如同人体具有的免疫能力一样，会对别人的说服产生抵制，使得自己先前的态度不发生任何改变。或者说，当个体的某种观念受到别人反驳的时候，它可能会更加坚定，而不是产生动摇。（15）

24. 启动效应：提前出现的信息中蕴藏着的氛围倾向，将会引导人们沿着同一个氛围的方向去行动。（21）

25. 内群体偏见：个体在群居中，因为生活方式的高度接近性，将个体间的差异性降至最低，而将相似性增至最大，从而形成了高度统一的价值观，并表现出情感浓烈的偏见。（22）

26. 外群体偏见：一个群体及其成员对另一个群体及其成员的负面的预先判断。（25）

27. 身份意识：每个人都具备多重的身份标签，从而每个人在介绍自己身份的时候，往往会根据所处环境、情形的不同而有所不同。（26）

28. 特质推论：人们总是倾向于以他人最独特的特质和行为来描述对方。（26）

29. 自我服务偏见：当我们在加工和自我有关的信息时，会出现一种偏见：在大多数情况下，我们把自己看得比别人更好。和总体水平相比，我们觉得自己的道德更加高尚，相貌更加出众，身体更加健康，能力更加强大，对事物的评价更加客观，在绩效中的贡献更加重要。（27）

30. 头衔影响力：在社会交往中，某种意义上，头衔甚至比头衔的主人更具影响力。（28）

31. 外貌影响力：当一个人第一次看到另一个人的一瞬间，他并没有足够的时间和信息来对这个人进行心灵上的判断。他只能根据外貌来做出判断。事实上，人际交往中的第一眼就决定了百分之八十以上的一个人对另一个人的评价。（30）

32. 巴特·辛普森效应：大多数人认为，长相一般的孩子，他们的才干和社交技能都不如那些漂亮的同龄人。

反之，人们会下意识地将一些正面的品质如聪明、善良、诚实、机智、勇敢、威严等加到那些拥有充满吸引力的面孔上。（30）

33. "闭门羹"技巧：首先提出一个几乎一定会被拒绝的、非常大的请求。在被拒绝后，再提出一个小一点的请求，就更容易获得许可。"闭门羹"与"登门槛"恰好相反。"登门槛"是由小渐大、得寸进尺的技巧；而"闭门羹"则恰恰相反，是由大转小、虚大实小，从而得逞的技巧。（33）

34. 从众心理：大多数人都缺乏独立做出判断的勇气，也害怕承担自我独立判断可能带来的不良后果。一旦有其他个体，特别是在小群体内具有一定权威性的个

体做出决定后，人们往往愿意跟随而行。（34）

35. **归因方式**：一般来说，个体的每一个行为，都可以有两种归因方式。一种是性格归因，即由内部的原因导致的，比如个体的性格。另一种是情境归因，即由外部的原因导致的，比如说个体所处的环境。（34）

36. **基本归因错误**：当我们在解释他人的行为的时候，我们往往用性格归因，即将他人的行为认定为是这个人内在性格、意图等内部特点的直接反映。而当我们解释自己的行为时，却往往用情境归因。（34）

37. **信念固着**：一旦人们为错误的信息（或判断）建立了理论基础，那么就很难再让他们否定这个错误的信息了，这种心理现象就叫作信念固着。（34）

38. **相反立场**：说话者话语中所表达出来的立场和自己的利益诉求恰好相反，从而表现出强大的说服力。（36）

39. **社会懈怠**：在为了一个共同目标而努力的过程中，如果每一个个体的努力无法被单独评价衡量的话，就会出现"搭便车"的现象。每个人都寄希望于别人付出得更多，而自己来坐享其成。（43）

40. **恩惠的时效性**：随着时间的流逝，互惠原理的效力会逐渐减弱。（47）

41. **恩惠的相对性**：施惠者往往会比受惠者更加持久地记住恩惠，并且更容易夸大恩惠的累积价值。（47）

42. **自我实现预言**：预言会推动自身变成现实。（50）

43. **权威的合法性**：无论哪种权威，都只有在合法的前提下才真正有效。而伴生权威只有在不影响主体权威的利益时才是合法有效的。（51）

44. **相对剥夺效应**：当我们把自己和他人进行比较时，我们的挫折感会变得更为复杂。当警察的工资水平提高后，当然会提升他们的士气，但同时却可能降低消防员的士气。（53）

45. **高自尊的攻击性**：当一个高自尊的人发现自己高傲的自尊遭受威胁时，他们往往会通过打压别人的方式来应对，有时候甚至会采用暴力的方式。（53）

46. **踢猫理论**：人们会把自己受到的攻击转移给比自己更为弱势的一方。（54）

47. **破窗理论**：如果有人打坏了一个建筑物的窗户玻璃，而这扇窗户又得不到及时的维修，别人就可能受到某些暗示性的纵容去打烂更多的窗户玻璃。久而久之，这些破窗户就给人造成一种无序的感觉。结果在这种公众麻木不仁的氛围中，

犯罪就会滋生、繁衍。（59）

48. 选择性认知偏见： 当人们自以为自己很客观地来看待这个世界时，其实不过是头脑中的带有倾向性的选择投射。对同一个事物，人们往往倾向于将其解释为符合自己预期的那个方向。（60）

49. 社会性疼痛消失： 当人们把自己与一个有高的疼痛耐受性的人做社会比较的时候，这种比较实际上会导致人们体验到比正常情况时较少的疼痛感。（63）

50. 恐惧的说服力： 只有在让人们意识到危险的严重性的同时提供一个解决的方法，那么，唤起恐惧心理的信息才会更加具备说服力。（66）

51. 后见之明： 事件发生后回头看来，一切脉络都是清晰可辨的。但是，当事情正在发生的时候，要看清一切并非那么容易。（70）

后记

风雨十年心何往

"心理三国三部曲"即将推出十周年纪念版,在这个特殊的时刻,不免抚今追昔,往事历历,涌上心头。不过,记忆经过时间的加工,可能早已不是原来的模样。

十年来,"心理三国"系列以多个版本、数种文字畅销中国大陆和港澳台地区以及韩国等东亚文化圈,还有北美、澳大利亚等华人密集处,这是出乎我的意料的。

这部作品是我人生中的一个大事件,是沉寂两年后的自动喷发。所有的文字就像是流淌出来的,在键盘上打字的速度根本就跟不上脑海中文字奔涌的速度。只是,当时我并没有想到,这部无意中诞生的作品,竟在十年间成为我的代表作之一,并顺带开创了"心理说史"这种独特的写作形式。

这十年来,我的生活跌宕起伏、变化多端,仿佛只有不确定才是唯一确定的。

风雨十年心何思?

一个人若不曾跌落低谷,永远不可能体会人世真相;一个人若不曾历经沧桑,永远不可能洞察人性真相;一个人若不曾在绝望处看见光明,永远不可能探明人生真相。

这十年中,我思考了很多很多。这些思考带来了巨大的痛苦以及痛定之后不可思议的心性提升。

这十年中,我领悟到,风云亦只是寻常。我们惯常将目光投注于英雄人物,为他们的成功击掌,为他们的失败痛惜,为他们的智慧赞叹,为他们的失误惋惜。我们往往以为英雄人物与贩夫走卒大为不同,但其实在心理学的手术刀下,英雄与凡夫并无二致。人类喜怒哀乐的心理机制、趋吉避凶的人性逻辑,都逃不脱固有的几个模式。

所以，从心理学意义上来看，每个人的一生都是一个传奇。所谓历史，其实只是每个人自己的故事。"心理三国"借用了"英雄人物"的标签，讲述人人都可以代入的人生成败、悲欢离合。当初我在书中写到的"三国不仅仅是一段历史，也是千百年来人们将自己的道德偏好、价值判断投注其上的一个心灵样本。我们每个人身上或多或少都有这些三国人物的文化基因和行为记忆。读懂了他们，就认清了你自己，也就认清了你身边的中国人"，这一再得到了时间的验证。英雄即凡人，凡人亦传奇。这一领悟也渗入我此后所写的"心理说史"系列的其他作品中。

佛陀在《金刚经》里提出了一个"如何安住此心"的人生大命题。

风雨十年心何住？

反躬自省，这十年来，我的心一直住在哪里呢？

整个"心理三国"系列，我写下的第一句话就是"关羽是不可能投降的"，实际上，这句话完全是我当时潜意识的反映。

当时，我以灵魂之痛，深刻体会到了人性的复杂多变，但我的心还是住在对抗中，不愿意与俗流妥协，不愿意对压力屈服，不愿意向逆境投降。

但是黑白分明的抗争姿态是很消耗能量的，对自己的身心也是一种莫大的伤害。而最关键的是，这样做并不能安住那颗躁动而彷徨的心。

孔子说，人分为三种：一种是生而知之的，一种是学而知之的，还有一种是困而知之的。我生性愚笨，应该是属于那种困了很久才略有所知的。

抗争，非但没有让我免于痛苦，反而让我陷入了更大、更漫长的痛苦中。我的心被困于抗争之中，这等于是自设的心牢。如何才能越狱而出？

物极必反，在黑暗的极点，我明白了，抗争何如接纳？就如纳尔逊·曼德拉，也是在看不到头的牢狱生涯中，明白了必须用包容去迭代抗争。

接纳并不是投降，并不是没有原则，更不是和稀泥、当好好先生。接纳其实是一种最柔软的抗争。抗争是一分为二，接纳是合二为一，而一个人在三维世界中所能达到的最高心性境界就是"一"。

当一个人安住在接纳之中，自然也就消解了恐惧，消解了愤怒，消解了孤独。当一个人安住于不确定之中，也就是活在当下了。当一个人安住于包容之中，哪里还用得着对抗呢？山川万物皆是我，无限风光由心造，那是一种何等美妙的体验！

十年间，我出版了三十多本书（包括"心理三国·逆境三部曲""心理吴越三部曲"），但我自己知道，有太多的时间并没有用于创作，而是在和自己的心性做斗争。以我的创造力，本可以写出更多的作品。计划中的"心理楚汉三部曲"、《心理战国》（七卷本）、《心理孔子》《心理秦始皇》《心理苏东坡》《心理岳飞》等之所以未能如期完成，也缘于此。不过，这也是必不可少的"浪费"。好在，我还没有放弃；好在，我还有时间。

风雨十年，心里充满了感恩。对我来说，夜空中最亮的星，就是那些忠实的读者们。这些素不相识的书友，借助互联网时代的通信便利，用各种方式表达了他们对作品的喜欢和对我的支持。他们看似微不足道的一句问候，却弥足珍贵，暖炙我心，给了我继续前行的力量。在这里，要对这些书友们道一声诚挚的感谢。

走过十年，就像一首歌所唱的：孤独站在这人生的大舞台，心中有无限感慨。多少青春已不在，多少情怀已更改，但我却依然拥有你们的爱，无论天上人间，无论天涯海角。

要特别感恩的是师父和陈国瑛老师，他们给了我无数的鼓励，陪伴我走过了漫漫长路。另外，厚朴先生和馨文女士在重要时刻的热心帮助，也让我铭记在心。

俱往矣，时间不会停留，但会开花结果。生长十年，"心理三国"初具模样，也留下了一些遗憾。但无论如何，"心理三国"一定会活出它自己最茂盛的样子。

风雨十年心何往？

再过几天，就将进入21世纪20年代了，人类社会正在发生翻天覆地的变化，技术似乎占据了主导地位，但我始终相信，太阳底下，并无新事；人性心理，千年如一。无论技术如何演变，关于人和人性，仍将是恒久的话题。

展望未来，我还是会继续用"心理说史"这种形式来"看透历史，讲透人性"。或许，这就是我重要的人生使命吧。

最后，我想说，在上一版的后记中我把这套书献给我故去的公公婆婆。十年过去了，时间并不能割断我对他们的思念，也不可能磨灭我对他们的敬意。

谨以此书寄托我对他们不变的爱，虽然我再也没有机会亲口告诉他们。

2019年12月24日星期二于北京空港融慧园1912
2020年2月16日星期日于别馆13B补定

我想把《心理三国》三部曲献给我两位故去的亲人：我的外公陈有志（1915年12月26日—1989年1月14日）和外婆倪文鸳（1923年1月30日—2006年11月7日），如果没有他们，可能就不会有这套书。

在我们老家的方言中，"外公""外婆"是被称为"公公""婆婆"的。现在想起来，这方言真是好，因为他们一直在我内心深处，何曾有"外"？

两位老人出生于民国初年，经历了军阀混战、抗日战争、解放战争、新中国成立、"文化大革命"、改革开放等风云激荡的近现代史，也因此面临过无数的生活难题。在困难面前，他们淡定、从容，不以物喜，不以己悲，靠着自己的勤劳与智慧，家底丰殷，也赢得了他人的尊敬。在我母亲九岁那年，因邻家炖煮燕窝失火，将整个家族聚居的木结构楼房全部烧毁。两位老人数十年的奋斗成果化为灰烬，整个家庭陷入一无所有的困境。面对生活的严峻考验，他们不抱怨、不气馁，以无比的坚毅、辛劳，十年生聚，再创富殷。

如今，公公离开我们已经二十一年了，婆婆离开我们也有四年了。每当想起他们的时候，脑海里总是会浮现苏东坡的"十年生死两茫茫，不思量，自难忘……"，虽然东坡这首词是写来悼念亡妻的，但那种对故去亲人的思念之情，与我应该是别无二致的。

在人的一生中，谁又能不遭遇生活难题呢？但我所遇到的难题，显然远没有公公婆婆那样的跌宕起伏，而我的应对，显然也远没有他们那样的裕如与坦然。

幸运的是，公公婆婆对我的耳濡目染，经过时间的积淀，还是发挥了作用。在不断揣摩、追忆他们如何笑对生活的心路历程中，我不但找到了正确的生活态度，也顿悟了解读历史的最好方式：心理、心态、心灵。

人的历史就是人的心理塑造而成的！历史之所以不断向前，就是因为那些身处历史之中的人物的心理推动。他们或激越进取，或颓废消沉，或从容坦荡，或浮躁轻狂，却共同描绘了一幕幕风云变幻的历史画卷。

而历史之所以迷雾重重，很大程度上也是因为我们没能用正确的方式去解构、解读。当我们抚今追昔，社会心理学实际上已经给我们提供了很多的工具，所以，心理说史不但成为一种可能的选择，而且可能是一种正确的选择。

由此，"心理三国三部曲"也算是我一份小小的人生答卷。感谢两位老人用他们一生的言行、实践带给我的领悟。他们说不上是大人物，但他们那种发自内心的淡定、从容，是我最大的财富，远比他们留给我的物质资产更为珍贵。没有他们，不可能有物质意义上的我，也不会有精神意义上的我。

谨以此书寄托我对他们深深的敬意和深深的思念。

2010.9.9